Machado de Assis

BONS DIAS!

Universidade Estadual de Campinas

Reitor
Antonio José de Almeida Meirelles

Coordenadora Geral da Universidade
Maria Luiza Moretti

Conselho Editorial

Presidente
Edwiges Maria Morato

Alexandre da Silva Simões – Carlos Eduardo Ornelas Berriel
Carlos Raul Etulain – Cicero Romão Resende de Araujo
Dirce Djanira Pacheco e Zan – Iara Beleli – Marco Aurélio Cremasco
Pedro Cunha de Holanda – Sávio Machado Cavalcante

Machado de Assis

BONS DIAS!

INTRODUÇÃO E NOTAS
John Gledson

EDITORA UNICAMP

FFICHA CATALOGRÁFICA ELABORADA PELO
SISTEMA DE BIBLIOTECAS DA UNICAMP
DIRETORIA DE TRATAMENTO DA INFORMAÇÃO

As76b   Assis, Machado de, 1839-1908.
           Bons dias! / Machado de Assis; Introdução e notas: John Gledson. 3ª ed. – Campinas,
           SP: Editora da Unicamp, 2008.

           1. Ficção brasileira. 2. Brasil – História – Abolição da escravidão, 1888. 1. Gledson,
           John, 1945-

                                                                                          CDD B869.341
ISBN 978-85-268-0776-1   981.0435

Índices para catálogo sistemático:

1. Ficção brasileira   B869.341
2. Brasil – História – Abolição da escravidão, 1888   981.0435

Copyright © by John Gledson
Copyright © 2008 by Editora da Unicamp

1ª edição, 1990, Editora da Unicamp–Hucitec
2ª edição, 1997, Hucitec
3ª reimpressão, 2021

Opiniões, hipóteses e conclusões ou recomendações expressas
neste livro são de responsabilidade dos autores e não
necessariamente refletem a visão da Editora da Unicamp.

Direitos reservados e protegidos pela lei 9.610 de 19.2.1998.
É proibida a reprodução total ou parcial sem autorização,
por escrito, dos detentores dos direitos.

Impresso no Brasil
Foi feito o depósito legal.

Direitos reservados à

Editora da Unicamp
Rua Sérgio Buarque de Holanda, 421 – 3º andar
Campus Unicamp
CEP 13083-859 – Campinas – SP – Brasil
Tel.: (19) 3521-7718 / 7728
www.editoraunicamp.com.br   –   vendas@editora.unicamp.br

À MEMÓRIA DE

José Galante de Sousa
Alexandre Eulálio
Francisco de Assis Barbosa
Lourdes Dias

Agradecimentos

Para esta terceira edição, cabe repetir os agradecimentos à Biblioteca Nacional e à Seção de Microfilmes: sem elas, e sem o projeto Pró-Memória, este trabalho teria sido impossível; também à British Academy, que financiou duas viagens ao Brasil quando estava em curso o trabalho de edição, nos anos 80, e outras mais recentes. Sobretudo, gostaria de agradecer à Editora Hucitec, na pessoa de Flávio George Aderaldo, que deu todo o apoio às minhas exigências de cuidado e fidelidade, e a Alfredo Bosi e Davi Arrigucci Jr., que sugeriram a encomenda original para a Série "Literatura Brasileira", dessa mesma editora.

No Brasil, beneficiei-me da ajuda de muitas pessoas, para a primeira e a segunda edição: uma lista longa demais para ser enumerada — só queria destacar a colaboração, profícua e sempre estimulante, de Lúcia Granja. Gostaria de repetir meus agradecimentos a Antonio Dimas, que, nesta edição como na de *A semana*, teve a bondade de ler as notas e soube controlar meu entusiasmo excessivo. A ele e Maria Cecília Leonel, a Cristina Carletti e Nicolau Sevcenko, a Elmar Pereira de Mello e Hilda White Rössle de Mello, os costumeiros, e nem por isso menos sinceros, agradecimentos pela hospitalidade.

Sumário

Nota à terceira edição 11
Introdução 13
Cronologia 63
Nota ao texto 71
Nota às notas 73

BONS DIAS!

Crônica 1 – 5 de abril de 1888 79
Crônica 2 – 12 de abril de 1888 85
Crônica 3 – 19 de abril de 1888 91
Crônica 4 – 27 de abril de 1888 95
Crônica 5 – 4 de maio de 1888 99
Crônica 6 – 11 de maio de 1888 103
Crônica 7 – 19 de maio de 1888 109
Crônica 8 – 20-21 de maio de 1888 (*Imprensa Fluminense*) 113
Crônica 9 – 27 de maio de 1888 119
Crônica 10 – 1 de junho de 1888 123
Crônica 11 – 11 de junho de 1888 127
Crônica 12 – 16 de junho de 1888 133
Crônica 13 – 26 de junho de 1888 139
Crônica 14 – 6 de junho de 1888 143
Crônica 15 – 15 de julho de 1888 147
Crônica 16 – 19 de julho de 1888 151

Crônica 17 – 29 de julho de 1888 155
Crônica 18 – 7 de agosto de 1888 159
Crônica 19 – 26 de agosto de 1888 165
Crônica 20 – 6 de setembro de 1888 169
Crônica 21 – 16 de setembro de 1888 175
Crônica 22 – 22 de outubro de 1888 179
Crônica 23 – 21 de outubro de 1888 183
Crônica 24 – 28 de outubro de 1888 187
Crônica 25 – 10 de novembro de 1888 193
Crônica 26 – 18 de novembro de 1888 197
Crônica 27 – 25 de novembro de 1888 201
Crônica 28 – 17 de dezembro de 1888 207
Crônica 29 – 27 dezembro de 1888 211
Crônica 30 – 13 de janeiro de 1889 215
Crônica 31 – 21 de janeiro de 1889 219
Crônica 32 – 26 de janeiro de 1889 223
Crônica 33 – 31 de janeiro de 1889 227
Crônica 34 – 6 de fevereiro de 1889 231
Crônica 35 – 13 de fevereiro de 1889 235
Crônica 36 – 23 de fevereiro de 1889 239
Crônica 37 – 27 de fevereiro de 1889 243
Crônica 38 – 7 de março de 1889 247
Crônica 39 – 19 de março de 1889 253
Crônica 40 – 22 de março de 1889 257
Crônica 41 – 30 de março de 1889 261
Crônica 42 – 20 de abril de 1889 265
Crônica 43 – 7 de junho de 1889 269
Crônica 44 – 14 de junho de 1889 273
Crônica 45 – 29 de junho de 1889 277
Crônica 46 – 3 de agosto de 1889 281
Crônica 47 – 13 de agosto de 1889 287
Crônica 48 – 22 de agosto de 1889 291
Crônica 49 – 29 de agosto de 1889 295
Bibliografia 299
Índice remissivo 305

Nota à terceira edição

Esta edição se diferencia das edições anteriores em alguns aspectos. O mais importante é a nova introdução. Quando escrevi a introdução à primeira edição, achei que não devia repetir o já dito no capítulo sobre "Bons dias!" em *Machado de Assis: ficção e história*. Erro ou não, desta vez decidi que não podia ser assim, e tentei escrever uma introdução completa à série, mais ou menos "definitiva". Isso implicou repetir certos trechos de *Ficção e história*, mas o leitor verá que os textos são bastante diferentes. O enfoque, mais estritamente cronológico, é diverso, e é uma tentativa de explicar o processo de escrita da série, de explicar a relação tensa com o leitor e de levar em conta certas críticas que foram feitas aos meus argumentos, sobretudo no tocante ao assunto da escravidão. Também acrescentei uma cronologia, no modelo da que tinha feito para *A semana — 1892-93*.

As notas mudaram menos, mas em vários casos foi possível solucionar problemas que em 1990 tinha sido incapaz de resolver: achar a fonte de alguma citação, a explicação de um momento difícil etc. Nesse sentido, se não me engano, a edição melhorou bastante — fiz também, sempre que possível, referência à página e à coluna do jornal onde estão as notícias citadas. Os princípios desta edição são iguais aos da edição de 1990: só achei útil acrescentar um guia para futuros editores das crônicas de Machado, e até outros escritores, por razões explicadas no próprio guia.

Introdução

John Gledson

No dia 5 de abril de 1888, Machado iniciou uma nova série de crônicas na *Gazeta de Notícias*, que durou até 29 de agosto de 1889, e ao longo desses 17 meses publicou 49 crônicas, uma média de quase três por mês. Todas começavam com a saudação "Bons dias!" e acabavam na despedida (que também funcionava como assinatura-pseudônimo), "Boas Noites". Desde que as li pela primeira vez, no início dos anos 80, elas me pareceram constituir a melhor justificação possível para uma leitura cuidadosa, e uma edição bem anotada, de todas as crônicas de Machado. Às vezes são muito divertidas; têm uma percepção muito aguda dos eventos — em si muito importantes — que acompanham; e exploram a relação do cronista com o leitor, ao expandi-la e até subvertê-la, revelando, talvez até mais do que qualquer outra série, as potencialidades do gênero.

As crônicas têm uma história própria. Acompanham, antecipando-as às vezes, as mudanças pelas quais o escritor passou em outros gêneros; seguem também o desenvolvimento da imprensa brasileira do século XIX e estão influenciadas, nesta série mais do que em qualquer outra, pelos acontecimentos políticos e pelo fluxo da história, vista, e experimentada, de perto e de longe. Cada série tinha parâmetros próprios, sem dúvida ajustados ao sabor das necessidades e das circunstâncias, e terminava quando um desses fatores, ou uma combinação deles, assim o forçava. As crônicas são um meio privilegiado de entender a interação multifacetada entre o escritor e o mundo público em que se movia.

Quais foram, então, os fatores mais importantes que cercavam e determinavam o andamento e a forma desta série? A data do começo, um mês antes da Lei Áurea, de 13 de maio de 1888, é obviamente a chave mais importante. Mas outros fatores, menos imediatos, também pesaram, e são eles que veremos antes. O primeiro é a própria *Gazeta de Notícias*. Foi fundada em 1874 por Ferreira de Araújo, "homem de iniciativas saneadoras, tendo reformado a imprensa do seu tempo, para dar espaço à literatura e às grandes preocupações, com desprezo pelas misérias e mesquinharias da política".[1] A *Gazeta* foi o primeiro de uma nova classe de jornais: era vendido avulso na rua, enquanto outros (a *Atalaia* de *Quincas Borba*, por exemplo) dependiam de assinantes. Obviamente, isso tinha suas implicações: em 1888, era um dos três jornais mais importantes do Rio, juntamente com o *Jornal do Commercio*, um órgão de informação mais caro, mais detalhado e mais conservador, o decano da imprensa do Rio, e com *O País*, que, com 26 mil exemplares diários, proclamava ser o jornal de maior tiragem da América do Sul. *O País* era republicano; a *Gazeta*, com uma tiragem não muito menor (de 24 mil exemplares, como anunciava no cabeçalho), era menos engajada politicamente. A coluna semanal de Ferreira de Araújo, "Coisas políticas", era um comentário sensato, pragmático (e às vezes profundo), sobre os acontecimentos do dia, colocando-os numa perspectiva mais ampla: os pontos de vista de Machado parecem ter sido bastante semelhantes aos expressos nessa coluna.[2] Em termos de formato, a *Gazeta* e *O País* eram muito parecidos: seis páginas, sendo as duas últimas (ou um pouco mais) destinadas a anúncios, uma, aos "A pedidos" e o resto, a uma mistura de notícias, informação comercial, reportagens parlamentares, notícias sobre teatro, artigos mais longos assinados por autores mais ou menos célebres (durante esse período, por exemplo, Eça de Queirós publicou na *Gazeta* parte da sua *Correspondência de Fradique Mendes*, acontecimento que não passou despercebido a Machado), romances em folhetim e, claro, as crônicas, não sendo as de Machado as únicas. O que é mais importante para os nossos fins, essa nova maneira, mais democrática, digamos, de publicar os jornais também estabeleceu entre os escritores e o público uma relação relativamente íntima, um tom de conversa e de intercâmbio diário que talvez não houvesse, nem antes nem depois — já no fim da vida Machado se ressentia das mudanças na cidade, das quais o "Bota-abaixo" é a mais dramática, e que estabeleceram novas divisões de classe. "Festa de estalagem, todos dançam e ninguém se conhece", teria dito ele, segundo Humberto de Campos.³ Ensaiando uma comparação um pouco exagerada, podemos dizer que Machado foi o Mozart dessas novas possibilidades e que sabia utilizar os recursos desse instrumento "novo", assim como fazia o compositor em relação ao clarinete.

Ao todo, Machado publicou 475 crônicas na *Gazeta*, mais de três quartos da sua produção no gênero (mais da metade destas pertence à sua última série, "A semana", publicada entre 1892 e 1897). Começou a sua colaboração em 1883⁴ como um dos autores de uma série quase diária de crônicas, "Balas de estalo", usando o pseudônimo Lélio — a sua última contribuição é de 22 de março de 1886.⁵ Há um intervalo de seis meses — talvez devido ao início da publicação de *Quincas Borba* nesse ano n'*A Estação*, antes do começo da próxima série, curtíssima, de apenas sete crônicas, chamadas "A + B", dialogadas, e assinadas com o pseudônimo João das Regras.⁶ Foram publicadas entre setembro e outubro de 1886, e imediatamente a seguir Machado iniciou uma nova série semanal, a "Gazeta de Holanda", crônicas em verso, que manteve com bastante regularidade durante 14 meses (um total de 49 crônicas), cuja publicação se encerrou em fevereiro de 1888, pouco mais de um mês antes do começo da série "Bons dias!", que difere bastante de sua predecessora, não só por ser em prosa.

Antes de vermos as razões mais específicas dessa mudança de forma, porém, é útil pensarmos um pouco no contexto maior da vida criativa do seu autor. É um erro pensar nas crônicas como um simples ganha-pão, embora, claro, seja provável que houvesse momentos em que o dever semanal fosse apenas isso, e o nível de criatividade verdadeira fosse baixo nessa mesma medida. Veremos alguns exemplos mais adiante, ao considerar a trajetória de "Bons dias!". No entanto, muitas vezes se esquece de que Machado escrevia em vários gêneros, e de que um relato da sua carreira que se concentrar num só — quase sempre os romances — nunca poderá ser completo. A estrutura episódica dos romances, sobretudo de *Memórias póstumas de Brás Cubas*, põe em evidência os paralelos com os contos e as crônicas; entre 1881 e 1886 ele investiu muito vigor criativo na composição de cerca de 50 contos.[7] No começo de 1888, porém, a situação era bem diferente. A torrente de contos quase secara: publicou apenas três em 1887; e, destes, só um, "Eterno!", pode ser incluído entre as suas melhores obras no gênero. Em 1888 publicaria uma das suas obras-primas, "Um homem célebre",[8] e, no começo de 1889, outro conto "menor", "Dona Jucunda". Além de umas poucas peças ocasionais — as que comemoram os falecimentos dos amigos Joaquim Serra e Francisco Otaviano, por exemplo —, as crônicas de "Bons dias!" são as únicas obras suas publicadas entre 1888 e 1889. Os anos de 1890 e 1891 não são mais fecundos — a única obra realmente notável é "O caso da vara", de 1891.[9]

Há uma importantíssima exceção nesse período, que muitos leitores podem ter notado. Durante esses anos todos, Machado publicava, n'*A Estação*, a primeira versão, em forma folhetinesca, de *Quincas Borba*. Não há dúvida de que estava sendo escrito nesses anos, e, além disso, causava imensos problemas ao seu autor. A prova é que houve duas interrupções na publicação na revista, entre maio e outubro de 1888 e entre julho e novembro de 1889 — podemos ter quase certeza de que essas pausas foram impostas por dúvidas sobre como continuar.[10] Já argumentei, em *Machado de Assis: ficção e história*, que essas dúvidas envolvem aspectos cruciais do significado do romance, e sobretudo da loucura de Rubião. Um dos mais importantes é o histórico. A loucura acompanha o fracasso progressivo do regime imperial em controlar os acontecimentos históricos — a prova mais contundente da intencionalidade desse paralelo é o nome de Rubião, Pedro (Rubião) de Alvarenga, que, sem ser Pedro de Alcântara, nome civil de dom Pedro II, chega tão próximo à identidade deste quanto possível. Essa perda de controle, alegorizada na loucura, reaparecerá em "Bons dias!", sobretudo quando a série se aproximava do seu fim.

Também mostrei que esses novos significados são freqüentemente escondidos, ou cifrados, de um modo que se aproxima de uma agressão ao leitor. Se tenho razão, é isso que constitui a ligação mais profunda entre o romance e as crônicas. Veremos que situações em que a polidez e seu oposto potencial, a agressão, têm um papel crucial ocorrem continuamente em "Bons dias!", logo depois do título. É claro que a ironia sempre fizera parte do estilo e da atitude machadianos; em *Memórias póstumas*, pela primeira vez, fez parte da situação e da posição do narrador, sempre visto como não-confiável e com distância irônica — com pé-atrás, para usar a fórmula de Abel Barros Baptista. Inevitavelmente, isso implica alguma agressão, pelo fato de o autor esconder ou disfarçar uma parte da verdade e desafiar o leitor a desenterrá-la. Em *Quincas Borba*, se tenho razão, junta-se uma nova dimensão a essa distância, que é especificamente histórica: faz parte da estrutura do romance e do seu enredo de um modo diferente do de *Memórias póstumas*.[11] De fato, isso é mais complicado do que parece, porque, embora *Quincas Borba* se centre na crise de 1871 e na Lei do Ventre Livre, havia paralelos óbvios com a situação de 1888-1889 — em ambas as crises, o regime imperial tentava acabar com a escravidão sem acabar consigo mesmo. É isso que, em última instância, Machado qualifica de loucura. A longo prazo, Cotejipe tinha razão ao dizer que o fim da escravidão fatalmente significaria o fim do próprio Império. Nos bastidores, ouvimos o eco do provérbio latino: "Quem Deus vult perdere, dementat prius" [A quem Deus quer destruir, antes lhe tira o juízo].

Visto noutra perspectiva, Machado percebia cada vez mais a distância entre ele e os seus leitores; também, essa distância tinha, cada vez mais, um ingrediente histórico, no sentido de que a compreensão machadiana da história, ou do fluxo dos acontecimentos, era mais aguda que a dos seus leitores. Não precisamos designar essa compreensão de sobre-humana — outros autores, como o próprio Ferreira de Araújo, compartilhavam essa visão profunda e ampla da situação histórica. Machado, porém, parece imaginar que seus leitores fossem mais próximos ao confeiteiro Custódio, na famosa cena da tabuleta em *Esaú e Jacó* (*Obra completa*, 1959, vol. I, pp. 1.025-28; caps. 62-63), para quem o advento da República é um choque total — ainda que, novamente, seja aconselhável não exagerar, e achar que aquilo em que Machado acredita (ou finge acreditar) no contexto das crônicas seja verdade. Alguns leitores entenderiam mais, outros, menos. O essencial é nos darmos conta de que essa distância está presente, e está dramatizada mais de uma vez, em "Bons dias!".

A complexidade dessas crônicas se torna mais fascinante ainda pelo fato de que Machado era um monarquista que não queria o fim do regime, embora soubesse que este acabaria; essa tensão entre o coração e a razão é um dos fatores que constituem o fascínio dessas obras. "Bons dias!" fica no centro de várias questões ligadas entre si. Os anos de 1888 e 1889 podem parecer vazios quando vemos as páginas que lhes correspondem na *Bibliografia* de Galante de Sousa — e ficariam mais vazios ainda, não fosse a descoberta do próprio Galante de que Machado era o autor de "Bons dias!" —, mas revestem um interesse extraordinário. A luta criativa de Machado não se dá somente na composição de *Quincas Borba*; também no seu último romance, *Memorial de Aires*, ele volta a essa crise. Esse romance em forma de diário começa um pouco antes das crônicas, em 9 de janeiro de 1888, e termina em 30 de agosto de 1889, um dia depois da última crônica da nossa série. Isso não pode ser coincidência — mas é preciso investigar e, antes de mais nada, compreender as circunstâncias históricas. Passemos a um resumo delas.

Ao longo de quase uma década — desde 1880, quando ficou claro que a Lei do Ventre Livre não levaria, por si só, ao fim da escravidão —, a questão da abolição dominara o país. Quando, em 1884, o senador Dantas, liberal, propôs uma medida bastante tímida, a libertação dos escravos com mais de 60 anos de idade, enfrentou a oposição ferrenha dos donos de escravos. Esse conflito desembocou na Lei Saraiva-Cotejipe de 1885, que alguns historiadores dizem ter atendido mais aos interesses dos escravocratas do que aos dos próprios escravos.[12] Em 1885, o imperador chamou o barão de Cotejipe, escravocrata conservador, para ser presidente do Conselho e, nos primeiros meses de 1886, elegeu-se uma Câmara também conservadora, pelo sistema habitual e corrupto segundo o qual a opção por um dado partido pelo imperador garantia a vitória desse mesmo partido nas eleições.

A realidade da situação, porém, começava a escapar do controle dos políticos. Sobretudo na província de São Paulo, os escravos começaram a fugir em massa das fazendas, para lugares seguros como a cidade de Santos: o sistema começava a ruir. Duas províncias (Ceará, Amazonas) já tinham abolido a instituição, e o castigo físico tinha sido proibido por uma lei, que, se tivesse sido levada a sério, teria, claro, acabado com a escravidão em pouco tempo. Os fazendeiros paulistas se deram conta de que o sistema vigente de controlar sua mão-de-obra não se sustentava mais. Em setembro de 1887, Antônio Prado, chefe político paulista, ministro dos Estrangeiros do governo Cotejipe, desde sempre oposto à abolição, mudou de posição, seguido alguns dias depois por João Alfredo Correia de Oliveira, importante senador e ex-ministro pernambucano. Desse momento em diante, o governo de Cotejipe estava fadado ao fracasso, mas as razões tinham pouco a ver com os partidos, e muito com o estado da sociedade: só os donos de escravos do interior da província do Rio de Janeiro, no vale do Paraíba do Sul, tinham forte interesse na continuação da escravatura, e isso porque os escravos constituíam a sua única riqueza — em muitos casos, suas terras estavam praticamente exauridas. Como disse Ferreira de Araújo na *Gazeta* em 19 de março de 1888, com palavras retomadas mais tarde por historiadores, a abolição agora era do próprio interesse dos senhores, "que já hoje pensam mais em libertar-se dos escravos, do que em libertar escravos".[13]

Nesse contexto, não importava o partido que impusesse a lei, e a escolha de João Alfredo era perfeitamente coerente: De acordo com Ferreira de Araújo nesse mesmo artigo, as duas medidas anteriores que levaram ao fim da escravidão, a abolição do comércio transatlântico em 1850 e a Lei do Ventre Livre, foram obra de conservadores (de Eusébio de Queirós e do visconde do Rio Branco respectivamente). No entanto, havia outro fator que certamente influiu na decisão da regente, a princesa Isabel, em não chamar um liberal para formar o governo, como muitos esperavam. Um governo liberal ou teria que tratar com uma Câmara conservadora ou teria que convocar novas eleições — e com cada mudança de partido, cada eleição obviamente fraudulenta, a credibilidade do próprio regime, e do Poder Moderador, supostamente neutro, ficava exposta a críticas: mudanças freqüentes poriam em perigo o próprio Império.

Machado, como vimos, concluiu a série "Gazeta de Holanda" em 24 de fevereiro de 1888. Por quê? Não parece haver razão intrínseca à série em si, que fora publicada, com freqüência e regularidade admiráveis, desde 1º de novembro de 1886 — freqüência ainda mais admirável (ao menos me parece) porque eram crônicas em verso, às vezes um verso muito engenhoso e engraçado. Foram, como já foi dito, 49 crônicas, publicadas ao longo de 16 meses. Como notou Magalhães Júnior, Machado interrompeu a série "sem sequer despedir-se dos leitores".[14] A conclusão a ser tirada, com grande probabilidade, é de que a razão do fim da série velha era o começo da nova: os acontecimentos se aceleravam, e Machado precisava de um novo formato para acompanhá-los e fazer seus comentários, com o espírito e a percepção que só ele tinha.

Mas ele queria lançar os alicerces dessa nova série com cuidado: *sobretudo, não queria ser identificado como seu autor*. Essa bem pode ser a razão de ele ter esperado mais de um mês para começar a nova série. As crônicas eram sempre assinadas por pseudônimos, mas muitas vezes o segredo da sua autoria era compartilhado, quando não era de conhecimento público, como foi o caso dos três pseudônimos anteriores, Lélio, João das Regras e Malvolio, cuja identidade foi divulgada pela revista *A Semana*, quando as crônicas estavam sendo publicadas.[15] É impossível exagerar a importância desse verdadeiro anonimato para a série; não se trata apenas de um novo pseudônimo, como parecia acreditar Magalhães Júnior.[16] Parece claro que Machado ia dizer algumas coisas duras, mesmo sob a capa da ironia, e queria poder dizer essas coisas com uma margem extra de liberdade, sem sofrer conseqüências mais imediatas.

Parece que o disfarce funcionou à perfeição: como vimos, só nos anos 1950 é que se soube que essas crônicas eram de Machado.[17]

Vejamos, então, a primeira crônica da série, e o que Machado pensava quando a começou. Quais eram seus planos ou intenções? Por quanto tempo pensava continuar a série — ia ser curta, como "A + B", ou longa, como a "Gazeta de Holanda"? Como constrói a *persona* do cronista, considerando principalmente o fato de que queria permanecer anônimo? E, talvez mais importante que tudo nessa série, como estabelece a sua relação com os leitores?

O primeiro parágrafo, do título-saudação em diante, insiste não no assunto das crônicas — no seu conteúdo, digamos —, mas justamente nessa relação, na sua forma: "Hão de reconhecer que sou bem criado. Podia entrar aqui, chapéu à banda, e ir dizendo o que me parecesse; depois ia-me embora, para voltar na outra semana. Mas não, senhor; chego à porta, e o meu primeiro cuidado é dar-lhe os bons dias". Tudo ótimo, então — só que essa polidez e essa familiaridade estão ameaçadas — não pelo cronista, Deus o livre, mas pelo leitor: "Agora, se o leitor não me disser a mesma coisa, em resposta, é porque é um grande malcriado, um grosseirão de borla e capelo". Mas logo se desdiz, e alega que se refere não a você, caro leitor, "que está com este papel na mão, mas ao seu vizinho" (cr. 1). Mas a verdade essencial já está patente — a polidez implica o seu oposto. Debaixo dela (e não muito fundo) sempre há agressão e possíveis insultos. Essa tensão entre uma e outra, entre a atitude "normal", lisonjeira, em relação ao "caro leitor", e algo completamente diferente, estabelece o tom dessa série, a sua situação perante o leitor, com uma economia e uma mira infalíveis. Uma e outra vez, veremos situações em que os interlocutores — não tem a mínima importância quem é o leitor e quem é o cronista — são desiguais, um deles sendo muito mais inteligente e perspicaz que o outro.

O fato de Machado dramatizar essa situação de desigualdade entre leitor e cronista logo no comecinho da primeira crônica mostra que ele estava consciente da sua importância básica para essa série, cuja existência seria impossível sem ela. É claro que o anonimato é parte integrante dela. Como diz no começo da sexta crônica, publicada dois dias antes do 13 de Maio: "Vejam os leitores a diferença que há entre um homem de olho alerta, profundo, sagaz, próprio para remexer o mais íntimo das consciências (eu, em suma), e o resto da população". Isso é irônico, sem dúvida, mas ocorre que também é verdade — Machado pensava em si mesmo como mais profundo e sagaz que boa parte do resto da população. E não surpreende, para seu maior conforto, e para obter o maior espaço possível para dizer o que queria e do jeito que queria, que ele *não* desejasse que suas palavras, por mais encobertas de ironia que pudessem ser, fossem atribuíveis a Joaquim Maria Machado de Assis.

Há mais, porém. Fica claro, pelos muitos exemplos, que essa situação de comunicação (e de falta dela) e dos diferentes níveis de harmonia que ela implica fascinava Machado, e que nesse momento de sua carreira esse fascínio é particularmente intenso. Machado imagina situações em que ele e os seus leitores falam línguas diferentes — isso, paradoxalmente, levaria a maior harmonia: "Suponhamos por um instante que eu era bei de Túnis. Antes de mais nada, tinha prazer de viver em Túnis, que é um dos meus mais desenfreados desejos. Depois, não entendia nada que me dissessem, nem os outros me entendiam, e para estabelecer relações cordiais, não há melhor caminho" (cr. 16). Mais de uma vez, as línguas estrangeiras aparecem em cena, e em momentos cruciais; o mais óbvio ocorre em 11 de maio de 1888, quando cita uma frase em alemão de um jornal carioca, o *Rio-Post*, o jornal da colônia de língua alemã: estabelece primeiro que o interlocutor não entende a língua, mas o sentido básico da frase — fala-se em "*konstitutionelle Monarchie*" e "*absolute Oligarchie*" — pode ser adivinhado (cr. 6). Porém, Machado não se digna de traduzi-la.[18] Como veremos, uma das crônicas mais difíceis conclui com uma citação num "cartaginês" imaginário. E, de fato, um dos traços mais característicos dessas crônicas são as suas conversas, que quase sempre revelam uma tensão intrínseca, nem que seja só o cronista, agora no papel de um intrépido "repórter" no melhor estilo jornalístico americano, perseguindo o infeliz senador Castro Carreira, na vã tentativa de descobrir a verdade sobre a política no Ceará, em 4 de maio de 1888 (cr. 5).

Claro que há uma alternativa: se vivesse na roça, todo mundo se entenderia, e a harmonia seria completa — pena que repouse na sujeição total de um ser humano a outro: "Na roça a gente vai andando em cima de uma mula; a dez passos já as pessoas bem educadas estão de chapéu na mão: — Bons dias, Sr. Coronel! — Adeus, José Bernardes. — Toda a obrigação de V. Exa.? — Todos bons, e a tua? — Louvado seja Deus, vai bem, para servir a V. Exa." (cr. 3). O Rio de Janeiro fica a meio caminho entre Túnis e a roça — Machado, é claro, tira um prazer especial dessa "terra de malcriados".

Voltemos à primeira crônica da série, e a seu segundo parágrafo. O cronista agora nos diz que não vai "apresentar programa": novamente o leitor, profundo e sagaz como é, sentirá a pressão do oposto. E aqui chegamos ao verdadeiro motivo do fim da "Gazeta de Holanda" e do começo da nova série. No fim de fevereiro de 1888, já era patente que a escravidão acabaria. Nos primeiros dias de março, o governo Cotejipe caiu, e no dia 10 desse mesmo mês João Alfredo formou um gabinete novo. Machado ficou à espera, porém — afinal, não houvera mudança de partido, e não se sabia o que aconteceria. No dia 24, contudo, ouviu a notícia que todos esperavam — o novo governo ia abolir a escravidão completamente, sem indenizar os donos, e incondicionalmente (alguns sugeriram que fossem forçados a trabalhar até o fim da colheita do café). Parece que a notícia extravasou, acidentalmente, num discurso do novo ministro da Justiça, Antônio Ferreira Viana, no Clube Beethoven, sociedade de amadores da música da qual Machado era secretário.[19] Ele estava presente quando o discurso foi proferido, e aplaudido com entusiasmo por José do Patrocínio; e embora não fique totalmente claro pelas notícias dos jornais, parece evidente que essa tinha sido a primeira vez que a chegada da Lei Áurea era anunciada. Machado tinha o seu ponto de partida.

O resto da crônica nos dá uma noção mais clara do contexto maior desse momento histórico, mais complexo do que a simplicidade da lei, com suas duas frases famosas, nos poderia levar a pensar. Primeiro, Machado se permite um lance irônico bastante extremo e ousado: dado o protesto dos escravocratas diante da perspectiva da abolição total sem compensação, diz que não é político anunciar abertamente o que vai fazer, "o melhor é fazer calado". "Nisto pareço-me com o príncipe [...]"; o leitor imediatamente pensaria no imperador, que, em teoria e provavelmente de fato, tinha tentado agir nos bastidores para empurrar os sucessivos governos na direção da abolição e usar o Poder Moderador para esse fim. Porém, depois de um parêntese que dura nada menos que 73 palavras, a frase continua — "[...] de Bismarck"! E mais, todo o parêntese trata de um "sujeito" que se parece com o imperador, mas não é ele! Já no segundo parágrafo dessa crônica, Machado se mostra pronto a utilizar formas extremas — agressivas — de ironia, que desafiam o leitor, e parecem supor que este não entenderá.

O que podemos deduzir disso? Talvez que o imperador, por mais que tentasse influir no decurso dos acontecimentos, não se saiu tão bem quanto Bismarck: ao contrário, expôs-se sem querer. Depois de um parágrafo que trata, num tom mais generalizante, da vaidade humana (a afirmação do Gênese de que Deus fez o homem à sua imagem, o que para Machado certamente significa o oposto, isto é, que o homem fez Deus à sua imagem), o cronista volta ao assunto da polidez, e diz-nos, *en passant*, que a crônica será semanal, promessa que, como veremos, não foi cumprida — em contraste com a série anterior, "Gazeta de Holanda". Da mesma forma, mais tarde, acena com o fim da série (o que em si já é interessante), mas algo vagamente: "Aqui me terão, portanto, com certeza até a chegada do Bendegó, mas provavelmente até à escolha do Sr. Guaí, e talvez mais tarde".[20]

Ao longo dessa crônica, que tem a função, entre outras, de despistar o leitor e impedir que este descubra a identidade do verdadeiro autor, há dicas para a construção de uma espécie de *persona* para o cronista. Entra nisso muita brincadeira: os leitores não as levariam a sério — certamente, não acreditavam que o mesmo autor do parêntese sobre dom Pedro "não [tivesse] hábito de periódicos" — embora certamente não adivinharam a verdade. Primeiro, diz que só escreve por dinheiro ("Não tenho papas na língua, e é para vir a tê-las que escrevo. Se as tivesse, engolia-as e estava acabado") e, em seguida, afirma que é um relojoeiro que desistiu do ofício, "cansado de ver que os relógios deste mundo não marcam a mesma hora".

Raimundo Magalhães Júnior utilizou "relojoeiro" no título da sua edição destas crônicas e das de "A + B": *Diálogos e reflexões de um relojoeiro*, e algumas interpretações recentes das crônicas dão a essa palavra uma importância para o significado da série muito maior do que de fato tem.[21] O relojoeiro só aparece em cinco das 49 crônicas, e só nessa primeira é que o seu ofício tem maior relevância. Por meio da idéia do tempo, e dos relógios que não marcam a mesma hora, Machado se refere ao curso da história e, em particular, novamente, ao Império como instituição. Convém citar o parágrafo seguinte, crucial:

Um exemplo. O Partido Liberal, segundo li, estava encasacado e pronto para sair, com o relógio na mão, porque a hora pingava. Faltava-lhe só o chapéu, que seria o chapéu Dantas, ou o chapéu Saraiva (ambos da Chapelaria Aristocrata); era só pô-lo na cabeça, e sair. Nisto passa o carro do paço com outra pessoa, e ele descobre que ou o seu relógio estava adiantado, ou o de Sua Alteza é que atrasara. Quem os porá de acordo?

Na hora, parecia óbvio a muita gente que, como a escravidão ia terminar, e o desacreditado governo de Cotejipe tentara em vão mantê-la, haveria uma mudança e que os liberais seriam chamados ao poder, ainda mais sendo essa uma medida liberal por excelência. Mas muitos eram mais perspicazes — já citamos o caso de Ferreira de Araújo; a abolição era um *fait accompli*, e tinha pouca importância que fosse introduzida pelos conservadores ou pelos liberais. Em algum momento, o Partido Liberal perdera o bonde — sobretudo, talvez, no processo que levou à Lei Saraiva-Cotejipe de 1886, já mencionada. Mais do que isso, a própria Monarquia — "Sua Alteza" — perdeu o controle do processo. Os acontecimentos passaram por cima dela. Pode ser relevante mencionar de novo o fato de que Machado era um monarquista liberal, e talvez lhe desse prazer ver o Partido Liberal e a Monarquia "pondo-se de acordo" acerca desse assunto tão importante. Mas ele sabe que não é assim — talvez porque, como diz, os dois candidatos liberais pertencessem à "Chapelaria Aristocrata" — e que a situação é irremediável.

Em que medida Machado moldou a *persona* do cronista nessa série? Pouco, acho: seria impor-se parâmetros mais estreitos do que os que lhe convinha. Parece-me provável, de fato, que a figura do relojoeiro surgiu do tema do "descompasso da história", ao qual este dá uma solidez meio irônica, e não o contrário.

As ocorrências posteriores, esporádicas, são também secundárias, insignificantes em comparação com esta. De fato, ele some, para só reaparecer em junho de 1888. Desse momento em diante, temos: o relojoeiro que trata seus clientes com uma polidez exagerada (cr. 11); "um Senado (como se diz na relojoaria) de patente" (cr. 14); não pode entrar na Câmara, porque "não entram ali relojoeiros" (cr. 17); e, finalmente, num dos ataques a Antônio Castro Lopes, criador de "neologismos indispensáveis", diz que, quando era relojoeiro, "compunha anúncios grandes e pequenos" (cr. 38). Curiosamente, aqui nos diz, sem motivo aparente, que deixou a profissão "por causa da vista fraca", e não porque deixou de acreditar nela.

Claro que não há a mínima necessidade de consistência na criação da *persona* do cronista — tudo é brincadeira, e as contradições fazem parte do jogo. Assim, somos informados em 27 de abril de 1888 de que "a minha rua habitual é a do Ouvidor" (cr. 48) e, em 26 de agosto de 1888, de que "não pisa" lá desde 1834 (cr. 19). Em geral — e isso é importante, e tem conexão com o relojoeiro experimentado como existe na primeira crônica — exagera a idade do cronista, fazendo-o mais velho e antiquado que o seu autor. Na crônica de 1º de junho de 1888, em que também quase acusa o leitor de grosseria (e insiste na sua polidez), "ele" nos informa que o seu nome é Policarpo — de óbvias conotações cômicas — e que tinha 5 anos em 1831 (cr. 10). Novamente, não há necessidade nenhuma de consistência (como obviamente seria o caso em um romance): em 28 de outubro de 1888, pensa em candidatar-se ao Senado, "se os eleitores do império acabassem de crer que os meus quarenta anos já lá vão" (cr. 24) — imagina-se que não seria bem difícil, se ele tivesse 62! Já para o fim da série, em material publicado em 2 de agosto de 1889, para celebrar o aniversário da *Gazeta de Notícias*, ele diz que não tinha nascido ainda em 1864, o ano da "quebra do Souto", um dos pontos de referência do autor; na mesma matéria, finge esconder a sua idade, e diz que "toda vez que encetava a seção, aumentava a tiragem". Parece que já esqueceu que "não tem hábito de jornais"!

Falar de um "narrador", como pode existir num romance ou num conto, numa série de crônicas como esta é no mínimo um exagero, no máximo uma distorção da verdade e uma complicação inútil. Algumas crônicas até têm narradores individuais — o dono de Pancrácio, por exemplo, na famosa crônica que logo veremos, e que certamente não é o pacato e efêmero relojoeiro, e o sujeito que quer imitar Tchitchikof, de *Almas mortas*, da crônica de 26 de junho de 1888 —, mas duram só uma crônica inteira — aventurar-se mais seria esperar mais do leitor do jornal do que o próprio gênero pode admitir e impor-se limites inaceitáveis. Muito mais importantes que a *persona* contraditória, zombeteira, fogo-fátuo, do cronista são o título e a fórmula das crônicas — "Bons dias! – Boas Noites" —, com tudo que implicam de polidez e agressão, de intimidade e distância. Esse diálogo com os seus leitores, com momentos de maior ou menor tensão, continuaria até 29 de agosto de 1889, quando, por razões que tentaremos compreender, acabou.

Como já foi dito, essa é uma série de crônicas, e não um romance. Reagem aos acontecimentos diários (e aos jornais) e, nesse sentido, estão à mercê deles. No capítulo sobre "Bons dias!" em *Machado de Assis: ficção e história*, eu estava mais interessado na construção de um argumento acerca das opiniões políticas machadianas, e por isso ia e vinha entre as crônicas, tratando-as sincronicamente, embora a ordem da sua publicação também se fizesse sentir. Parece-me, porém, que de certas perspectivas pode ser mais iluminador segui-las diacronicamente, construindo uma espécie de "enredo", que tem certos parâmetros. Já vimos a importância da situação básica de diálogo tenso, tão poderosamente presente na primeira crônica da série. Também vimos que a situação em torno à abolição — e que inclui o assunto do regime, Monarquia ou República — é o tema básico. Se tenho razão, é possível ver como esses parâmetros governam o desenvolvimento das crônicas: devo dizer que talvez esse "método" se limite a essa série, que começou, por mais que o autor-cronista diga o contrário, com uma espécie de "programa", coisa que nem todas as séries machadianas têm. Assim, vamos acompanhá-las em ordem cronológica e construir, a partir de evidências internas e externas, uma hipotética "história" da série.

As primeiras nove crônicas da série são, na verdade, o seu cerne, e expõem os argumentos centrais do autor. Constituem um processo em que as questões mais importantes são tratadas, desenvolvidas, e finalmente chegam a um clímax, embora, claro, nunca sem ironia. Também — assunto mais controverso, talvez — não está ausente um certo nível de ambigüidade e de dúvida que Machado, por mais que quisesse, nunca pôde eliminar. Nem deveríamos esperar outra coisa — já mencionamos o conflito entre o coração e a mente em relação à sobrevivência do Império como regime.

O assunto central das primeiras duas crônicas é político, no sentido mais estrito da palavra, embora também seja histórico no sentido mais lato. Ambas tratam do paradoxo da escolha de um governo conservador para promulgar o que era, em essência, uma medida liberal, a abolição da escravidão. Isso, em parte, é resultado do papel das idéias na política brasileira, tema freqüente em Machado, e cuja encarnação mais famosa é "Teoria do medalhão". As idéias existem para ser expostas em público, e poderiam ser objetos concretos: "Porque nos países novos há em geral poucas idéias. Suponha uma família com pouca roupa: se o Chiquinho vestir o meu rodaque, com que hei de ir à missa?" (cr. 2). Na terceira crônica, de 19 de abril, vêm à tona dois temas freqüentes em Machado: primeiro, o recurso do governo a empréstimos e, segundo, a própria escravidão. No fim, Machado ataca o velho argumento de que não há mais escravos (ou seja, de que a Lei do Ventre Livre e a dos Sexagenários acabariam com a instituição). Curiosamente, também, ele está lidando com um caso de escravos hipotecados, e portanto propriedade de um banco; noutras palavras, viraram fichas de uma parte do sistema econômico como qualquer outra "propriedade".

Na quarta crônica, de 27 de abril, o fim inevitável da escravidão finalmente sobe à cena. Como deveríamos esperar, o tom é fingidamente despreocupado: "Sim, não imagina como sou distraído. Para não ir mais longe, ainda ontem estive a conversar com alguém, sobre estes negócios de abolição e emancipação" (cr. 3). Começa satirizando a gratidão "espontânea" dos escravos libertados em massa em Cantagalo (região fluminense sinônima de crueldade — era comum ameaçar escravos desobedientes com sua venda para lá). Depois de uma interrupção aparentemente sem sentido (e que, confesso, continua sem sentido para mim),[22] o cronista expõe uma idéia para empregar os "libertos que não quisessem ficar na agricultura"; na sua essência, baseia-se na vaidade humana, ao ressuscitar uma lei de 1824 que limitava o número de criados domésticos a três — esse máximo, é claro, se tornaria mínimo para quem se respeitasse e quisesse brilhar diante dos vizinhos. Aqui, juntam-se dois assuntos: primeiro, a questão dos libertos, e o que lhes aconteceria uma vez abolida a escravidão — temia-se que muitos, talvez a maioria, não quisessem trabalhar nas fazendas; e os hábitos mentais dos próprios donos, passivos, vaidosos, e com o "vezo de tudo esperar do governo", atitude espelhada no próprio governo, que (menciona-se na terceira crônica) acabou de tomar emprestada uma quantia enorme de bancos europeus, para cobrir os custos da abolição.

A quinta crônica, de 4 de maio de 1888, é, na verdade, um interlúdio cômico. É significativo que corresponda a um dos momentos "oficiais" do processo de abolição — a abertura do Parlamento pela regente e a Fala do Trono. É como se Machado estivesse decidido a não ser seduzido, nem mesmo na aparência, pelo barulho ou pela cerimônia. Tratando da política do Ceará, assunto velho, e, novamente, da utilização de idéias como rótulos, pode ser que simplesmente preenchesse um vácuo — o que não quer dizer que essa crônica não seja divertida.

As três crônicas seguidas, que circundam o 13 de Maio (publicadas respectivamente nos dias 11, 19 e 20-21 desse mês), são todas cruciais. Consideradas juntas, talvez constituam o quadro definitivo do ponto de vista do autor sobre a abolição, e da própria escravidão — seria difícil exagerar sua importância. Cada uma focaliza o assunto de uma perspectiva distinta: a primeira trata das causas imediatas da abolição, a fuga em massa dos escravos das fazendas (em Minas e na província do Rio);

a segunda, central talvez em mais de um sentido, vê o mesmo assunto numa perspectiva individual — é a crônica merecidamente famosa de Pancrácio; e a última das três, publicada num jornal especial, a *Imprensa Fluminense*, de número único, criado para comemorar a abolição, é o relato mais detalhadamente sarcástico do processo político da abolição que poderíamos imaginar — não poupa nem a própria princesa Isabel.

Vejamos cada uma delas, pela ordem de publicação. O cronista começa diferenciando-se do resto da população, lançando os fundamentos para uma das suas conversas polidas na superfície e agressivas na base. Ele deseja encontrar as razões, o significado que existe por trás do abolicionismo e do seu oposto ("desta coisa ou daquela coisa"). Outros, pelo que parece, acham facílimo ter opiniões. O que é interessante, ele rejeita *en passant* o socialismo como um pensamento previsivelmente utópico ("pelo que, era preciso fazer uma grande revolução econômica, etc.") — um idealismo assim, uma crença tal na possibilidade de uma mudança efetiva, é simplesmente ingênuo.

A essa altura (se não antes) a ironia invade a argumentação a tal ponto que o leitor tem de ler e reler para descobrir em que plano Machado está conduzindo seu arrazoado. As "alforrias incondicionais", já mencionadas na crônica 4, naturalmente não são em absoluto inexplicáveis: são simplesmente atos dos proprietários antecipando o inevitável (como faz o barão de Santa Pia em *Memorial de Aires*), proprietários decididos a reivindicar o direito de dispor da sua "propriedade" como bem lhes parece. O que devemos pensar, no entanto, quando o cronista aceita que o princípio de propriedade é tão sagrado quanto o da liberdade, quando o contexto é o da escravatura (isto é, da propriedade de seres humanos)?

O cerne da argumentação aparece nos parágrafos seguintes, muito embora nenhum "argumento" seja colocado de maneira explícita e, na verdade, os exemplos dados pareçam conduzir cada vez para mais longe de qualquer coisa semelhante, até que o cronista, exasperado por uma história improvável (a de que João Clapp, o presidente da Confederação Abolicionista, estaria levando escravos fugidos de volta para seus donos), explode numa raiva cheia de frustração e perplexidade.

Os "escravos fugidos, em Campos", e a história mais longa sobre o que está acontecendo em Ouro Preto representam, como diz o cronista, "a mesma coisa, mas por um modo mais particular". A chave para a ligação é a palavra "alugado" — os escravos, com efeito, podiam não apenas pertencer a alguém, mas ser alugados (o aluguel é uma fonte da renda de dona Glória, em *Dom Casmurro*). À medida que se aproximava a abolição, compromissos temporários desse tipo devem ter-se tornado mais atraentes, pois a "propriedade" real estava prestes a ser abolida. As atividades dos fazendeiros em Ouro Preto, como se pode ver, simplesmente levam esse compromisso temporário para um mundo de liberdade *de facto*, se não *de jure*. Pode-se facilmente suspeitar que o "bom salário" que (segundo parece) é oferecido aos escravos será tão permanente quanto a situação de aluguel — quando não forem mais necessários, serão demitidos. É, como diz Machado, uma questão de simples "luta pela vida" e, com um distanciamento incomparavelmente irônico, ele é capaz de proclamar: "Em todas as lutas, estou sempre do lado do vencedor" — sem fazer nenhuma concessão ao leitor.

O exemplo mais extraordinário, obviamente ficcional, é o último, referente a Clapp. Como diz Magalhães Júnior, "a alusão é pilhérica"[23] — sem dúvida, mas qual o sentido da piada? Acredito que pode ser entendida da seguinte maneira. Acabamos de ver que a abolição é relativa: libertando os escravos, não se faz mais do que libertá-los para o mercado de trabalho, no qual serão contratados e demitidos e, sem dúvida, receberão salários miseráveis — numa situação dessas em que a liberdade conduz a outra forma de submissão dos fracos aos fortes, será que não faria mesmo sentido os abolicionistas insistirem na responsabilidade dos patrões? Não que o fizessem, claro, pelo menos até o ponto paradoxal aqui descrito — mas Machado, entre ironias e "pilhérias", chama a atenção do leitor para algo essencial. A abolição não é um movimento da escuridão para a luz, mas a simples passagem de um relacionamento econômico e social opressivo para outro.

Mas a crônica não acabou ainda: é como se Machado tivesse assunto em excesso, e nem tudo coubesse no espaço disponível. Como de costume, podemos notar que isso produz tensões entre o cronista e seu leitor ficcional: "— Mas então quem é que está aqui doido? — É o senhor; o senhor é que perdeu o pouco juízo que tinha. Aposto que não vê que anda alguma coisa no ar".[24]

Da abolição, repentinamente, passamos para a República, que o mais informado dos dois interlocutores (claro que é inteiramente indiferente qual deles seria, supostamente, o cronista) proclama ser necessária — "indispensável". As duas mudanças — a que já foi descrita e a mudança de regime — parecem-lhe inevitáveis: será razoável concluir que também estão ligadas? "Isto", na expressão da frase um tanto desajeitada que começa com "Está saindo dos eixos", corresponde, como tudo indica, a "esta situação". A explicação, claro, está na citação em alemão, feita por alguém que tem certeza de não ser entendido pelo outro — mas as expressões *"konstitutionelle Monarchie"* e *"absolute Oligarchie"* dão ao leitor uma pista, pelo menos, do significado. As palavras significam: "Seria fácil provar que o Brasil é mais uma oligarquia absoluta do que uma monarquia constitucional". A República nascerá, então, da oligarquia. E, nesse caso (como na famosa cena da tabuleta, em *Esaú e Jacó*), a mudança de regime será, simplesmente, uma mudança de rótulo: antes e depois, a oligarquia governará.

Mas as coisas não são tão simples assim: há um processo em marcha. Algo (a Monarquia) "está saindo dos eixos" e "isto" terá de assumir a forma de uma República; e o que terá isso a ver com a primeira parte da crônica? Embora nada seja explicitamente dito, podemos entender a argumentação: a cada uma das formas de dominação oligárquica — escravidão e mercado de trabalho — corresponderá uma forma diferente de regime (oligárquico), a Monarquia ou a República. Machado está levando o seu argumento adiante, vendo esses acontecimentos num contexto histórico maior. Muita gente, é claro, pensava que o fim do Império era questão de tempo; aqui, porém, Machado aponta para a causa básica dessa mudança inevitável. Sempre rejeita a euforia e as comemorações oficiais. Essas emoções e essas festas — "a procissão na rua, as bandas e bandeiras, o alvoroço, o tumulto" — freqüentemente dão mais satisfação ao dono das emoções do que à pessoa para quem supostamente se dirigem.[25] Além disso, essa crônica nos permite começar a entrever algo do que Machado (talvez) quisesse dizer, quando comentou, posteriormente, que "não se gabava de ter feito uma revolução com os 'Bons dias!'".[26] O que parece uma mudança fundamental, resultante do idealismo, e o triunfo da causa da justiça acabará por se revelar uma forma diferente de opressão. Essa "revolução" é, simplesmente, outra *journée* (ou *année*) *des dupes*, com suas óbvias analogias com 1871. A diferença, agora, é que os acontecimentos superficiais são mais dramáticos e a retórica mais ensurdecedora.

A crônica seguinte, publicada em 19 de maio de 1888, é uma das mais memoráveis do autor. Nela, um narrador (dessa vez, claramente distinguível do cronista habitual e fortemente caracterizado) conta a história da liberação de um escravo seu, Pancrácio, "mesmo antes dos debates" — isto é, uma semana antes da promulgação da Lei Áurea. A cena é imensamente cômica no seu melodrama: o escravo entra na sala "como um furacão", abraça os pés do ex-dono e aceita alegremente toda a condescendência, os insultos e os golpes que o sujeito lhe administra. O sentido parece claro — Machado está simplesmente sublinhando o egoísmo dos donos que, nas palavras da crônica de 1º de junho, "queriam ir à glória (sic, sem maiúscula) sem pagar o bonde" (cr. 10). O narrador decide que vai entrar na política, baseando-se nesse ato "generoso". Parece uma versão posterior de Fulano, narrador e protagonista do conto que tem também esse nome, publicado em 1884. A história quase não parece precisar de comentário ou de notas, embora valesse a pena apontar alguns detalhes: a idade do escravo, por exemplo, de 18 anos, que fica muito próxima da data da Lei do Ventre Livre, o que faz pensar que talvez o dono a tenha falsificado para que ele não fosse definido como "ingênuo", a ser libertado quando chegasse aos 21 anos; ou o fato de que é mais alto que o dono, fisicamente capaz de dar o troco dos pontapés, com juros.

Não esperava que meu curto comentário atraísse um argumento contrário, que merece consideração e precisa de resposta. Em *Visões da liberdade*, Sidney Chalhoub concorda com a minha interpretação destas crônicas como um todo, e até com a desta em particular. Mas quer levá-la adiante: argumenta, com base na sua experiência de historiador, que tal cena é realisticamente inconcebível em 1888 e que aqui há uma ironia abrangente. O narrador está tentando fazer o que faziam os ex-donos quando enfrentaram a certeza da abolição — procuraram manter a sua autoridade sobre os ex-escravos, fazendo deles dependentes pessimamente pagos, e assim incapazes de sair da casa dos ex-donos. Essa cena é tão absurda, segundo Chalhoub, que só podemos considerar o narrador idiota, descendente digno de Brás Cubas, que não vê o que tem diante dos olhos.

Até aí, podemos concordar, e, se não fui explícito, creio que se subentendia no meu argumento. O ponto em que Chalhoub vai mais longe é na interpretação do nome do escravo, Pancrácio. Argumenta que tem dois sentidos, um deles óbvio — tolo, que é a definição dicionarizada, ligada a "pascácio", por exemplo — e outro mais escondido, próximo à verdade, e que subverte o discurso do narrador:

[...] a palavra *pancrácio* vem do grego *pagkrátios*, de *pagkrátion*, de *pan*, "todo", e de *krátos*, "força"; pelo latim, *pancratiu*, "forte em tudo, que domina tudo, todo-poderoso". Pancrácio, portanto, era aquele que tinha todo o poder. Com isso, Machado queria dizer que o processo histórico das décadas anteriores caminhava inexoravelmente em direção à extinção da escravidão, e que os cativos desempenhavam também o seu papel neste processo.[27]

Em que sentido podemos dizer que Pancrácio "era aquele que tinha todo o poder"? Confesso que eu também — com a minha própria propensão para interpretar nomes (o de Rubião, para não ir mais longe) — já tinha visto a possível importância desse nome, mas não sabia como interpretá-lo. Confesso também que continuo nessa incerteza, apesar dos argumentos de Chalhoub, que não me convencem inteiramente, e isso, paradoxalmente, por razões históricas. Em que sentido podemos dizer que Pancrácio "era aquele que tinha todo o poder"? Podemos dizer que, porque ele, escravo individual, "cresceu imensamente", Machado está se referindo aos acontecimentos dos últimos anos, em que "os escravos agora pareciam mais ativos ou até capazes de levar a melhor no confronto com os senhores"?[28] Pancrácio, ao que parece, não fez nada como indivíduo, não há sinal de independência nas suas ações: pelo contrário, deparamos com um negro "boçal", falando na sua versão humilhante do português: "Artura não qué dizê nada, não, senhô..." — o tipo de escravo que menos convém ao argumento que Chalhoub expõe aqui e no livro inteiro. Até onde sei, o único outro lugar onde aparece essa maneira de falar está numa cena atenuada mas humilhante de *Dom Casmurro* (*Obra completa*, 1959, vol. I, p. 898; cap. 93), quando Bento e Escobar discutem a riqueza de dona Glória: "Alembra, sim senhor", diz Tomás, quando Bento o chama para perguntar-lhe se se recorda da roça — "Bem, vá-se embora" é a única resposta do dono.[29] Se Pancrácio é diferente do que parece, dependemos bastante — diria eu, além do verossímil — da não-confiabilidade do narrador. A única evidência para o argumento de que o escravo é mais do que parece está no melodrama absurdo da sua aparência na sala — no mínimo, sabe representar a cena que o ex-dono quer que seja assistida pelos seus cinco amigos.

O próprio Chalhoub admite que estamos em "terreno escorregadio" — claro que não podemos levar a sério esse narrador absurdo. Também acredito ser impossível não sentir uma pressão quando a altura de Pancrácio é mencionada: "Tudo cresce imensamente. Quando nasceste, eras um pirralho deste tamanho; hoje estás mais alto que eu. Deixa ver; olha, és mais alto quatro dedos". Ou isso é um paradoxo terrível — o escravo podia reduzir o seu dono a pó, mas é demasiado submisso, mentalmente escravizado, digamos — ou sentimos a pressão de um poder contido, de medo da parte do narrador.

Vamos tentar uma solução, por provisória que seja. Seria inverossímil sugerir que ambas as coisas são verdadeiras, e que assim o escravo (que, afinal, praticamente não tem voz) continua sendo um mistério insondável? Pancrácio, não há dúvida, significa ambas as coisas, "tolo" no dicionário e "todo-poderoso" na etimologia — ocorre-me até que há outro significado possível, que Pancrácio seja o que faz "toda a força" ou todo o trabalho. Certamente, o momento em que o narrador mede a altura do rapaz — "[...] hoje estás mais alto do que eu. Deixa ver; olha, és mais alto quatro dedos [...]" — dá, e certamente essa foi a intenção do autor, um certo *frisson*. Podemos talvez concluir que o escravo é o ilustre desconhecido, o tolo aparente (ou talvez real), que tem toda a justificação de ser tolo, que faz o trabalho todo, mas que também tem, ao menos potencialmente, um grande poder.

Vale a pena fazer uma digressão, porque a atitude de Machado em relação à escravidão tem um interesse evidente. Devemos lembrar (ou admitir) que há algumas cenas na sua ficção em que os escravos são "auto-oprimidos", até o ponto de, libertados, comprarem outro escravo para dar vazão às suas frustrações — o caso mais famoso é o de Prudêncio, no capítulo 68 de *Memórias póstumas de Brás Cubas*. Nesse caso, não há possível cegueira da parte do narrador — Brás Cubas está cego sim, mas só perante o seu papel nesse processo, e ele administrou o "tártaro" original, e, como todos sabemos, "O tártaro tem a virtude de fazer Tártaros". É muito curioso que, no fim da próxima crônica de "Bons dias!", Machado volte à questão nestes termos: "Se estivessem no Maranhão alguns escravos daqui, que, depois de livres, compraram também escravos, quão menor seria a melancolia desses que são agora duas coisas ao mesmo tempo, ex-escravos e ex-senhores" (cr. 8). É difícil evitar a conclusão de que a escravidão pode perverter um ser humano normal até torná-lo monstro: "Toma, diabo! dizia ele; toma mais perdão, bêbado!". Noutras palavras, Machado, que obviamente odiava a escravidão e fez o possível, no Ministério da Agricultura, onde trabalhava, para combatê-la (como o próprio Chalhoub nos mostrou),[30] também estava consciente da síndrome da "vítima-algoz" — título de um livro de Joaquim Manuel de Macedo, publicado em 1871: a vítima de constantes crueldades e maus-tratos que se vinga, e torna-se algoz, figura que foi, paradoxalmente, usada como argumento *contra* a abolição imediata (não por Machado, é claro). Num trecho de um sarcasmo que — novamente — quase rompe as barreiras da polidez, da crônica do dia 27 de dezembro de 1888, o cronista ataca os que acham que o carrasco de Minas Gerais, assassino perdoado na condição de cumprir esse ofício, seja "desprezível" — trecho que também lembra outro, profundamente misterioso, de *Quincas Borba* (*Obra completa*, 1959, vol. I, pp. 676-77; cap. 47), em que o carrasco preto, que leva outro preto à execução, "olhava para a frente e tinha a cor fixa e retinta. Sustentava com galhardia a curiosidade pública". A dignidade encontra-se nos lugares mais inesperados. Minha opinião, que não tem nada de surpreendente, é que Machado olhava para a escravidão como um caso da natureza humana sob pressão implacável — no fim, não podemos culpar os que sucumbem e internalizam a sua opressão: quem somos nós para opinar, afinal de contas? A resposta a isso tudo — na medida em que é uma resposta — encontra-se no fim da crônica seguinte, a continuação do trecho citado agora sobre os "ex-escravos e ex-senhores": "Bem diz o *Eclesiastes*: Algumas vezes tem o homem domínio sobre outro homem para desgraça sua. O melhor de tudo, acrescento eu, é possuir-se a gente a si mesmo".[31] No fundo, esse estado ideal — porque quem pode dizer que se possui a si mesmo, e em que sentido? — é o cerne da questão, e acho que Machado diria que ninguém, por mais humilde que seja, é excluído dessa possibilidade. De todas as formas, podemos dizer sem a menor dúvida que a crônica de Pancrácio é uma peça central, e se, no coração dela, há ainda um certo mistério, é isso mesmo que dá a medida da isenção machadiana.

Na crônica seguinte, a terceira de nosso "tríptico" central, Machado examina a abolição como um processo político: mas o estilo bíblico, usado com maestria e humor ímpares, faz com que se saiba que o processo não era apenas político, no sentido de ser determinado pelo que se passava nos corredores da Câmara dos Deputados, do Senado ou do Palácio Isabel. Através das ações e das palavras dos políticos, no entanto, podemos, se interpretarmos Machado corretamente, perceber como se desenvolveram os acontecimentos que determinaram essas mesmas ações. Sigamos a crônica, passo a passo.

"No início era Cotejipe, e Cotejipe estava com a Regente, e Cotejipe foi a Regente." Com essa óbvia paródia da abertura do Evangelho de São João, Machado insinua a existência de uma identidade pouco lisonjeira entre a regente e o governo Cotejipe, que lutou para conservar a escravidão, contra a maré crescente do abolicionismo e (em 1887 e 1888) das fugas em massa dos escravos. A regente, dizia-se, era pessoalmente a favor da abolição e teria, em última instância, provocado com um pretexto a queda de Cotejipe. Por mais verdadeiro que isso possa ser, Machado destaca o fato, também substancial e mais incômodo, de ela ter apoiado — ou tolerado — esse gabinete reacionário durante os dois anos e meio de sua existência. Em certo sentido, o ataque talvez vise menos a pessoa da regente e mais o regime e o seu funcionamento aparentemente inescrutável, parodiado numa espécie de Espírito Santo que "vem a pousar na cabeça de João Alfredo", como se isso simplesmente "acontecesse", sem qualquer outra explicação. Mas a princesa — "A Redentora" — não é excluída da sátira generalizada aos que dirigem o país. Isso fica muito claro na linguagem empregada para descrever a assinatura da lei: "assinou-a com sua mão delicada e superna".

Em contraste com esses acontecimentos "etéreos", as verdadeiras razões para a queda de Cotejipe são apresentadas por meio da figura de Antônio Prado que, como já foi dito, era contrário à abolição até que, forçado pelos eventos, percebeu sua inevitabilidade. Se Machado parece ter pouco respeito pela regente e, claro, menos ainda por Cotejipe, também não tem nenhum por Prado. Isso transpira sobretudo no versículo 6. Ele não é Rio Branco — mas como poderia ser, se Rio Branco morrera cerca de oito anos antes? A explicação para esse aparente *nonsense* está na pergunta seguinte: "És tu profeta?", que é, em estilo bíblico, idêntica àquela. Ele não é um profeta, como fora Rio Branco: ou seja, não prevê nem guia os acontecimentos, como fizera Rio Branco. Acompanha-os ou, segundo uma frase sarcástica de outra crônica, é um "profeta de fatos consumados",[32] que se curva diante do inevitável. Também o cronista zomba da sua retirada para São Paulo em maio de 1888, para distanciar-se do governo, e talvez da própria abolição incondicional, fingindo aceitar e ao mesmo tempo solapando a mentira da sua doença "diplomática" e planejada: "onde padecerá e donde voltará mais robusto". João Alfredo, que talvez saia desse balanço menos chamuscado do que os outros, é escolhido para ser o próximo presidente do Conselho, porque ele foi "antes de mim", ou seja, ele, pelo menos, foi membro do gabinete Rio Branco (embora, até o fim do ano 1887, ainda se opusesse também à abolição sem compensações).

A escolha de ministros nos afasta do principal assunto da crônica; cabe notar, porém, o fato um tanto surpreendente, sublinhado por Machado no versículo 14, de que um mesmo ministro da Agricultura (logo da Agricultura!) fosse escolhido para um gabinete abolicionista ou antiabolicionista.[33] Mas voltemos a esse assunto nos versículos 16-22, bem como à parábola da úlcera e da perna, que parece vir, como acontece com muitas imagens das crônicas, do jargão dos jornais da época. Conta a mesma história já sugerida através da caracterização de Antônio Prado — a abolição não era um ato generoso ou esclarecido; era, simplesmente, curvar-se ante o inevitável. A única discussão se dá em torno de paliativos (ou seja, se a abolição total pode ser evitada, e substituída por um período de três anos de serviço pago e compulsório): idéias debatidas à época, até se tornar pública a decisão final de proclamar a abolição total, imediata e não indenizada. Mesmo então, como diz Machado, João Alfredo é movido apenas pelo fato de que "a úlcera não espera".

Machado tinha, é claro, um conhecimento profundo da Bíblia e em nenhuma outra parte ele o exibe com melhor efeito do que no uso que faz aqui do Deuteronômio. O trecho mencionado, do capítulo 15, esboça parte da lei hebraica que regia a alforria de escravos:

Quando te for vendido um teu irmão hebreu ou hebréia e te tiverem servido seis anos, no sétimo ano tu os deixarás ir livres.

13. E não deixarás ir com as mãos vazias, aquele a quem deres a liberdade.

14. Mas far-lhe-ás o alforge para o caminho, dos teus rebanhos, e da tua eira, e do teu lagar, nos quais bens o Senhor teu Deus te tiver abençoado.

15. Lembra-te de que tu também foste escravo na terra do Egipto, e por isso eu te ordeno agora este preceito.

Para Machado, essa atitude com relação à escravidão, temperada pela liberalidade, pela legalidade e pela humildade, representa um contraste total com a atitude brasileira: *"menos talvez o alforge e os seis anos"*.

Mas ele reserva sua declaração mais violenta para o fim, quando abandona o tom bíblico para contar a história de Bacabal, no Maranhão: não apenas alguns senhores de escravos continuam a se comportar como se a lei não existisse, mas as autoridades os apóiam. Durante os anos seguintes, Machado teria um prazer perverso em lembrar incidentes capazes de mostrar que, com a lei ou sem ela, a escravidão não estava extinta.[34] *Aparentemente* perverso, porque ele tinha razão, claro, pelo menos num sentido. Os efeitos da escravidão eram demasiado profundos para ser "abolidos" por uma lei e, se a euforia pública alimentasse essa ilusão, seria prejudicial. O último verso, de que já tratamos, é o mais difícil de entender. Por trás da aparente simplicidade do ideal expresso na última frase, haveria um estado quase impossível de independência, auto-suficiência e autocontrole, que é, no entanto, o ideal de Machado.

Na crônica seguinte, publicada em 27 de maio de 1888, Machado imagina uma conversa entre o meteorito de Bendegó e o oficial da Marinha José Carlos de Carvalho, chefe da expedição enviada ao interior da Bahia, onde a pedra caíra mais de um século antes, a fim de trazê-la para o Rio. O meteorito tem uma visão experimentada e olímpica da abolição, o que não nos surpreenderá: "pois é natural que nas regiões donde veio, tivesse testemunhado muitos cativeiros e muitas abolições". Quando chegam à Bahia, no entanto, alguns vereadores locais tentam impedir a viagem para o Rio (a origem imediata da crônica certamente está num telegrama publicado na *Gazeta de Notícias*, referindo esse fato), argumentando que o meteorito pertence à Bahia, pois caiu ali. A pedra, que é muito cortês, pergunta a razão desse proposto embargo. Carvalho explica, pacientemente, que é "questão de federalismo". Aqui tocamos pela primeira vez num assunto que interessa a Machado muito de perto: agora que as festas da abolição terminaram, dedica uma crônica inteira ao federalismo. Já vimos que ele acha inevitável o advento da República, em parte pela mudança no regime de trabalho, mas também porque o Brasil é uma "*absolute Oligarchie*". O federalismo é o elo fundamental desse argumento, porque, dando o poder às províncias, ou melhor — para combinar com o federalismo —, aos estados, dará o poder justamente a essa oligarquia. A importância desse tópico para Machado é indicada por um jogo de palavras muito ousado, novamente dependente da utilização de uma língua estrangeira:

Entretanto, confessou o nosso amigo [o meteorito!] que, por algumas cartas recebidas, sabia que o que está na boca de muitas pessoas é um rumor de república ou coisa que o valha, que esta idéia anda no ar...
— Noire? Aussi blanche qu'une autre.
— Tiens! Vous faites des calembours?

A continuação: a pedra conta que, "antes de ser meteorólito, fora general nos Estados Unidos — e general do Sul, por ocasião da guerra de Secessão, e lembra-se bem que os Estados Confederados, quando redigiram a sua constituição, declararam no preâmbulo: 'A escravidão é a base da constituição dos Estados Confederados'". Noutras palavras, a República seria — será — oligárquica, branca, e até compatível com a escravidão. A fidelidade machadiana ao Império está explicada em boa parte por esse argumento e essa oposição ao federalismo oligárquico. Os fatos lhe deram razão, é claro.

A crônica seguinte, publicada cinco dias depois, em 1º de junho, começa: "Agora fale o senhor, que eu não tenho mais nada a dizer". Claro que não podemos calcular o grau de ironia ou de humor aqui, mas me pergunto se não será mesmo verdade em relação ao próprio Machado. Nas primeiras nove crônicas — algumas delas estão entre as mais importantes que escreveu —, expôs seu "programa" (que, claro, não é programa) com uma clareza bastante ousada, até perigosa; agora, podemos conjeturar, o impulso que ditou o começo da série até certo ponto se esgotou. Nesse contexto, é curioso que volte à *persona* do relojoeiro, inteiramente esquecido desde a primeira crônica, dotando-lhe agora do cômico nome de Policarpo e uma idade, 62 anos (tinha 5 anos em 1831 — seu autor tinha 48 nesse momento). É como se, voltando ao início da série, intentasse dar-lhe um novo começo. Isso, porém, não vai muito longe: na próxima crônica, aparece de novo, ligado, como aqui, à idéia da polidez — para sumir de novo até muito mais tarde.

Como disse, no que segue, construirei uma espécie de "enredo" hipotético (num sentido lato) para a série; mostrarei como, nas crônicas de "Bons dias!", os acontecimentos exteriores e o programa do cronista (na medida em que existe) interagem. Inevitavelmente, corro um risco — claro que, quando o cronista diz que está com falta de material, pode estar ironizando, e há sempre o risco da circularidade. Também é tentador supor que, porque o cronista tem pouco a dizer, pouco estava acontecendo. Em particular, supõe-se que os eventos públicos — a história — eram a primeira preocupação do cronista; nessa série, sobretudo, creio que essa é a verdade. Mas os benefícios de abordar a série dessa maneira, parece-me, são maiores que os riscos, e as evidências, como veremos, não são só internas — a periodicidade das crônicas e o tipo de crônica publicada também fornecem pistas valiosas. Claro que essa opção é em parte uma questão de juízo, e de experiência de lidar com essas crônicas e outras ao longo de alguns anos, mas isso é óbvio e inevitável.

Espero que não pareça radical tratar nesta seção das próximas 23 crônicas — quase a metade da série. É difícil encontrar nelas qualquer traço de "programa" que não seja um eco, ou uma variação, do que já foi dito. Há nítidos sinais de esgotamento também, que o leitor de crônicas experiente vai reconhecer com facilidade: um bom exemplo aparece logo, na crônica de 12 de junho de 1888, uma sátira ao uso excessivo do verbo "salientar", que personifica esse verbo, fazendo-o escrever um requerimento, pedindo por muito favor uma licença de dois meses. É óbvio que o mesmo tratamento poderia ser dado a qualquer palavra, e, de fato, outra crônica, muito semelhante, tinha satirizado o uso de duas expressões latinas favoritas, *risum teneatis* e *mirabile dictu*, em 21 de dezembro de 1884;[35] perguntamo-nos até se estavam preparadas, prontas para uma emergência qualquer. Claro que era um truque que não se podia usar muito freqüentemente, porque a ilusão (parcial) do frescor da crônica, da sua relação com os acontecimentos da semana, seria perdida. Há outros sinais de falta de inspiração: mais de uma vez, até parece perder o rumo, como na crônica de 29 de julho de 1888, que começa felicitando Luís Murat por não ter sido eleito à Câmara (porque poderá continuar a escrever versos — uma piada um tanto sem graça), e logo continua: "Antes de mais nada, disse eu a princípio; mas francamente não vi se tinha mais alguma coisa a dizer"; assim também, na crônica

20, de 6 de setembro, escreve: "creio que tinha alguma coisa a dizer, mas não me lembro"; no dia 25 de novembro, o tom é lúgubre, e a "falta de assunto" parece persegui-lo, por mais que afirme o contrário. Também, a promessa de aparecer semanalmente foi abandonada — de fato, só foi cumprida, com pequenas variações, nas primeiras nove crônicas. Em quatro momentos (crs. 19, 22, 23 e 28) há intervalos de mais de duas semanas entre uma crônica e outra. Nesse último caso, também, Machado reaparece com uma crônica, semelhante à de número 12, e que se compõe de discursos parlamentares parodiados, excertos de um *Orador popular* ficcional que o cronista está preparando, e que poderiam ter aparecido em qualquer momento dos 15 ou 20 anos precedentes. Quando os temas políticos reaparecem, o que é freqüente, Machado tende a tratar o assunto num nível bastante superficial (como no último caso mencionado). Os costumes parlamentares — a pomposidade, os discursos longos e irrelevantes, a preguiça, o amor por títulos altissonantes, a imitação inútil da Câmara dos Comuns britânica etc. — são os mais freqüentes.

Há exceções, claro. Até as crônicas em aparência menos unificadas, ou escritas com maior esforço, simplesmente para cumprir o dever, podem proporcionar momentos de prazer inesperado, de iluminação ou de riso, sobretudo quando irrompe o sarcasmo que dá tanta vida às melhores dessas obras. Uma pequena amostra de minhas preferidas: a mesma crônica cujo começo, sobre Luís Murat, é tão chato acaba com um trecho maravilhoso, sobre uma metáfora da fala popular, o "carapicu"; e se o leitor ou a leitora quiser dar gargalhadas, recomendo os dois últimos parágrafos da crônica 21, de 16 de setembro de 1888, um dos mais cômicos retratos de Machado do parlamentar maçante: na minha opinião, ainda mais cômico do que a comparável "chuva de palavras" de major Siqueira em *Quincas Borba*, capítulo 34 (*Obra completa*, 1959, vol. I, pp. 665-6); outra passagem brilhante onde, novamente, o humor e a raiva vão de mãos dadas é a segunda metade da crônica 16, de 19 de julho de 1888, em que zomba das contorções lógicas em que incorre a Federação Espírita Brasileira, nas suas tentativas de lidar com um falso médium, um certo dr. Slade, sem expor a falsidade do espiritismo como um todo; o trecho de que já tratamos, sobre o carrasco de Minas, é outro exemplo.

Duas crônicas desse grupo devem ser tratadas com mais detalhes. A primeira, crônica 13, foi publicada em 26 de junho de 1888 e é também um dos mais notáveis testemunhos do interesse de Machado pela literatura russa, porque seu ponto de partida, ostensivamente, é o *Almas mortas* de Gogol. Tchitchikov — que compra camponeses fictícios (isto é, mortos, ou, para sermos mais precisos, seus formulários de registro) aos patrões, para embolsar o dinheiro que os proprietários teriam recebido como devolução de impostos — pode parecer simplesmente um tipo grotesco, mas Machado consegue imaginar uma situação paralela no Brasil. Seria possível sair comprando, aos fazendeiros, libertos igualmente fictícios (tivessem ou não desertado da fazenda), para receber a indenização por eles.

O verdadeiro assunto da crônica, claro, é a indenização: era a questão candente do momento, proposta, naturalmente, pelas mesmas pessoas que antes se opunham à abolição. Em uma questão Machado é absolutamente coerente, tanto nas crônicas como nos romances — ele não mostra a mínima simpatia pelos fazendeiros improvidentes e cobiçosos (especialmente do Vale do Paraíba) que realmente sofreram grandes perdas com o fim da escravidão.

Machado inicia a crônica de 28 de outubro de 1888 com um provérbio — "Viva a galinha com sua pevide" — e com uma conseqüente proposta de banir a Inglaterra da oratória brasileira. Afinal, se a polícia de Londres não consegue prender Jack, o Estripador (atuante naquele momento), será que a Inglaterra é assim tão perfeita? Em tom mais sério (embora ainda jocoso), ele se refere à maneira como a Inglaterra trata a Irlanda ("aposentemos a Inglaterra, adotemos a Irlanda"), pondo na cadeia mais de 20 membros do Parlamento "só por serem irlandeses". Fica bastante clara a insinuação de que a própria justiça e a paz britânicas não são o que deveriam ser. Até mesmo a Inglaterra, em seu próprio quintal, é opressora.

Mas essa questão é tratada de passagem: o leitor, convenientemente, interrompe e se queixa de que Machado é um "nativista". A principal inspiração da crônica é uma proposta de lei apresentada pelo escritor e (mais tarde) co-fundador da Academia, Alfredo D'Escragnolle Taunay, o autor de *Inocência*. Taunay era conhecido por seus esforços para encorajar a imigração. Machado tem suas dúvidas: concorda com a naturalização integral (ou seja, a abertura do serviço público aos naturalizados), porém, mais adiante, manifesta dúvidas. A entrada dos chineses foi defendida pelos ex-senhores de escravos, que desejavam uma mão-de-obra dócil; defendiam a entrada em massa dos chineses, os famosos "coolies", muito utilizados e explorados nos impérios europeus e nos países americanos. Taunay e muitos outros queriam imigrantes europeus, pois acreditavam que seriam mais auto-suficientes e independentes. Machado percebe a desagradável contradição em que é forçado a incorrer, por causa de uma evidente discriminação racial: ele vê que muitos defensores da imigração não querem que os chineses se tornem cidadãos de um novo Brasil, que eles desejavam mais branco.

Machado dedica muito mais espaço à segunda questão, a da liberdade dos imigrantes para escolher entre seu país de origem e o Brasil. Como ele reconhece, existe uma espécie de liberdade no fato de os imigrantes poderem recusar a nacionalidade brasileira: mas isso não é o bastante. O poder do Estado ainda será demasiado grande; e Machado novamente defende a liberdade do indivíduo como valor superior ao do suposto interesse nacional: "Lá diz São Paulo que não é circuncisão a que se faz exteriormente na carne, mas a que se faz no coração".

Machado parece perceber o perigoso caminho pelo qual o assunto o conduziu, porque a única solução para o problema está num mundo ideal cuja existência ele habitualmente se recusa a considerar — um país com "boa legislação, reformas largas, liberdades efetivas", que os hábitos do regime escravista destruíram. Ele sabe como iniciar seu discurso, mas não como terminá-lo. Essa curiosa exceção à regra da ironia acaba por mostrar a necessidade dessa mesma ironia (ou da ambigüidade presente, se estou certo, na crônica de Pancrácio). Tudo isso era talvez de se esperar, menos a expressão relativamente franca do próprio conflito. Não será significativo que seja essa a questão que deixa Machado a descoberto? Nenhuma sociedade é perfeita — nem mesmo a da Inglaterra, esse modelo do século XIX, que descaradamente oprime os seus súditos irlandeses. Em geral, as coisas são tão obviamente assim que Machado, "confortavelmente", vive num mundo relativo, onde a anarquia e a opressão são as únicas alternativas possíveis e a ordem e a justiça são simples fantasias. Por um momento, ele considera o ideal, e no contexto de seu próprio país: por um breve momento, o idealismo e o otimismo, que ele abandonara muitos anos atrás, mostram de novo sua face, para apenas confessar sua duvidosa pretensão a uma sólida existência.

Claro que minha divisão das crônicas em grupos cronológicos é até certo ponto arbitrária; a intenção é realçar o que creio ser o impulso central da série, a razão da sua existência, e do seu fim — isto é, o processo político que cerca a abolição e o advento da República (embora, é claro, terminassem dois meses e meio antes de 15 de novembro). Se tenho razão, na primeira frase da crônica 33, de 31 de janeiro de 1889, sente-se o alívio de Machado ao ser confrontado com um acontecimento político real, que lhe permite avançar o argumento: "Toda a gente além da febre amarela, fala da vitória Boulanger". Os eventos que o excitam dizem respeito à vitória do general Boulanger em eleições múltiplas em toda a França, e que culminaram num triunfo esmagador em Paris quatro dias antes da publicação dessa crônica. Como é quase sempre o caso — outro exemplo são as referências a Napoleão III e ao Segundo Império em *Quincas Borba*, que daí a pouco, em novembro de 1889, entrariam no romance, após a queda do Império brasileiro[36] —, a referência fundamental é à situação brasileira. Agora, é a vinda da República o assunto central das crônicas — vinda que, como vimos, Machado temia na medida em que achava inevitável. De fato, como o seu assunto central se localizava no futuro, por assim dizer, deve ter sido difícil (embora não impossível, como veremos) encontrar material contemporâneo para tematizá-lo. Boulanger veio a calhar.

Já vimos que Machado pensava que a verdadeira natureza do Brasil, uma oligarquia absoluta, determinaria a índole do novo regime. Agora, vendo a situação precária da República francesa, sob a ameaça de um potencial ditador, militarista, nacionalista e revanchista, no estilo de Napoleão III, percebe que são os regimes republicanos, nos dois casos, que forneceram e fornecem oportunidades para esses aventureiros. E, como no caso da natureza oligárquica do federalismo, tão importante na República Velha, em menos de quatro anos Machado mostrou ter razão, com a ditadura de Floriano Peixoto. Claro que não há nada de muito original nessas advertências: dois dos líderes mais famosos da história, Júlio César e Napoleão I, foram ditadores que surgiram de regimes republicanos, e duas semanas mais tarde, na crônica 35, de 13 de fevereiro de 1889, o próprio "cesarismo" é o assunto aberto da crônica. O que também é significativo, e sinal seguro do interesse do autor no assunto, é que produz outra conversa, agressiva e desigual, e que termina, se tenho razão, numa espécie de *nonsense* proposital: "vá ver o cometa; aparece às 3 horas da manhã, e de onde se vê melhor é do morro do Nheco, à esquerda. Tem um grande rabo luminoso. Vá, meu amigo; quem não entende das coisas, não se mete nelas. Vá ver o cometa".[37]

A mais importante, de longe, das crônicas que se referem a Boulanger é a terceira e última, a de número 37, publicada em 27 de fevereiro de 1889. Trata do carnaval, o que já é estranho, porque a pressão para escrever uma crônica frívola e alegre teria sido grande. Em vez disso, temos outra conversa estilo "Bons dias!", cheia de saltos e alusões, desafiando o leitor a decifrá-la — e agora, em vez do alemão, temos o "cartaginês", língua, claro, inventada para dificultar as coisas. Confesso que não entendo inteiramente o significado do final, mas, em geral, o sentido da crônica não deveria escapar ao leitor cuidadoso e perspicaz do momento; talvez, quem sabe, soubesse até interpretar o parágrafo final. Ainda assim, acho que podemos afirmar com alguma confiança que se trata da crônica mais difícil da série: o que também pode ser explicável.

A crônica começa com outra referência a Boulanger: frustrado na sua procura de uma idéia para um "carro de idéias",[38] o cronista planeja uma

[...] cabeça de Boulanger, metade coroada de louros, metade forrada de lama. O plano era metê-la em um carro, e andar. E vede bem, vós que sois idéias, vede se o plano desta idéia era mau. Os que esperam do general alguma coisa, deviam aplaudir, os que não esperam nada, deviam patear; mas o provável é que aplaudissem todos, unicamente por este fato: porque era uma idéia.

A dificuldade aparece já no início. Aqui está uma explicação possível: já vimos que o Brasil é um país sem idéias próprias, ou, mais exatamente, é um país onde as idéias têm um papel meramente decorativo: poderiam até ser coisas. Essa cabeça é uma idéia que convém a um lugar assim, porque é completamente contraditória e sem forma, significando coisas diferentes para pessoas diferentes. As idéias se aplaudem porque são "idéias", não pelo que representam. As dificuldades crescem no parágrafo seguinte: "Mas a falta de dinheiro (*prosa,* em língua púnica) não me permite pôr esta idéia na rua. Sem dinheiro, sem ânimo de o pedir a alguém, e, com certeza, sem ânimo de o pagar, estou reduzido ao papel de espectador. Vou para a turbamulta das ruas e janelas; perco-me no mar dos incógnitos". Qual o papel do dinheiro nisso tudo? Se a referência for ao Brasil inteiro (o que parece provável), é o seu endividamento permanente (referido na crônica nº 3) que causa esse caos e essa desorganização? Também não devemos esquecer que no pano de fundo há o carnaval, a "turbamulta" e o "mar dos incógnitos".

Dois acontecimentos forneceram a base da crônica, e a provocaram de fato. Primeiro, o assassinato de um tabelião em "não sei que vila do interior" (Mariana, provavelmente[39]). Isso tem conexões com o cesarismo — talvez tenha sido assassinado porque: "Chamou nariz de César à falta de nariz de alguma influência local". O segundo é um ataque ao cárcere local pelo povo de São Fidélis, no Vale do Paraíba, que Machado descreve como uma maneira de "comemorar a tomada da Bastilha, antes de 14 de julho" (vale a pena lembrar que 1889 era o centenário da Revolução Francesa, fato de que todo mundo estava consciente): "Compreende bem, que esta reprodução de 1789, em ponto pequeno, cá pelo bairro é uma boa idéia". Como no caso da cabeça de Boulanger, esses dois *faits divers* representam dois lados da mesma situação: o poder das "influências locais" de desacatar a lei se assim o desejarem e o fracasso das autoridades em impor a lei — é isso que, "cá pelo bairro", é a fundação da República, a chegada do caos, descrita a seguir como "anarquia social, mental, moral, não sei mais qual". Essa anarquia é a conclusão mais importante dessas cogitações: o Brasil parece incapaz de uma verdadeira organização, ou de ordem. Válida ou não, essa noção é fundamental para o pensamento político e histórico de Machado. Por causa disso é que ele dá tanta importância ao período da Regência, quando a ameaça existente era o caos (federalista). A incapacidade do cronista de achar ou expressar uma idéia reflete uma incapacidade nacional: nesse sentido, Machado está do lado da ordem, como está, claramente, do lado da unidade nacional, da centralização monarquista. Mais do que qualquer coisa, porém, é o pessimismo de Machado que chama a atenção; aqui é um pessimismo político, a convicção de que só países adiantados, como a Inglaterra, podem atingir um relacionamento reconhecível das idéias de liberalismo com o progresso e com a sociedade de maneira geral. "Nos países novos e cálidos", a vida, infelizmente, é muito mais simples.

Talvez o maior mistério sejam as referências à *prosa* e à falta de dinheiro no começo e no fim do texto, e sobretudo as frases zombeteiras em "cartaginês": "Uba sacá prosa nanapacatu", "Tunga loló". No contexto da nossa discussão, porém, o que Machado pretende dizer parece relativamente simples: as idéias não podem ser postas em circulação, ou executadas, por falta de dinheiro: a (prosaica?) verdade é que a Inglaterra é rica, e a riqueza produz estabilidade ou talvez até o progresso. O Brasil não é rico, de modo que, por mais heróis que possa produzir, por mais que se possa lutar, o poder e a riqueza dos "romanos" — a oligarquia?, os países adiantados?, confesso que a identidade desses heróis de Cartago e dos romanos me deixa incerto — sempre levarão a palma.[40]

Em março e abril apareceram cinco crônicas, três das quais estão dedicadas à série de artigos que aparecia naquele momento na *Gazeta*, do "ilustre latinista" Antônio de Castro Lopes, figura que Machado já satirizara em 1883 — e atacaria novamente em 1894.[41] Embora isoladas dentro da série, têm um interesse considerável. Para Machado, Castro Lopes era o tipo acabado do pedante, e o fato de ser também propagador da homeopatia deve ter aumentado a tentação de atacá-lo. As três crônicas em que Machado zomba dele (n°s 38, 40 e 42) não são apenas cômicas e cheias de bom senso: também nos deixam perceber os limites do seu nacionalismo na esfera lingüística, que, como noutras áreas, é temperado pelo realismo; como diz, "o artificial morre sempre" (dito desmentido sempre que pedimos o "cardápio", palavra inventada por Castro Lopes). Por que importar palavras de uma língua estrangeira (o latim) para substituir o que, por razões culturais de peso, foi tomado emprestado de uma outra (o francês)? Se "petimetre" ou "abajur" existem, é porque a coisa, tal como a palavra, foi importada. No entanto, não se trata aqui de simples fatalismo: se "cachenê" pudesse ser substituído pela palavra portuguesa "guarda cara", seria bom. Mesmo assim, isso teria que ser feito com prudência, respeitando as circunstâncias reais. Também, Machado mostra aqui o seu respeito pela tradição lingüística portuguesa, porque tinha descoberto "guarda cara" num livro relativamente pouco conhecido de um jesuíta do século XVII. É curioso que Machado, o autodidata, também parece revelar certo prazer em mostrar seus próprios conhecimentos, da literatura portuguesa no caso. Será por acaso que escolhe três autores, respectivamente, dos séculos XVII, XVIII e XIX (Padre Manuel Godinho, Filinto Elísio e Camilo Castelo Branco), para ilustrar seu argumento, e isso, deve-se dizer, sem cair no pedantismo do alvo de seu ataque?

As duas crônicas publicadas entre as três que tratam de Castro Lopes (parece haver uma regra tácita de que não se podem escrever duas crônicas seguidas sobre o mesmo assunto) são igualmente interessantes. Na de número 39, de 19 de março de 1889, há uma das suas meditações sobre a modéstia e a humildade, qualidades de difícil existência, na sua opinião.[42] Aqui, finge acreditar que o anônimo que encomenda uma missa para seu nobre amigo, o 2º Conde da Praia da Vitória, 2º Visconde de Bruges, com seus dois títulos e seu nome de 22 palavras, é um raro exemplo de alguém com essas qualidades, justamente por não publicar seu próprio nome. Claro que os próprios nomes, repetidos três vezes para sublinhar sua "importância", desmentem o argumento; mesmo na anonimidade, o contato com tais sumidades proporciona uma certa emoção, um *je ne sais quoi*. A crônica 41, de 30 de março, interessa em parte porque é uma exceção na série, a única em que Machado trata de economia, assunto que o absorverá na próxima série, "A semana", depois do fim do Encilhamento. Como no campo lingüístico, Machado é um nacionalista discreto, e assim, até esse ponto, infenso à idéia de que as leis econômicas são implacáveis e devem ser obedecidas, por mais que reconheça o seu poder.

Em junho, a situação política impôs uma nova urgência, e duas crônicas, as de números 43 e 45, de 7 e 29 de junho, tratam do assunto; são a derradeira contribuição à nossa compreensão da visão machadiana do processo que levava à República. Acelerava-se rapidamente o que Machado previra em 11 de maio de 1888: o desgaste das instituições monárquicas, já prestes a cair. Tal como aconteceu nas crônicas publicadas em maio de 1888, estas vêem os acontecimentos de diferentes perspectivas: a primeira é do Rio e, portanto, vem em termos mais estritamente "políticos", e a segunda, do interior, do Vale do Paraíba mais precisamente. A primeira foi escrita no dia em que se soube que Pedro II, depois de numerosas consultas e apelos aos políticos conservadores para que substituíssem João Alfredo na presidência do Conselho, tinha chamado um liberal, o visconde de Ouro Preto. Ou, pelo menos, o último parágrafo foi escrito naquele dia, porque é improvável que Machado necessitasse desse último acontecimento para confirmar seu pensamento. A crônica tinha uma nota no pé, explicando que, de fato, fora escrita uma semana antes, mas não a publicaram "por falta de espaço" — brincadeira um tanto óbvia, cujo impacto, infelizmente, se perdeu em Magalhães Júnior.[43]

A razão, claro, é que a crônica é uma "profecia" e o cronista não quer ser apontado como um "profeta de fatos consumados". Ele não tem vocação para vidente, apressa-se a acrescentar; enquanto (uma semana antes) o Conselho de Estado se reunia, foi visitar seu amigo, o espírita José Basílio Moreira Lapa, "cambista, proprietário, pai de um dos melhores filhos deste mundo, vítima do Monte-Pio e de um reumatismo periódico". Machado muitas vezes zombou do espiritismo, não apenas por causa de sua natureza supersticiosa, mas por sua crença no inevitável "progresso" dos espíritos.[44] Aqui, o espiritismo é mais ou menos identificado com a loucura, e a maior parte da crônica, na verdade, é dedicada a uma descrição satiricamente "exata" do início da demência que, nas etapas finais, vem muito rápida: "Nos climas quentes e durante o verão, o mais que se terá visto é cair em três minutos".

Quem é José Basílio Moreira Lapa? Podemos descartar a improvável possibilidade de sua existência real; seu nome não aparece no *Almanaque Laemmert* como "cambista". As variadas qualidades que lhe são atribuídas não ajudam muito a situá-lo, a menos que o significado (mais espanhol que português) da palavra "cambiar" tenha algo a ver com o fato de que ele preside a todas as rápidas mudanças enumeradas no parágrafo final. O elemento "Basílio" em seu nome parece confirmar a suposição de que ele esteja associado com o imperador (*basileios* [grego] — rei). Era crença difundida naquele período que dom Pedro não estava com suas faculdades mentais funcionando normalmente; ainda mais, que sua incipiente loucura encontrava um paralelo na loucura do regime. E, naturalmente, em palavras que já citamos, "Quem Deus vult perdere dementat prius". Aqui, portanto, Machado subscreve esse ponto de vista: as tentativas desesperadas de encontrar um substituto para João Alfredo que não provocasse a dissolução da Câmara de Deputados ("que alguns dizem incorretamente ... 'dissolução das câmaras'", isto é, que não provocasse uma mudança do partido no poder e, conseqüentemente, a realização de eleições capazes de levar à desagregação da Câmara e do Senado vitalício, ou seja, à destruição do regime) e a escolha final do liberal Ouro Preto mostram que o regime tentava, desesperadamente, evitar seu próprio desaparecimento. Como Machado já dissera em 11 de maio de 1888: "Está saindo dos eixos". Nos romances, a loucura de José Basílio corresponde à de Rubião em *Quincas Borba*, seu espiritismo, ao de Santos, o financeiro supersticioso de *Esaú e Jacó*.[45]

É significativo que, nessa crônica sobre o colapso do Império como instituição, Machado apelasse para um passado relativamente distante. Como nos revela sobretudo *Casa velha*, ele tinha uma forte consciência da história e das raízes históricas do regime. Nostradamus é chamado apenas como substituto (ineficaz) para Vasconcelos, Vergueiro e Padre Feijó, não sendo possível "fazê-los chegar à fala". Esses três foram escolhidos porque estabeleceram a base real do regime, como existia, ainda, na década de 1880: ou seja, depois da abdicação de dom Pedro I, e apesar da ameaça de caos que esta provocou, eles lançaram os alicerces do regime estável que se tornou conhecido como Segundo Reinado, tão diferente do Primeiro. É sempre necessário lembrar que Machado dava mais crédito às interpretações históricas dos acontecimentos do que às puramente ideológicas: "monarquias" e "repúblicas" significavam pouco para ele, abstraídas de suas raízes sociais e históricas. Essa perspectiva também está na base de sua oposição ao federalismo e do ceticismo com que ele encara os casamentos constitucionais de parlamentarismo e republicanismo, ou de federalismo e monarquia.

O significado da República que se aproximava é também assunto da crônica 45, de 29 de junho. É a confirmação mais plena possível dos pontos de vista que já esbocei: de que a República será oligárquica e "federal" — ou seja, regionalista — e de que essas duas coisas são inseparáveis. O tema ostensivo da crônica, como freqüentemente acontece, é apenas um disfarce para o tema verdadeiro, e a relação entre os dois é um telegrama: "Em Venezuela (diz um telegrama de Nova York, de 25, publicado no dia 26) *dissolveu-se o partido do general Guzmán Blanco*". Machado finge pasmo — como poderiam ser assim dissolvidos partidos políticos, que são fruto de um desenvolvimento natural ("uma vegetação política")? O caricatural funcionário inglês (mais um caso de incomunicação e de briga lingüística — "Senhorr fala latim; eu deixa senhorr [...]") da companhia telegráfica é incapaz de ajudar; mas outro caso chama a atenção de Machado. Vem de Vassouras, e tudo gira em torno de outro telegrama assinado por "muitos republicanos" — e o sinal de que interessou a Machado talvez seja o fato de só ter sido publicado no dia anterior à crônica, na seção "A pedidos" do *Jornal do Commercio*. O texto do telegrama, citado integralmente numa nota à crônica, é uma recusa a um candidato de fora, imposto pelo partido, enquanto são preteridos os candidatos locais. A conclusão — que Machado cita — é a seguinte: "O caso é para dizer-se: perca-se o partido, mas salve-se a honra do distrito". Essa, como diz Machado, é a verdadeira federação, aceita por todos, tanto pelos antigos como pelos novos partidos. *Não* corresponde, no entanto, à prática política do Império centralizador, pois este, na verdade, impunha os considerados "espíritos bem preparados" (para usar uma frase do telegrama que Machado cita) aos partidos locais.[46] O novo sistema é resumido com uma malícia lapidar, rara até para Machado: "Quem nasceu no alto mar, faça-se eleger pelos tubarões". Por trás da superfície do federalismo está a pura linguagem da força e do interesse. O próprio fato de que seja logo Vassouras (de que Machado se lembra, por causa de uma visita, há muitos anos)[47] que tem "muitos republicanos" é um sinal dos tempos — como se sabia, inúmeros deles haviam saído dos partidos monárquicos porque identificavam Império e abolição e achavam que a República traria compensações.

Como acontece com tanta freqüência, Machado termina com um enigma. Finge ter esquecido a relação entre o telegrama original, sobre Guzmán Blanco, e Vassouras: Como diz Machado, o exemplo "não liga coisa nenhuma" — claro que esse natural e gradativo processo de desaparecimento não foi o que aconteceu: nos sistemas ditatoriais, os partidos são criados e dissolvidos por seus líderes, em vez de serem uma aglomeração espontânea de seus membros; o cesarismo aparece novamente. A Venezuela pode ser uma ditadura: o Brasil (outra vez) é uma República oligárquica — "veneziana". "Quem nasceu no alto mar [...]".

Essa crônica foi publicada em 29 de junho. A seguinte apareceu após um intervalo de 34 dias, em 3 de agosto. Pode ser que Machado já aventasse acabar a série, ou não tivesse inspiração para compor novas crônicas? Quanto mais nos aproximamos do fim da série, mais sentimos que o entusiasmo míngua. É possível, até, que tivesse desistido, mas voltou, persuadido pelos responsáveis da *Gazeta*, para produzir mais quatro crônicas em agosto de 1889, para finalmente abandonar a pena. Essa versão dos acontecimentos vem apoiada pela primeira das crônicas publicadas em agosto, inspirada por uma nota que aparecera na "Revistinha" do dia anterior, 2 de agosto de 1889, para celebrar o 25º aniversário da *Gazeta*, em que há um comentário sobre todos os cronistas do jornal, e que brinca com a idade de "Boas Noites", dizendo que este já trabalhava para o *Sete de Abril*, periódico "orientado por Bernardo Pereira de Vasconcelos" e que aparecera na década de 1830.[48] Essas datas, idades etc. são, evidentemente, piadas, despistes, chaves falsas — logo "Boas Noites" alega ter nascido após a "quebra do Souto" em 1864! No fim, pilheriando, é claro, ameaça sair: "Ir-me-ei daqui, sacudirei à porta desta casa os meus sapatos [...]" — mas pode ser que a idéia lhe ocorrera de verdade? Como quer que seja, voltou no dia seguinte, 3 de agosto. É pura especulação sugerir que essa menção na "Revistinha" persuadiu um Machado indeciso de que "Bons dias!" não estava totalmente morto, e o forçou a voltar? Há dois ou três traços da crônica que dão apoio a esse argumento. Primeiro, não justifica a sua ausência: O que poderia ter inventado? Segundo, o material é um pouco ralo — em particular, os "conflitos públicos" que menciona duravam meses, e até agora não fui capaz de encontrar a razão para o aparecimento de um tópico muito mais antigo, o estabelecimento de um teatro nacional, no penúltimo parágrafo. Terceiro, volta, um pouco como ocorre na crônica 10, às premissas da série, a polidez (e seu oposto, naturalmente — ameaça atacar a pedradas um colega que o caluniou); a crônica parece ter muito pouca substância. E finalmente, o último parágrafo fala, por mais ironicamente que seja, de um fim — "Ir-me-ei daqui [...]".

De qualquer modo, Machado voltou, sim, por mais três crônicas, todas publicadas em agosto de 1889. Duas delas, as de números 47 e 48, tratam das eleições vindouras, que acabaram não tendo lugar, porque o golpe de 15 de novembro veio antes. Isso, quer-me parecer, é um testemunho de que Machado se atinha, com mais esperança do que confiança, às formalidades do velho regime, cujas eleições, é claro, eram notoriamente corruptas e constituíam boa parte da razão de a Monarquia ficar exposta, revelando-se muito pouco imparcial, e dotada de mais poder, através do Poder Moderador, do que uma monarquia constitucional modelar. Esse recurso às eleições como assunto, numa situação em que eram praticamente irrelevantes, se repete, curiosamente, perto do fim de 1893, com o pano de fundo da Revolta da Armada.[49]

A primeira é simplesmente um guia ao melhor método de agradar a todo mundo, uma nova versão de "Teoria do medalhão". A segunda é mais interessante do ponto de vista político. Começa com um surto de inveja que lembra muito o Nicolau de "Verba testamentária" ("Não posso ver uma roupinha melhor em outra pessoa, que não sinta o dente da inveja morder-me as entranhas"), causado por uma lista de candidatos de Minas, que inclui um que representa conservadores, liberais e republicanos — uma indicação, talvez, de quanto vai mudar com o novo regime! Contudo, depois de uma digressão para contar uma velha história sobre a identidade de conservadores e liberais, diz que perdeu o jornal que trazia esse item "numa mudança de casa". Conclui: "Oh, não mudeis de casa! Mudai de roupa, mudai de fortuna, de amigos, de opinião, de criados, mudai de tudo, mas não mudeis de casa!". Impossível não sentir aqui o medo do cronista, do autor, de que a Monarquia caia — o velho regime é como uma casa, estrutura em que se morou muitos anos e onde se criou uma série de hábitos e costumes, e que todo mundo conhece e sabe manejar. "Mudar", começar de novo, é lançar-se ao desconhecido, com todos os seus perigos. Aqui está a chave para compreender por que Machado sentia que a série tinha que acabar: seu medo de que o mapa da política brasileira fosse mudar, e de que ele, junto com a sociedade para a qual escrevia, perderia o rumo. Como monarquista convicto, talvez até temesse que ele, apesar do anonimato, se exporia demais nas novas circunstâncias. Quem somos nós para criticá-lo?

A última crônica da série, publicada no dia 29 de agosto de 1889, foi inspirada por um item que atraiu Machado no dia anterior, no *Diário de Notícias* — uma prova, talvez, do seu verdadeiro interesse pelo assunto, a medicina popular. Como sempre, mostra o mesmo ceticismo em relação a todas as escolas. Como José Dias diz no seu leito de morte, "em todas as escolas se morre". Por essa mesma razão, é mais relativista, mais histórico até no seu ponto de vista, e menos crítico da medicina popular, quer na forma de curandeiros, quer na de certas drogas populares (o xarope de Cambará, o xarope do Bosque etc.), do que os próprios jornais que tendem a refletir uma crença mais "moderna", e a seu modo convencional, no progresso científico. Esses pontos de vista são, sem dúvida, sinceros e típicos de Machado; contudo, talvez sejam um tema que ele pode usar quando nada de mais interessante se lhe oferece. A sua atitude ante o espiritismo, fenômeno relativamente moderno, é diferente: já vimos que nas crônicas 16 e 43, de 19 de junho de 1888 e 7 de junho de 1889, ataca as suas falsificações e contorções lógicas com verve e raiva, e na segunda dessas crônicas associa-o com a "loucura" final do regime: além de sua charlatanice (que os curandeiros sem dúvida compartilham até certo ponto), é a sua "filosofia" otimista que lhe dá raiva. Não podemos duvidar de que fala sem ironia quando diz que "O espiritismo é uma fábrica de idiotas e não pode subsistir".

Parece claro, em conclusão, que "Bons dias!" tem uma história a contar. Machado começou a série num estado de tensão (criativa) em relação aos seus leitores. Com o fim da escravidão, essa tensão se focalizou quase que inteiramente na questão do regime, do fim inevitável da Monarquia e da chegada da República, que Machado temia porque achava que daria o poder às oligarquias provinciais (sobretudo a paulista). Isso, para ele, é o significado real do federalismo — e que levaria, muito possivelmente, ao "cesarismo", à ditadura. Quando esses eventos se aproximavam, o desejo de diálogo, mesmo na forma fingidamente cortês estabelecida pela forma-título da série, começou a minguar ou, quem sabe, a se revelar impossível. Esse silêncio (em termos de crônica) durou dois anos e meio, e quando Machado recomeçou a série, em abril de 1892, a paisagem política e mesmo econômica tinha mudado completamente — a social, menos. A tensão do começo da série era verdadeira, tão verdadeira que levou a uma completa quebra desse diálogo.

Pode ser que "Bons dias!", longe de oferecer um modelo para a interpretação de qualquer série de crônicas, mesmo de Machado, seja uma exceção. Um sintoma possível disso é a irregularidade da sua publicação. A maior parte das séries — "Gazeta de Holanda", "A semana" e as que precederam e seguiram esta são exemplos — era, com pouquíssimas exceções, regular, situação com benefícios óbvios para o leitor e o próprio jornal. Até "Bons dias!" começou desse modo, mas não após muito tempo — mais ou menos depois da nona crônica de 27 de maio de 1888 — essa regularidade cessou, e muito antes do fim da série toda a pretensão à regularidade foi abandonada. A causa fundamental disso, acho, é a dependência profunda e excepcional que essas crônicas têm em relação aos eventos políticos — claro que no sentido lato dessa palavra, mas mesmo assim...

Essa excepcionalidade talvez explique a atração que senti pela série na década de 1980. Essas crônicas revelavam opiniões nunca expressadas por Machado com tanta clareza e coerência — descontando a ironia, é óbvio — e contavam uma história que apresentava conexões com outras obras, notadamente *Quincas Borba*. As mudanças feitas de uma versão para outra desse romance constituem um dos problemas mais complexos e fascinantes que nos desafiam, e "Bons dias!" fornece algumas pistas para entender o que aconteceu com o romance em 1888 e 1889. Mas nada disso tira a importância da série em si, das mais fascinantes — e importantes — que Machado escreveu.

Notas

1. Nelson Werneck Sodré, *História da imprensa no Brasil*. São Paulo: Martins Fontes, 1983, p. 224.
2. Havia exceções: por exemplo, Ferreira de Araújo se opunha menos ao federalismo que Machado.
3. Citado por Brito Broca, *Machado de Assis e a política*. São Paulo: Polis, 1983, p. 222.
4. Já fora convidado em 1876 e recusou, alegando excesso de trabalho. Ver J. Galante de Sousa, *Bibliografia de Machado de Assis*. Rio de Janeiro: Instituto Nacional do Livro, 1955, p. 225.
5. Sobre essa série como um todo (não só a contribuição machadiana), ver Ana Flávia Cernic Ramos, *História e crônica: "Balas de estalo" e as questões políticas do seu tempo (1883-1887)* (Campinas: Monografias do IFCH-UNICAMP, 2002); há também, além da edição de Raimundo Magalhães Júnior, *Crônicas de Lélio* (Rio de Janeiro: Civilização Brasileira, 1958), a mais recente de Heloísa Helena Paiva de Luca, *Balas de estalo, de Machado de Assis* (São Paulo: Annablume, 1998). Esta tem a vantagem de acrescentar uma crônica inédita à coleção. Infelizmente, em muitos outros aspectos a edição é bastante desapontadora. As notas são, a todas as luzes, insuficientes e não iluminam os acontecimentos diários que estão na origem de muitas crônicas. Numa obra que se supõe de utilidade para outros estudiosos, não há sequer índice onomástico. Finalmente, em alguns momentos, a organizadora se dá ao luxo de corrigir Machado, substituindo "achaques" por "ataques" (ver p. 49), por exemplo, quando no jornal constava "cura os achaques humanos" (verdade seja dita, Magalhães "corrige" sem nos advertir de que está corrigindo).
6. Ver Sidney Chalhoub, "A arte de alinhavar histórias: a série 'A+B' de Machado de Assis", em Sidney Chalhoub, Margarida de Souza Neves e Leonardo Affonso de Miranda Pereira (orgs.), *História em cousas miúdas*. Campinas: Editora da UNICAMP, 2005, pp. 68-85. Talvez seja útil informar ao leitor prospectivo desse artigo que as crônicas da série "A+B" estão acessíveis, completas, numa edição de Magalhães Júnior, no mesmo volume que contém "Bons dias!", *Diálogos e reflexões de um relojoeiro*. Rio de Janeiro: Ediouro, 2000.

7 Ver "O machete e o violoncelo", originalmente publicado como Introdução a *Contos: uma antologia* (São Paulo: Companhia das Letras, 1998), pp. 15-55, e republicado em John Gledson, *Por um novo Machado de Assis*. São Paulo: Companhia das Letras, 2006, pp. 35-69.
8 Sobre esse conto e a sua relação com o contexto histórico — e com as crônicas do período —, ver o excelente artigo de José Miguel Wisnik, "Machado maxixe", em *Sem receita*. São Paulo: Publifolha, 2004, pp. 17-105.
9 Ver José Galante de Sousa, *Bibliografia de Machado de Assis*, pp. 610-13.
10 Ver, sobretudo, John Kinnear, "Machado de Assis: to believe or not to believe", *Modern Languages Review*, 71, 1976, pp. 54-65, e *Machado de Assis: ficção e história*, pp. 89-91, 108-10.
11 Ver *Machado de Assis: ficção e história*, p. 129.
12 Segundo Emília Viotti da Costa (*Da senzala à colônia*. São Paulo: Brasiliense, 1989, p. 437): "[...] representava uma tentativa de conceder um pouco para não ceder tudo, uma medida tendente a arrefecer os ânimos agitados pelo abolicionismo mais radical, e protelar, por mais algum tempo, a questão".
13 O parágrafo do artigo que contém essas palavras está citado na nota 6 da primeira crônica desta edição (p. 81).
14 *Vida e obra de Machado de Assis*, vol. 3 (Maturidade), p. 120.
15 Ver Galante de Sousa, *Bibliografia de Machado de Assis*, pp. 30-31.
16 *Vida e obra...*, vol. 3, p. 120, onde não menciona o anonimato.
17 Galante obteve a informação de uma lista de anônimos e pseudônimos, organizada pelo dr. José Alexandre Teixeira de Melo, que se encontra na Biblioteca Nacional (ver *Bibliografia*, pp. 31-32). Seria curioso saber de onde Teixeira de Melo obteve a informação. Agora que sabemos que a série é de Machado, podemos também admitir que devíamos tê-lo adivinhado antes: por exemplo, a crônica 41, de 30 de março de 1889, usa o mesmo exemplo da velha cuja casinha está se queimando, e o homem que pede licença para acender o seu cigarro nas chamas, que aparece em *Quincas Borba*, cap. 117 (*Obra completa*, 1959, vol. I, pp. 741-42).
18 Para outros usos de línguas estrangeiras — francês, latim, alemão —, nos quais Machado parece tomar um certo prazer, ver, entre outras, as crônicas 23 e 26 (21 de outubro de 1888 e 18 de novembro de 1888).
19 Para a relação de Machado com o Clube, ver o interessante livro de Carlos Wehrs, *Machado de Assis e a magia da música*. Rio de Janeiro: Sette Letras, 1987, pp. 36-38.
20 O "Bendegó" era o meteorólito de Bendegó, que caiu no sertão da Bahia no século XVIII, e estava sendo trazido, com grandes dificuldades e demora, para o Rio de Janeiro. O barão de Guaí era um político conservador, candidato, entre outros, a um ministério no novo governo.
21 Ver Leonardo Affonso de Miranda Pereira, *O carnaval das letras* (Rio de Janeiro: Secretaria Municipal de Cultura, 1994; 2ª edição revista, Campinas: Editora da UNICAMP, 2004), pp. 169-221; Sidney Chalhoub, em *Cidade febril* (São Paulo: Companhia das Letras, 1996), pp. 164-68 e 180-85; e Gabriela dos Reis Sampaio, *Nas trincheiras da cura* (Campinas: Editora da Unicamp, 2001), pp. 100-4. Os equívocos dessas análises decorrem de três erros fundamentais: 1) uma tendência a escolher só certos trechos de uma crônica, e não ver que cada uma tem que ser analisada e explicada como um todo; 2) ler as crônicas como se fossem uma espécie de romance, ilusão sem dúvida fomentada pela publicação em livro (por isso, "Policarpo", para esses autores, é o "narrador"

(termo de uso bastante questionável nesse contexto, como veremos), e tem esse nome ao longo da série inteira, apesar de a palavra só ser mencionada uma vez, na décima crônica); e 3) sobretudo, não entender a ironia. Miranda Pereira diz que "Policarpo" afirma "uma série de opiniões das quais, na realidade, discordava" (p. 193) — o leitor verá que a frase é uma boa definição da ironia. Daí a atribuir seriedade a frases como "eu, em todas as lutas, estou sempre do lado do vencedor" (palavras da crônica 6, citada na p. 193 de *O carnaval das letras*) é só um passo.

22 "A quantos de maio nasceu Porto Alegre?" — Qual Porto Alegre? O poeta romântico, por exemplo, nasceu em novembro de 1806. Agora, a exemplo do "cometa", da crônica 35 (ver nota 8), acho bem possível que seja uma pergunta agressiva e deliberadamente sem sentido.

23 *Diálogos e reflexões de um relojoeiro*, p. 81.

24 Pergunto-me se foi aqui que Machado "ouviu" a palavra "noire", que usa na crônica de 27 de maio de 1888 para fazer um dos trocadilhos mais ousados da série.

25 O que não impediu que o homem Machado de Assis se juntasse à população, na carruagem de Ferreira de Araújo. Ver minha edição de *A semana*, p. 239 (crônica de 14 de maio de 1893).

26 Ver nota 1 à crônica 46.

27 *Visões da liberdade*. São Paulo: Companhia das Letras, 1990, p. 182.

28 Op. cit., p. 152.

29 É curioso até que o modo de falar do escravo da crônica seja excepcionalmente humilhante, em termos machadianos — não me lembro de outra ocasião em que representa uma pessoa falando assim; até o escravo de *Dom Casmurro* diz "senhor", e não "senhô".

30 "Escravidão e cidadania: a experiência histórica de 1871", in *Machado de Assis historiador*. São Paulo: Companhia das Letras, 2003, pp. 131-291.

31 Detalhe talvez significativo: é diante do espetáculo do preto enforcado por outro preto que Rubião perde, justamente, a possessão de si mesmo — isto é, desmaia.

32 Ver o começo da crônica 43.

33 O que não impediu que o homem Machado de Assis, funcionário desse ministério, chefiasse uma delegação para felicitá-lo e, "profundamente comovido", pronunciasse algumas "belíssimas frases", resumindo "os relevantes serviços prestados por S. Exa. à nação"! (Magalhães Júnior, *Vida e obra de Machado de Assis*, vol. 3, p. 125.)

34 Ver *A Semana – 1892-93*, p. 28; *Por um novo Machado de Assis*, p. 227.

35 *Crônicas de Lélio* (ed. Magalhães Júnior), pp. 195-97; *Balas de estalo* (ed. Heloisa Helena Paiva de Luca), pp. 184-86.

36 Ver *Machado de Assis: ficção e história*, p. 108.

37 Adivinha-se que o cometa não é real, e que está aí só para interromper a conversa; fato praticamente comprovado por esta frase de "Teoria do medalhão": "Podes resolver a dificuldade de um modo simples: vai ali falar do boato do dia, da anedota da semana, de um contrabando, de uma calúnia, *de um cometa*, de qualquer coisa (...)" (*Obra completa*, 1959, vol. II, p. 291).

38 Para uma excelente idéia visual desses "carros de idéias", ver a ilustração à página 168 do livro de Luciano Trigo *O viajante imóvel: Machado de Assis e o Rio de Janeiro do seu tempo* (Rio de Janeiro–São Paulo: Record, 2001), tirada da *Revista Ilustrada*, de 1880.

39 Ver crônica 37, nota 3.

40 Um problema — ou uma sugestão um pouco ousada. Será que o fato de Cartago estar na África tem alguma relevância específica? Outra referência cifrada e bastante importante é ao rei Massinissa da Numídia — atual Argélia — e aliado de Roma, em *Dom Casmurro*, caps. 2 e 145.

41 Crônicas de 3 de novembro de 1884 (*Obra completa*, 1959, vol. III, pp. 436-37) e de 25 de novembro de 1894 (op. cit., pp. 632-35).

42 Caso ainda mais curioso é o de John Mowat, bibliotecário da Universidade de Oxford que se suicidou — ver a crônica de 9 de setembro de 1894 (op. cit., pp. 620-22).

43 Magalhães Júnior não cita a nota ao pé da crônica. Mas toma-a a sério e nos informa que a crônica foi escrita uma semana antes. Diz, entre outras coisas: "Cumpriu-se a previsão de Machado de Assis. Ou, se não foi previsão, a informação que obtivera de boa fonte" (*Diálogos e reflexões...*, p. 246). As informações que Machado apresenta no fim da crônica são apenas as que divulgava todos os dias o *Jornal do Commercio* (bem como outros jornais), e que ele simplesmente cita.

44 Ver as muitas referências a Machado no livro de Ubiratan Machado, *Os intelectuais e o espiritismo: de Castro Alves a Machado de Assis*. Rio de Janeiro: Antares, 1983. Ele diz, por exemplo: "nenhum escritor brasileiro do século XIX se mostrou tão intransigente em relação ao espiritismo quanto Machado de Assis. Sua aversão começa na mocidade, assume um tom surpreendentemente áspero na maturidade e se abranda, apenas, na velhice, quase naquele momento de transpor os umbrais que dão acesso ao outro lado do mistério" (p. 59).

45 *Machado de Assis: ficção e história*, pp. 215-17.

46 É a solução adotada por Camacho com relação à briga entre o dr. Hermenegildo e o coronel Romualdo: ele decide impor o "espírito bem preparado" de Rubião. *Quincas Borba*, cap. 100 (*Obra completa*, 1959, vol. I, p. 725).

47 Para a viagem a Vassouras, que aconteceu em 1875, ver Raimundo Magalhães Júnior, *Vida e obra de Machado de Assis*. Rio de Janeiro: Civilização Brasileira, 1981, vol. 2, p. 148.

48 Nelson Werneck Sodré, *História da imprensa no Brasil*, p. 123.

49 Ver *A semana – 1892-93*, p. 34; *Por um novo Machado de Assis*, pp. 234-35.

Cronologia

1885

Agosto: o imperador pede ao barão de Cotejipe, antiabolicionista conservador, para formar um governo.

28 de setembro: é aprovada a Lei dos Sexagenários, também chamada de Lei Saraiva-Cotejipe.

1886

15 de janeiro: eleições sob o regime de Cotejipe, que produzem uma Câmara ainda mais anti-reformista que a anterior.

12 de junho: Antônio Prado, ministro da Agricultura no governo Cotejipe, promulga o "Regulamento Negro", que interpreta a Lei dos Sexagenários num sentido retrógrado: provoca muitas manifestações abolicionistas, sobretudo no Rio de Janeiro.

4 de outubro: abolição do uso do chicote em estabelecimentos públicos.

7 de outubro: abolição da escravidão em Cuba.

Novembro–dezembro: distúrbios em Santos entre polícias, enviados para capturar escravos refugiados na cidade, e abolicionistas.

1887

De maio em diante: muitas fugas em massa das fazendas paulistas, e conseqüente cessão de liberdade provisória (em troca de serviços) por muitos fazendeiros.

30 de junho: o imperador parte para a Europa, na sua terceira viagem ao estrangeiro.

13 de setembro: Antônio Prado, importante fazendeiro e político paulista, até então antiabolicionista, apóia a abolição e opõe-se ao governo de Cotejipe.

25 de outubro: petição do marechal Deodoro da Fonseca, presidente do Clube Militar, para que o exército seja poupado do dever de caçar escravos fugidos.

Outubro–novembro: distúrbios em Campos (província do Rio de Janeiro), com greves, fugas em massa e repressão violenta do movimento abolicionista.

Novembro-dezembro: as fugas em massa continuam nas fazendas paulistas.

15 de dezembro: realização de congresso de fazendeiros em São Paulo para discutir uma abolição imediata ou provisória da escravidão.

1888

Janeiro–fevereiro: fogem muitos escravos em Minas, e vão para Ouro Preto, então capital da província.

25 de fevereiro: no aniversário de Antônio Prado, a cidade de São Paulo é declarada livre de escravos.

17 de março: muitos fazendeiros libertam seus escravos em São Fidélis, na região do rio Paraíba do Sul.

18 de março: o governo de Cotejipe é destituído.

20 de março: a regente, princesa Isabel, escolhe João Alfredo Correia de Oliveira, aliado de Antônio Prado, para formar um governo.

24 de março: discurso de Ferreira Viana no Clube Beethoven, anunciando que a escravidão seria abolida sem indenização.

11 de abril: anuncia-se um empréstimo de 6 milhões de libras, destinado a cobrir as despesas decorrentes da abolição.

3 de maio: solene abertura das Câmaras da nova sessão legislativa.

7 de maio: João Alfredo anuncia no Senado a decisão do governo de abolir a escravidão imediatamente e sem condições.

13 de maio: a Lei Áurea, que abole a escravidão.

17 de maio: missa solene em ação de graças, na presença da regente.

23 de maio: o imperador está em Milão, em estado de saúde desesperador.

19 de junho: Cotejipe propõe uma lei para autorizar uma emissão de apólices de 200,000 contos para indenizar os ex-donos de escravos. O assunto é muito discutido na imprensa.

22 de agosto: o imperador volta para o Rio de Janeiro, onde é recebido com bastante entusiasmo.

6 de setembro: o incidente Manso: o deputado republicano Antônio Monteiro Manso recusa-se a prestar juramento à Coroa.

28 de setembro: a princesa Isabel recebe a Rosa de Ouro, ofertada pelo papa Leão XIII.

1889

13 de fevereiro: morte do barão de Cotejipe.

30 de abril: renúncia de Antônio Prado, ministro das Relações Exteriores e ministro da Agricultura no governo de João Alfredo.

23 de maio: fim do ministério João Alfredo, impossibilitado de governar em razão das divisões no partido conservador. Seguem várias tentativas de compor um governo conservador, que falham, e terminam com a chamada do Partido Liberal, com o visconde de Ouro Preto como presidente do Conselho: para mais detalhes ver crônica 43, nota 6.

7 de junho: o visconde de Ouro Preto assume a presidência do Conselho.

11 de junho: Ouro Preto apresenta o seu programa, com muitas propostas liberais, mas sem adotar um sistema federal.

17 de junho: dissolve-se a Câmara dos Deputados e convocam-se novas eleições; a nova Câmara devia reunir-se em 20 de novembro.

11 de novembro: vários políticos e militares se reúnem com o marechal Deodoro e o convencem a liderar o movimento republicano.

15 de novembro: golpe — fim da Monarquia e fundação da República.

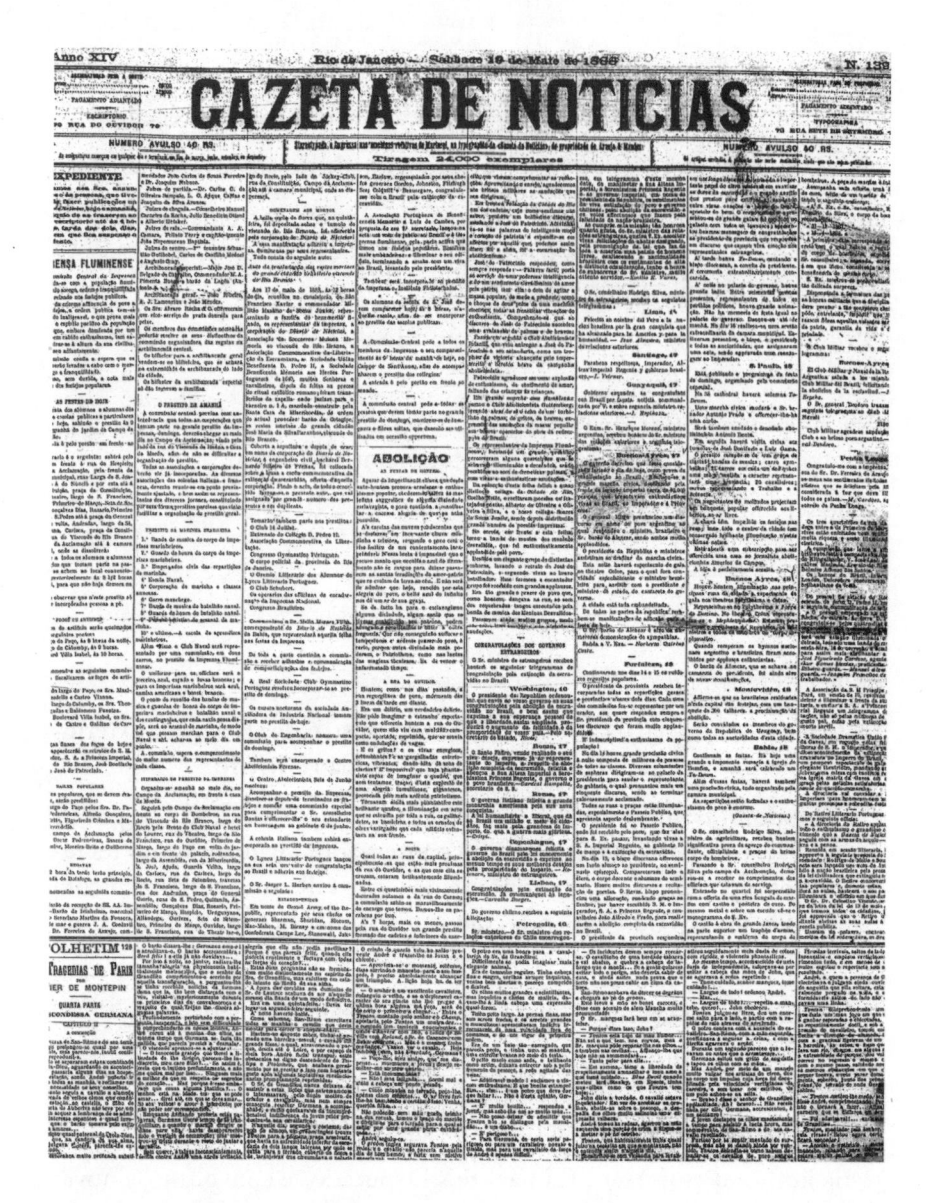

Nesta página e nas três seguintes:
A *Gazeta de Notícias* de 19 de maio de 1888. Em meio ao regozijo popular, aos telegramas do estrangeiro, e a coisas mais do dia-a-dia do jornal (o folhetim da primeira página, os "A pedidos" (p. 3), os anúncios, as loterias e chegadas de navios, a crônica do Pancrário (p. 2).

2 GAZETA DE NOTICIAS — Sabbado 19 de Maio de 1888

TELEGRAMMAS

FANFRELUCHES

PUBLICAÇÕES A PEDIDO

BONS DIAS!

THEATROS E...

AVISOS

GAZETA DE NOTICIAS — Sabbado 19 de Maio de 1888 3

EDITAL

DECLARAÇÕES

COMPANHIA VILLA IZABEL

60:000$000

LOTERIA DO GRAM-PARÁ

Depois de amanhã

GRANDE PASSEIATA CIVICA

I. S. P. M.

UNIÃO DOS ARTISTAS

LOTERIA DA CORTE

AVISOS MARITIMOS

TAGUS

PERNAMBUCO

Bahia, Lisboa

HAMBURGO

EDWARD JOHNSTON & C.

62 Rua de S. Pedro 62

ANNUNCIOS

O PEITORAL DE CAMBARÁ

IMPORTANTE DESCOBERTA DO SR. J. ALVARES DE SOUZA SOARES, DE PELOTAS

vende-se em casa dos unicos agentes e depositarios geraes, n'esta côrte

SILVA GOMES & C.

24 RUA DE S. PEDRO 24

aos preços de

2$500 o frasco, 13$000 meia duzia e 24$000 a duzia

CUIDADO COM AS FALSIFICAÇÕES!

Cuidado com as imitações! Cuidado com as imitações!

PROVINCIA DE S. PAULO

INSTITUTO HENRIQUE KOPKE

FESTIVAL

VINHO DEFRESNE

PEPTONA

VESTIDOS

150 RUA LARGA DE S. JOAQUIM 150

GOTTA, RHEUMATISMO, DORES

SOLUÇÃO do Doutor Clin

MEDICO VETERINARIO

GOUDRON GUYOT

Alcatrão Guyot

Pharmaceutico, 19, rua Jacob, Pariz

Fabrica: Casa L. FRERE, 19, rua Jacob, PARIZ

GERMANDRÉE

PARTE COMMERCIAL

CASAMENTOS

DROGAS

DROGAS

MORPHÉA

MAGNESIA

DYSPEPSIAS

RHEUMATISMOS

LOTES DE TERRENO

FESTEJOS

GAZETA DE NOTICIAS — Sabbado 19 de Maio de 1888

FERRO BRAVAIS Combate com efficacia

ANEMIA, CHLOROSIS, CORES PALLIDAS

Deposito na mór parte das Pharmacias

PROGRAMMA

DAS

GRANDES REGATAS

PROMOVIDAS PELA IMPRENSA FLUMINENSE

NA

ENSEADA DE BOTAFOGO

EM HOMENAGEM A' ABOLIÇÃO

HOJE SABBADO 19 DE MAIO HOJE

HONRADAS COM A AUGUSTA PRESENÇA DE SUAS ALTEZAS IMPERIAES

A' 1/2 HORA DA TARDE EM PONTO

COMMISSÃO DE RECEPÇÃO DE SS. AA. IMPERIAES.

JUIZES DE PARTIDA.

JUIZES DE CHEGADA.

JUIZES DE RAIA.

JUIZES DO CENTRO.

ARCHIBANCADA ESPECIAL.

ARCHIBANCADA GERAL.

1º parco — 800 metros — TREZE DE MAIO — Amadores — Premios: Medalhas de ouro commemorativas

2º parco — 800 metros — JOSÉ DO PATROCINIO

3º parco — 1,780 metros — JOÃO ALFREDO

4º parco — 1,780 metros — PRINCEZA IMPERIAL

5º parco — IMPRENSA FLUMINENSE

6º parco — 1,780 metros — DEZ DE MARÇO

7º parco — 800 metros — ABOLICIONISTA

8º parco — 600 metros — DR. LUIZ DE CASTRO

9º parco — 1,780 metros — VISCONDE DO RIO-BRANCO

10º parco — 800 metros — EUZEBIO DE QUEIROZ

11º parco — 800 metros — RIO DE JANEIRO

O director de regatas, capitão de fragata F. LORENA.

Os bilhetes de archibancadas geraes serão vendidos hoje, das 11 horas em diante, no bilheteiro das archibancadas, na praia de Botafogo.

Roga-se aos amadores e profissionaes que tomam parte nas regatas de se apresentarem meia hora antes dos pareos.

Durante a regata percorrerá a raia a JANGADA de F. NASCIMENTO, do Ceará.

O preço das archibancadas geraes é de 1$000.

CATADORES LIDGERWOOD — 95 RUA DO OUVIDOR 95 — RIO DE JANEIRO

A NECTANDRA AMARA

DOENÇAS DO ESTOMAGO

GONORRHÉAS

TOSSES E BRONCHITES

MOLESTIAS DA PELLE

VINHO TONICO NUTRITIVO

MOENDAS DE CANNA

LUVAS

VIGOR DO CABELLO — AYER

ASTHME — ASTHME — OLEO MORRHUINE

PRODUCTOS DE J.-P. LAROZE — Xarope Depurativo — Xarope Ferruginoso — Xarope Sedativo

XAROPE DE BROMURETO DE SODIO DE J.A. PENNÈS & C. PELISSE

VINHO DE Dr CABANES — Kina-Cabanes

NÃO HA MAIS DÔRES DE DENTES! — RR. PP. BENEDICTINOS — SEGUIN

UNGUENTO ENCARNADO MERE — PHYSIC BALL MÉRÉ — BLACK-MIXTURE

NECTANDRA AMARA — REMEDIO PAULISTA — PARA A CURA RADICAL

XAROPE CROSNIER

D. MARIA DO CÉU

LUTO

PEDIDO

Sabão Veterinario

PHYSIOLOGIA DO AMOR

TINTA SARDINHA

REDINHAS

THEATRO RECREIO DRAMATICO

Companhia Dramatica — Empreza Dias Braga

FESTAS POPULARES

HOJE SABBADO E AMANHÃ DOMINGO

DOUS ESPECTACULOS EM REGOSIJO PUBLICO

HOJE

A MORGADINHA DE VAL-FLOR

TOMA PARTE TODA A COMPANHIA

A ENDIABRADA

THEATRO LUCINDA

HOJE SABBADO 19 DE MAIO HOJE

GRANDE SUCCESSO!

AS FILHAS DE EVA

BAILADO INGLEZ

GRAN VIA E EFFEITOS DA GRAN VIA

Nota ao texto

Sempre que foi possível, utilizei o texto da *Gazeta de Notícias* como base desta edição, limitando-me a modernizar a ortografia. As exceções são a crônica 1 e o final da 33, que não constam da coleção microfilmada da Biblioteca Nacional, para as quais utilizei a versão de Raimundo Magalhães Júnior, no livro citado abaixo; e a de nota 7 (desconhecida de Magalhães, e publicada na *Imprensa Fluminense*), em que utilizei a versão de Jean-Michel Massa, no seu *Dispersos de Machado de Assis* (Rio de Janeiro: Instituto Nacional do Livro, 1965). Todos os erros do original estão enumerados em nota de rodapé, seja qual for a sua origem — nem sempre é fácil saber se são de Machado ou do jornal. Incluem-se aí palavras e nomes estrangeiros, que estão escritos como na língua original, com eventuais erros assinalados nas mesmas notas. Utilizei as seguintes abreviaturas: cr. (crônica); n. (nota); col. (coluna); MJ (refere-se a Machado de Assis, *Diálogos e reflexões de um relojoeiro*, ed. Raimundo Magalhães Júnior. Rio de Janeiro: Civilização Brasileira, 1956; ou, às vezes, a Magalhães Júnior); *GN* (*Gazeta de Notícias*); *JC* (*Jornal do Commercio*).

Nota às notas

Esta edição e suas notas conservam os mesmos princípios da primeira edição de *Bons dias!*, de 1990.[1] Esses princípios são explicados de uma maneira um tanto mais extensa na "Nota às notas" da edição de *A semana 1892-93*. Devo dizer que fui bastante estimulado pela leitura que colegas fizeram dessas edições, bem como pelo apoio que me foi dado. As crônicas, eles dizem, estão mais legíveis agora e os índices são fontes muito úteis para pesquisadores, além do acesso que as edições proporcionam às próprias crônicas, um aspecto vital da obra de Machado, como todos sabem na teoria, mas que poucos demonstraram em detalhe. Num artigo muito interessante e atencioso sobre o primeiro volume de *A semana — 1892-93*, Luiz Costa Lima pergunta onde foram parar os outros volumes.[2] Admito que fui tomado por um otimismo exagerado. Outros elementos se interpuseram, o que me forçou a adiar o projeto: outras edições, traduções, um livro sobre Drummond, outro sobre Machado etc. *Bons dias!* foi reeditado em 1997 pelo governo brasileiro para distribuição em escolas e bibliotecas públicas, e no momento está "hiperesgotado",[3] fatos muito significativos para mim.

Quando comecei a preparar esta edição, por volta de 1988, tenho que admitir que simplesmente segui as regras do bom senso sem adotar um modelo específico. Achava que estas crônicas deviam estar à disposição do leitor contemporâneo e que lhe fossem compreensíveis, a exemplo do que é feito com a preparação dos textos de Shakespeare, Camões,

Dickens, Flaubert etc. E isso significa colocar o leitor de hoje, *tanto quanto possível*, na posição daquele de Machado de 1888 ou 1889.

A partir de então, várias crônicas de Machado e de outros autores foram publicadas, e percebi que seria útil estabelecer alguns parâmetros para os editores. E isso, que eu tinha idealizado como uma maneira de "cultivar meu jardim" sem entrar em controvérsias, e até de ser proveitoso para os outros, se mostrou mais complicado do que eu tinha imaginado. Houve ocorrências menos prazerosas às quais talvez eu dê atenção exagerada. Duas não me saem da cabeça. A primeira é uma notinha que saiu na *Folha de S. Paulo*, há muitos anos, quando a primeira edição foi lançada, que ignorou a utilidade da edição e a relevância de pôr estas crônicas à disposição de um público maior; e que, no entanto, recriminou minha presunção de explicar quem foi Charles Darwin. O sucesso de vendas talvez seja a melhor resposta para essa implicância — todavia, compreendo a irritação do jornalista. A segunda refere-se a uma publicação das crônicas que foram contribuição de Machado para a série "Balas de estalo", entre 1883 e 1886, lançada em 1998, que se mostrou insatisfatória sob vários aspectos — como se poderá ver na nota 5 da Introdução a este livro.

O que segue, pois, são meras indicações de como essas edições devem ser feitas, nada além disso. Dois textos, ou mesmo um conjunto de textos, nunca são iguais — as crônicas de Machado não são as peças de Shakespeare, nem o jornalismo de Dickens; tampouco são as crônicas de França Júnior, ou as de Bilac.[4] Meu palpite é de que as crônicas de Machado são mais difíceis de editar que a maioria das peças do gênero, por Machado ser muito mais oblíquo e reticente. Estou convencido de que até seus leitores tiveram dificuldade de acompanhá-lo em alguns momentos, o que de pronto faz com que o objetivo de colocar o leitor atual na mesma situação daquele de 1888 seja mais questionável — ironicamente, podemos estar, de certa forma, numa situação *melhor*, porque podemos achar a citação de Heine ou de Renan e ver como o seu contexto esclarece o significado de Machado, o que a maioria dos leitores de então não podia fazer.

1. O primeiro objetivo é esclarecer a crônica, torná-la compreensível. Se há algo no texto que o editor não entende, ele deve dizer. Tenho que admitir que algumas vezes nem mesmo eu segui essa recomendação, não por vergonha de reconhecer que algo seja obscuro para mim, mas simplesmente por receio de aborrecer e entediar o leitor e porque os editores compreensivelmente temem essa possibilidade ainda mais. Num processo gradativo, passei a pensar que essas dúvidas deveriam ser explicitadas, em parte porque alguém pode fornecer a resposta, em parte porque dessa forma o leitor não acha que algo é óbvio sem o ser. De acordo com o mesmo princípio, não há problema em reconhecer dúvidas nas notas ou em especular sobre uma possível solução para a questão, *contanto que isso não seja feito em excesso*.

2. O outro lado da mesma moeda é que a informação deve se limitar ao que é estritamente necessário à compreensão da crônica. Não há necessidade de mostrar serviço adornando uma referência incidental a Tiradentes com uma biografia completa do infeliz alferes — na maior parte dos casos, não há sequer necessidade de nota. Mais que isso, é provável que seja um erro fazê-lo, porque, na verdade, *impede* a compreensão da crônica ao sobrecarregá-la com um sem-número de informações inúteis e às vezes mistificadoras. Claro que as pessoas divergem quanto ao que é relevante, mas o princípio de que *a nota deve ser o mais sucinta possível para esclarecer a crônica* é válido. Devemos lembrar que a preparação existe para elucidar o texto, não para relatar o enredo da *Ilíada* ao leitor, escrever a história do Brasil do século XIX, ou a biografia de Cotejipe, ou qualquer tipo de informação útil, mas que pode ser mais bem aproveitada em outro lugar que não nas notas a uma crônica. Talvez eu estivesse errado ao inserir uma nota sobre Darwin, pelo menos no contexto da crônica em questão. Claro, é em parte uma questão do que seja provável que o leitor tenha conhecimento, e a disponibilidade de enciclopédias, dicionários e agora, mais que qualquer outro meio, da Internet reduziu a necessidade de explicações do que é de comum conhecimento.

3. Uma seção específica deve ser acrescentada aqui para tratar das citações de jornais, que foram a principal inovação desta edição quando foi lançada. Sei, por experiência própria, que achar uma determi-

nada citação, depois da luta que é para encontrá-la, leva à tentação de transcrevê-la muito além do necessário. Mais uma vez, o critério é a *relevância* — se os fatos apresentados ou a linguagem da notícia, artigo ou telegrama favorecem a compreensão da crônica, então devem ser citados; *se não, não* — a referência pode se limitar à página ou coluna do documento em questão e talvez ao título do artigo. As razões são as mesmas expressas no parágrafo anterior. Na minha edição de *A semana*, houve algumas exceções, e citei mais quando parecia que a informação — por exemplo sobre o Encilhamento, ou a Revolta da Armada — favorecia a compreensão do conjunto na sua totalidade, mas a regra geral é mantida. É, com freqüência, proveitoso dar ao leitor uma amostra da linguagem jornalística da época, o contexto em que Machado escreveu (e contra o qual freqüentemente reagiu). Mas grande parte dessa contextualização pode perfeitamente aparecer na Introdução.

4. Até que ponto se deve aludir a outros trabalhos de Machado? Nesse ponto, de novo, a tentação pode ser grande e, às vezes, não tenho dúvida, justificada — seria um disparate não mencionar que a história do homem que acende o charuto nas ruínas ardentes da casa de uma mulher reaparece no *Quincas Borba*, capítulo 117; entre outras coisas, é uma prova de que o autor destas crônicas é, mesmo, Machado. Mais uma vez, as opiniões certamente divergem quanto ao que é relevante ou necessário. Mas se bons índices são produzidos, e as obras de Machado estão se tornando cada vez mais disponíveis, de maneira cada vez mais completa, na Internet, essas questões se tornam menos importantes. Relações mais abrangentes com outras obras, que envolvem a nossa compreensão da obra de Machado em conjunto, podem muito bem figurar na Introdução a cada edição.

5. De maneira geral, citações e até mesmo palavras isoladas em língua estrangeira devem ser traduzidas nas notas. Em algumas ocasiões, isso pode levar a extremos um tanto absurdos — mesmo uma pessoa que não sabe nada de francês entenderia "ce qui est mon opinion", e aquele jornalista da *Folha* bem que poderia rir à nossa custa —, mas, talvez, em nome da coerência, devesse ser feito.

6. Um índice onomástico útil e completo é indispensável, não só para que o leitor possa localizar um trecho de que ele lembra parcialmente, mas também para compilar um dicionário completo de referências a Machado, guia dos mais úteis e mais fascinantes para a compreensão de seu pensamento. É, acima de tudo, um sinal de atenção para com outros leitores, bem como parte de um processo *coletivo* de editar Machado e pôr sua produção menor à disposição de todos.

Notas

1. Machado de Assis, *Bons dias!* Crônicas editadas, com introdução e notas de John Gledson (São Paulo: HUCITEC, Editora da UNICAMP, 1990).
2. Luiz Costa Lima, "Machado, mestre de capoeira", em *Machado de Assis, uma revisão* (eds. Antonio Carlos Secchin, José Maurício Gomes de Almeida, Ronaldes de Melo e Souza), pp. 183-89.
3. Ricardo Lísias, numa resenha do meu *Por um novo Machado de Assis* em *Entrelivros*, nov., 2006.
4. Para o primeiro, ver França Júnior, *Política e costumes (folhetins esquecidos) 1867-68*. Organização, introdução e notas de Raimundo Magalhães Júnior. Rio de Janeiro: Civilização Brasileira, 1957. E para o segundo, a excelente edição recente de Antonio Dimas, *Bilac: o jornalista*. 3 vols. São Paulo: EDUSP, UNICAMP, Imprensa Oficial, 2006.

Crônica 1

5 de abril de 1888

BONS DIAS!

Hão de reconhecer que sou bem criado. Podia entrar aqui, chapéu à banda, e ir logo dizendo o que me parecesse; depois ia-me embora, para voltar na outra semana. Mas não, senhor; chego à porta, e o meu primeiro cuidado é dar-lhe os bons dias. Agora, se o leitor não me disser a mesma coisa, em resposta, é porque é um grande malcriado, um grosseirão de borla e capelo; ficando, todavia, entendido que há leitor e leitor, e que eu, explicando-me com tão nobre franqueza, não me refiro ao leitor, que está agora com este papel na mão, mas ao seu vizinho. Ora bem!

Feito esse cumprimento, que não é do estilo, mas é honesto, declaro que não apresento programa. Depois de um recente discurso proferido no Beethoven,[1] acho perigoso que uma pessoa diga claramente o que é que vai fazer; o melhor é fazer calado. Nisto pareço-me com o príncipe (sempre é bom parecer-se com príncipes, em alguma coisa, dá certa dignidade, e faz lembrar um sujeito muito alto e louro, parecidíssimo com o imperador, que há cerca de trinta anos ia a todas as festas da Capela Imperial,[2] *pour étonner le bourgeois*;[3] os fiéis levavam a olhar para um e para outro, e a compará-los, admirados, e ele teso, grave, movendo a cabeça à maneira de Sua Majestade. São gostos.) de Bismarck.[4] O Príncipe de Bismarck tem feito tudo sem programa público; a única orelha que o ouviu, foi a do finado imperador, — e talvez só a direita, com ordem de o não repetir à esquerda. O parlamento e o país viram só o resto.

Deus fez programa, é verdade (E Deus disse: Façamos o homem à nossa imagem e semelhança, para que presida etc. *Gênese* I, 26); mas é preciso ler esse programa com muita cautela. Rigorosamente, era um modo de persuadir ao homem a alta linhagem de seu nariz. Sem aquele texto, nunca o homem atribuiria ao criador nem a sua gaforinha,[5] nem a sua fraude. É certo que a fraude, e, a rigor, a gaforinha são obra do diabo, segundo as melhores interpretações; mas não é menos certo que essa opinião é só dos homens bons; os maus crêem-se filhos do céu — tudo por causa do versículo da Escritura.

Portanto, bico calado. No mais é o que se está vendo; cá virei uma vez por semana, com o meu chapéu na mão, e os *bons dias* na boca. Se lhes disser já, que não tenho papas na língua, não me tomem por homem despachado, que vem dizer coisas amargas aos outros. Não, senhor; não tenho papas na língua, e é para vir a tê-las que escrevo. Se as tivesse, engolia-as e estava acabado. Mas aqui está o que é; eu sou um pobre relojoeiro que, cansado de ver que os relógios deste mundo não marcam a mesma hora, descri do ofício. A única explicação dos relógios era serem iguaizinhos, sem discrepância; desde que discrepam, fica-se sem saber nada, porque tão certo pode ser o meu relógio, como o do meu barbeiro.

Um exemplo. O Partido Liberal, segundo li, estava encasacado e pronto para sair, com o relógio na mão, porque a hora pingava.[6] Faltava-lhe só o chapéu, que seria o chapéu Dantas, ou o chapéu Saraiva (ambos da Chapelaria Aristocrata);[7] era só pô-lo na cabeça, e sair. Nisto passa o carro do paço com outra pessoa, e ele descobre que ou o seu relógio estava adiantado, ou o de Sua Alteza é que se atrasara. Quem os porá de acordo?

Foi por essas e por outras que descri do ofício; e, na alternativa de ir à fava ou ser escritor, preferi o segundo alvitre; é mais fácil e vexa menos. Aqui me terão, portanto, com certeza até à chegada do Bendegó,[8] mas provavelmente até à escolha do Sr. Guaí,[9] e talvez mais tarde. Não digo mais nada para os não aborrecer, e porque já me chamaram para o almoço.

Talvez o que aí fica, saia muito curtinho depois de impresso. Como eu não tenho hábito de periódicos, não posso calcular entre a letra de mão e a letra de forma. Se aqui estivesse o meu amigo Fulano (não ponho o nome, para que cada um tome para si esta lembrança delicada), diria logo que ele só pode calcular com letras de câmbio — trocadilho que fede como o diabo.[10] Já falei três vezes no diabo em tão poucas linhas; e mais esta, quatro; é demais.

Boas Noites.

Notas

1   Machado foi membro assíduo do Clube Beethoven, e certamente assistiu a esse discurso do ministro Ferreira Viana (v. cr. 8, n. 10), em que anunciou que a escravidão seria abolida, embora não dissesse se a abolição seria completa ou com prestação obrigatória de serviços por um período limitado, assunto ainda discutido no gabinete de que fazia parte (v. cr. 8). O discurso vem reproduzido, em parte, na *GN* de 25 de março (p. 2, cols. 4-5). O Clube, fundado em 1882, e já extinto há tempo em 1896, quando Machado o relembrou longamente (na parte final de "A semana", 5 de julho), era de muito prestígio na época, não só pelos excelentes concertos que promovia.
2   A Capela Imperial (ex-Capela Real) é agora a Igreja de N. S. do Carmo, junto ao paço, na Rua Primeiro de Março.
3   Francês: "Para pasmar o burguês".
4   O príncipe Otto von Bismarck (1815-98), o famoso "Chanceler de Ferro", arquiteto da Alemanha moderna, primeiro-ministro desde 1862 de Guilherme I, rei da Prússia e imperador da Alemanha. Foi o grande símbolo, nesse período, do político todo-poderoso (e antidemocrata, no sentido de agir sem tomar em conta o parlamento) (v. *Brás Cubas*, cap. 4). O imperador Guilherme acabava de morrer em 9 de março.
5   Cabeleira basta, em aparente desalinho, moda no século XIX — de Isabel Gaforini, cantora italiana, que se apresentou em Portugal no início do século.
6   A idéia de que a abolição, sendo uma medida liberal, devia ser obra do partido desse nome foi freqüentemente exposta nos jornais. Em 19 de março, na *Gazeta de Notícias* (p. 1, cols. 1-3), Ferreira de Araújo comentou essa idéia com a sua perspicácia costumeira: vale a pena citar esse artigo por extenso, para ilustrar a semelhança entre as suas idéias e as de Machado, não só nesta crônica como também nas crônicas 2 e 6. Diz, entre outras coisas, que o Partido Liberal pouco tem feito no sentido de abolir a escravidão. As palavras são dos liberais, sobretudo quando estão fora do poder, enquanto os dois atos principais, os de 1850 e 1871, são de conservadores (Eusébio de Queirós e o visconde do Rio Branco). O que é mais, no estado atual das coisas, essa é uma medida conservadora, simples reconhecimento do que se está passando no país, e de que São Paulo é o melhor exemplo. Cito:
    "A rigor, o Partido Liberal perdeu a vez de fazer a abolição; deixou que a questão se adiantasse tanto, deixou que a propaganda, depois de levar a todos os espíritos os argumentos de direito, de sentimento, de filantropia, chegasse a convencer pelo interesse dos senhores, que já hoje pensam mais em libertar-se dos escravos, do que

em libertar escravos; de modo que hoje a grande questão já não é o direito do homem negro espoliado, é o interesse do trabalho, da fortuna nacional, que é preciso assentar em bases mais sólidas, mais humanas, que a funesta instituição servil".

Continua dizendo que seria um grande erro dos liberais oporem-se à eleição de Ferreira Viana, conservador abolicionista, no Rio (v. cr. 2).

7   Manuel Pinto de Sousa Dantas (1831-1894), político liberal, presidente do Conselho em 1884 e 1885, quando tentou conseguir a liberdade sem indenização para os escravos com mais de 60 anos; José Antônio Saraiva (1823-1895), político liberal, presidente do Conselho entre 1880 e 1882 e em 1885. No seu primeiro governo, promulgou-se a reforma eleitoral, chamada Lei Saraiva, e, no segundo, a libertação dos escravos idosos proposta por Dantas, de quem era aliado político.

Quase todos os dias, liam-se nos "A pedidos" da *GN* anúncios como este, de 27 de março (p. 2, col. 5):

João Alfredo

Ferreira Viana, R. Silva Prado, T. Coelho, C. Pereira. Estes são os chapéus moderníssimos. Lindo sortimento em guarda-chuvas ingleses, de pura seda. Vende-se na Chapelaria Universal ou Aristocrática, de Jacinto Ferreira Lopes, é na Rua do Ouvidor.

8   O meteorólito de Bendegó (ou Bendengó, como às vezes se escreve) caiu no sertão da Bahia no século XVIII e foi trazido, com grande dificuldade e demora (daí o comentário de Machado), para o Rio, a expensas do governo imperial. Foi assunto de muitas piadas desse tipo (v. cr. 9).

9   Joaquim Elísio Pereira Marinho, barão de Guaí (1841-1914): político e banqueiro baiano, provavelmente mencionado aqui porque proporcionou dinheiro para o transporte do meteorólito. Foi ministro da Marinha em 1889 e mencionado como possível candidato a um ministério já em 1888 (p. ex., *GN*, 8 de março, p. 1, col. 1).

10 Aqui, Machado parece referir-se ao antigo estilo de escrever crônicas, vigente, por exemplo, no tempo de Alencar, em que os trocadilhos eram muito freqüentes: como nota Brito Broca ("José de Alencar — folhetinista"; José de Alencar, Obra completa, vol. IV, pp. 632-35): "Mais tarde [...] Joaquim Nabuco não lhe perdoaria esse aspecto dos folhetins". De fato, na primeira crônica da série "Ao correr da pena", lança mão de um trocadilho quase idêntico a este: "eram letras [...] que nem sequer tinham o mérito de serem letras de praça" (José de Alencar, *Obra completa*, vol. IV, p. 640). "Fede", portanto, porque esse estilo já envelheceu.

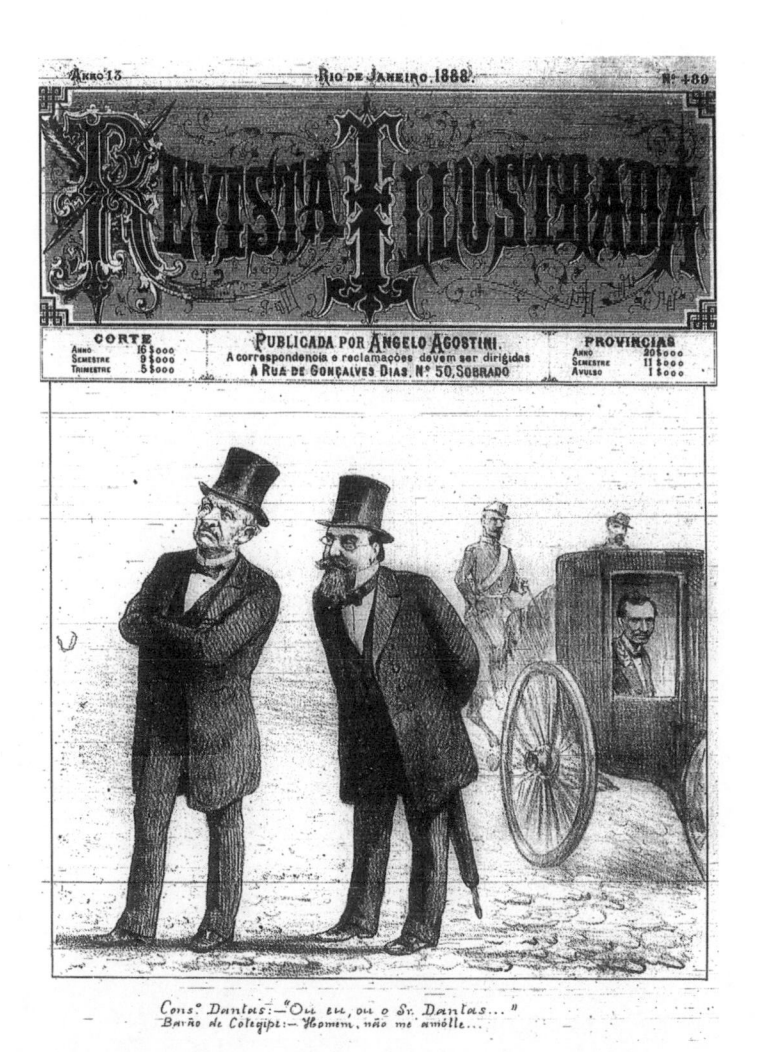

"Nisto passa o carro do paço com outra pessoa..." (cr.1).
Enquanto o zangado ex-presidente do Conselho, Cotejipe, e o líder liberal, Saraiva, discutem a sucessão, quem vai para o paço é João Alfredo (*Revista Ilustrada*, ano 13 [1888], nº 459, p. 1).

Crônica 2

12 de abril de 1888

BONS DIAS!

Agora, sim, senhor.

Leio que o meu amigo Dr. Silva Matos, 1º delegado de polícia, reuniu os gerentes das companhias de bondes e conferenciou com eles largamente. Ficou assentado isto: que as companhias farão cumprir, com a máxima observância, as posturas municipais e os regulamentos da polícia.[1] Ora, muito bem. Mas agora é sério, não? Desta vez cumprem-se; não é a mesma caçoada da promulgação que fez crer à gente que tais atos existiam, quando não passavam de simples exercícios de filosofia escolástica. Vão cumprir-se com a máxima observância. Se aproveitassem a boa vontade das companhias, para obter que cumpram também o catecismo, as regras de bem viver, e um ou outro artigo constitucional? Seria exigir demais. Contentemo-nos com o bastante.

Nem por isso trepo ao Capitólio,[2] e aqui vai a razão. Hão de lembrar-se da condenação de Pinto Júnior, como autor do crime de Campinas.[3] Quando eu já havia posto esse caso na cesta onde guardo a revolução de Minas e a queda de Constantinopla,[4] surge a polícia da corte e demonstra-me que não, que a carta de um tal Corso, dizendo ser autor do crime, era verídica. Reformo a cesta, e vou dormir; mas aqui aparece a polícia de S. Paulo e afirma o contrário; Corso não foi autor do crime; a carta não passou de um estratagema de Pinto Júnior.

Vaidoso até à ponta dos cabelos, e não sabendo em qual das duas polícias crer, procurei por mim mesmo a solução do caso, e achei que a carta de Corso talvez não passe de um *calembour*, obra de algum advogado compungido e pilhérico. Quando lhe pedisse notícias do Corso e da carta, ele responderia que já se não dão *cartas de corso*, que os últimos corsários ficaram nos versos de Lorde Byron, e na famosa balada de Espronceda:

> Condenado estoy a muerte...
> Yo me río!
> No me abandone la suerte.
> Etc. etc. etc.⁵

Se não é isto, e se as duas polícias discrepam, então não sei quem me dará a explicação do Corso e da carta. Não será o Sr. Dr. Bezerra de Meneses, porque este distinto homem político, a rigor, precisa ser explicado.⁶ Opôs-se à intervenção dos liberais na eleição de 19 do corrente; mas, tendo de cumprir a deliberação da assembléia eleitora, foi pedir candidato ao Sr. Senador Otaviano. Este recusou fazer indicação. Vai o Sr. Dr. Bezerra, a quem não pediram nada, designou um candidato, que não aceitou. É claro que a designação de S. Exa. vinha grávida da recusa; era só para efeito decorativo. Mas então (e aqui começa o inexplicável) por que não me designou a mim? Eu, para deputado de verdade, não dou absolutamente; mas assim para um *aparte e vai-se*, para um *bout de rôle*,⁷ nasci talhado. Alcançava-se a mesma coisa, com realce para mim, porque é certo que eu havia de explorar o ato por todos os lados.

— Estou a ver que reprove o fato de estar o Partido Conservador com idéias liberais...? interrompe-me o leitor.

Respondo que não reconheço em ninguém o direito de interrogar-me, salvo se é para publicar a conversação, porque então a coisa muda de figura. Distingo; nos países velhos os partidos podem pegar em algumas idéias alheias. Agora mesmo o ministério Salisbury apresentou uma reforma liberal ao parlamento, e o chefe da oposição, Gladstone, declarou em discurso: "O governo dispõe-se a uma grande e difícil tarefa: a oposição o acompanhará com todo o desejo de fazer que a medida saia satisfatória e completa." (Sessão da Câmara dos Comuns de 19 de março.) E o *Daily News* comentou o caso dizendo: "Quando a gente adverte que é um governo *tory* que empreende a reconstrução do governo local em toda a Inglaterra, é impossível não ficar impressionado com o progresso que têm feito os princípios liberais." Em inglês: *"When we remember that..."*[8]

— Basta; mas por que é que nos países novos não será a mesma coisa?

— Porque nos países novos há em geral poucas idéias. Supunha uma família com pouca roupa; se o Chiquinho vestir o meu rodaque, com que hei de ir à missa?

— Diga-me, porém...

— Não lhe digo mais nada. Resta-me algum papel, e é pouco para fazer uma denúncia ao meu amigo Dr. Ladislau Neto.[9] Com certeza, este meu amigo não sabe que há nas obras da nova Praça do Comércio uma pedra, dividida em duas, pedaço de mármore que está ali no chão, exposto às chuvas de todo o gênero. Há nela a inscrição seguinte:

ANO 1783
En* Maria prima regnante e pulvere surgit
Et Vasconceli stat domus ista maru.

Ora, arqueólogo como é, o meu amigo há de saber que o Padre Luís Gonçalves dos Santos, nas suas *Memórias do Brasil*,[10] dá esta notícia (*Introd.* pág. XXV): "Mais adiante está a porta da alfândega, sobre a qual se manifestam as armas reais em mármore com a seguinte inscrição (segue a inscrição acima) que denota que este vice-rei a mandou reedificar e aumentar".

Não parece ao meu amigo que esse mármore deve ser recolhido ao Museu Nacional? Se sim dê lá um pulo, e verá; se não,

Boas Noites.

---

* Aqui, o jornal tem "Eu" — provável erro dos compositores. A inscrição, citada no livro do padre Gonçalves dos Santos, mencionado na nota 10, está assim, e o latim pede "en".

1   O escândalo do mau funcionamento dos bondes era perene no Rio; a reunião a que Machado se refere foi causada pelos "constantes desastres motivados pelos bondes", e que "imped[iam] o trânsito" (*GN*, 8 de abril; o cronista cita palavras ["máxima observância", "posturas municipais e os regulamentos da polícia"] dessa reportagem).

2   Isto é, "entro na política": o Capitólio (palavra que também é origem do nome de Capitu — Capitolina) era o sítio do templo de Júpiter e o símbolo do poder no Império Romano.

3   Caso de homicídio que ocupou os jornais nos fins de 1887 e começos de 1888. Pinto Júnior foi condenado à morte pelo assassinato de Vitorino de Meneses. No fim de março, surgiram novos dados: uma (suposta) carta de um tal Corso, criminoso conhecido, alegando ser ele o autor do crime. Foi provado, como Machado indica, que a carta era fraudulenta. Essa prova foi dada pelo chefe da polícia de Campinas, que, "com grande habilidade e talento, conseguiu descobrir a verdade [...] Não há mais dúvidas a respeito". O telegrama que cito, e que sem dúvida atraiu a atenção do cronista, é também do dia 8 de abril (*Gazeta de Notícias*, p. 2, col. 2).

4   Acontecimentos longamente esperados mas que acabam por não acontecer: Minas, lugar de revoluções falhadas (a Inconfidência, a revolta de 1842), e Constantinopla, alvo dos czares russos durante todo o século XIX (v. *Dom Casmurro*, cap. 90).

5   Refere-se a *The Corsair*, poema famoso de Byron (1788-1824), e "La canción del pirata" de José de Espronceda (1808-1842) — citada aqui —, ambos muito típicos da poesia romântica na glorificação do rebelde e do proscrito.

6   A eleição referida é a de Ferreira Viana, que, sendo ministro, segundo as normas da Constituição imperial, perdia sua cadeira de deputado, e teve que se candidatar novamente à Câmara. Isso constituiu um problema para os liberais, que deviam apresentar um candidato, mas que não queriam opor-se à abolição. Francisco Otaviano de Almeida Rosa (1825-1889), liberal da ala radical do partido, abolicionista, muito admirado por Machado (v., p. ex., o artigo de Machado a propósito da sua morte, na *GN*, 29 de maio de 1889), recusou designar candidato, para não impedir a aprovação da abolição. Por alguma razão, que Machado acha (ou finge achar) misteriosa, Adolfo Bezerra de Meneses (1831-1900), político liberal carioca, que também se declarou oposto à designação de um candidato, seguiu a vontade do Clube Liberal e quis procurar uma pessoa conveniente. Cito novamente a *GN* de 8 de abril (p. 2, col. 2), da qual Machado extraiu quase todos os motivos dessa crônica: nos "A pedidos", Bezerra de Meneses reproduz a recusa de Francisco Otaviano, e continua assim: "Esta comunicação do ilustre chefe devia ser o fecho da questão; mas eu, porque tinha declarado à assembléia do partido que cumpriria sua resolução, tomei a mim a responsabilidade de ir contra a do ínclito chefe. Tendo já ouvido vários liberais indicados para candidatos, visto que ninguém se apresentasse oportunamente, procurei o cidadão que, em minha opinião, tem os mais elevados títulos à estima e confiança do partido, a quem serve com desmedida dedicação desde 1856, o ilustrado Dr. José Caetano de Paiva Pereira Tavares, caráter nobilíssimo, que nunca teve a mínima retribuição de seus importantes serviços". Tavares recusou — Bezerra de Meneses cita também sua recusa, concluindo que "os liberais do 1º distrito não devem concorrer às urnas".
A chave da intenção de Machado aqui é, creio, a frase "distinto homem político". Com efeito, Bezerra de Meneses age segundo as normas da política, mas é incapaz de entender que às vezes há questões superiores a essas normas, e que as invalidam.

7   Francês: "Papel mínimo".

8   Como se entende dessa citação, o *Daily News* era jornal de simpatias liberais: fora dos poucos a apoiar Gladstone na questão da "Home Rule" (autonomia) irlandesa. Salisbury (Marquess of Salisbury, 1830-1903) e William Ewart Gladstone (1809-98) eram respectivamente primeiro-ministro conservador britânico e chefe da oposição liberal nesse momento.
9   Ladislau de Sousa Melo e Neto (1838-94), cientista, arqueólogo e, nessa época, diretor do Museu Nacional.
10 Também conhecido como padre Perereca (1767-1844). Vem mencionado em *Casa velha* (cap. 1) e *Dom Casmurro* (cap. 2), neste como obra "seca", naquele como "seguramente medíocre". O título completo do livro é *Memórias para servir à história do reino do Brasil*, e o trecho citado encontra-se à página 43 da edição da Livraria Itatiaia e da EDUSP (1981). Lá, a primeira palavra do latim é, incorretamente, "Eu". Bem provável que o erro seja dos compositores.

Crônica 3

19 de abril de 1888

BONS DIAS!

... E nada; nem palavra, nada. Ninguém me responde; todos estão com os olhos na eleição do 1º distrito.¹ Mas, com seiscentas cédulas! também eu, acabando, lá irei dar o meu recado, por sinal que já o trago de cor; mas cada coisa tem o seu lugar. Quando um homem chega e cumprimenta, parece que os cumprimentados o menos que podem fazer é retribuir o cumprimento; acho que não custa muito. Calaram-se, a pretexto de que vão votar, será político, mas não é político; não sei se me entendem. Enfim, por essas e outras é que eu gosto mais da roça. Na roça a gente vai andando em cima da mula; a dez passos já as pessoas bem educadas estão de chapéu na mão:

— Bons dias, Sr. Coronel!

— Adeus, José Bernardes.

— Toda a obrigação de V. Exa....

— Todos bons, e a tua?

— Louvado seja Deus, vai bem, para servir a V. Exa.

Que custa isto? Que custam dois dedos de boa criação? Nada. E note-se que lá fora, mesmo quando há eleição, ninguém se esquece dos seus deveres: às vezes até os cumprem com mais galhardia. Esta corte é uma terra de malcriados.

Pois olhem, quando eu entrei aqui, vinha alegre; tinha lido umas revelações do amigo Dr. Costa Ferraz,² que me lavaram a alma das melancolias pecuniárias, únicas que me afligem deveras. As outras não passam de canseiras ridículas. Falta de dinheiro, isso dói; ao menos, para quem não é governo. O governo até parece que quanto mais lhe falta mais lhe dão, e, às vezes, em condições inesperadas, como o caso do nosso recente empréstimo.³ Quem é que me fia mais, desde outubro do ano passado, um jantarinho assim melhor? Seguramente ninguém; mas ao governo fiam tudo; deve muito e emprestam-lhe mais. Por isso, não admira que tanta gente queira ser governo. Só esse gosto de ver chegar o credor, de chapéu na mão, todo zumbaias, com uma bolsa debaixo do braço, tratando o devedor por majestade, palavra que dá vontade de pôr a procissão na rua.

Mas, como eu ia dizendo, li umas revelações curiosas do amigo Dr. Costa Ferraz, na ata da última sessão da Imperial Academia de Medicina.⁴ Tratam das rações e das dietas da Armada. S. Exa. leu as tabelas vigentes e analisou-as. Chama-se ali regímen lácteo a uma porção de coisas em que entra algum leite. "De sorte que (comenta o ilustre facultativo), a passar o princípio, todos que tomam seu café com leite e à sobremesa saboreiam um prato de arroz de leite, com o indispensável pó de canela, se devem julgar sujeitos ao regímen lácteo!".

Refletindo bem, por que não? A razão de S. Exa. é só aparente. Eu vou com as tabelas. Nem quero saber se realmente o cirurgião-mor da Armada, como declarou nas bochechas da Academia, não as aprovou, não as viu sequer; porque desta circunstância apenas se pode concluir a perfeita inutilidade dos cirurgiões, mores ou menores — *ce qui est mon opinion*.⁵ Vou com as tabelas e vou mais longe, quer em prosa, quer em verso:

Vou com as tabelas,
Vou mais longe que elas.

Não direi hoje até onde vou; vão sendo horas de ir votar. Digo só que o digno acadêmico não viu que o regímen lácteo das tabelas deve ser entendido por um símile. Suponhamos o jogo do solo.⁶ Há o solo a dinheiro, que corresponde ao leite de vaca, puro, abundante, exclusivo... Vaca e dinheiro são, como se sabe, expressões correlatas; diz-se *vaca do orçamento*; diz-se também: *o pelintra meteu a boca na teta*, quando se quer deprimir alguém, que andou mais depressa que nós, etc., etc. Mas além do solo a dinheiro, ou leite de vaca, há o solo a tentos, que é o que chamamos leite de pato. O regímen da Armada é deste último leite. Mas vão sendo horas de ir votar e ainda não dei conta de uma reclamação que recebi.

Há dias reuniu-se o Banco Predial, para tratar dos escravos, que lá estão hipotecados.[7] Muitos foram os pareceres, duas as propostas, uma destas a aprovada, até que tudo acabou como nos demais bancos e no concílio dos deuses de Camões:

> Pelo caminho lácteo...

(outra vez o lácteo!)

> Pelo caminho lácteo...
> Logo cada um dos deuses se partiu
> Fazendo seus reais acatamentos
> Para os determinados aposentos.[8]

Ora, entre os discursos proferidos houve um do digno acionista Sr. José Luís Fernandes Vilela, declarando ser tudo aquilo uma discussão vazia de sentido, porque já não existem escravos.

Confesso que estimei ler tão agradável notícia; mas como não há gosto perfeito nesta vida, recebi daí a pouco uma mensagem assinada por cerca de 600.000 pessoas (ainda não pude acabar a contagem dos nomes), pedindo-me que retifique o discurso do Sr. Fernandes Vilela. Há escravos, eles próprios o são. Estão prontos a jurá-lo e concluem com esta filosofia, que não parece de preto: "As palavras do Sr. Fernandes Vilela podem ser entendidas de dois modos, conforme o ouvinte ou o leitor trouxer uma enxada às costas, ou um guarda-chuva debaixo do braço. Vendo as coisas, de guarda-chuva, fica-se com uma impressão; de enxada, a impressão é diferente".

Adeus. Já sabem que o Coronel Almeida, deputado provincial pelo 14º distrito da Bahia, tendo sido acusado de traição ao Dr. César Zama, declarou na assembléia que abandonava o seu partido.⁹ Exemplo austero e digno de imitação! dada uma acusação dessas, botemos o nosso partido fora, como um simples colete de seda enlameado. Mas os princípios, que nos ligavam ao partido? Perdão; mas os botões, que nos abotoavam o colete?

Boas Noites.

Notas

1 Ver crônica 2, nota 6.
2 Ver nota 4.
3 Esse importante empréstimo, de seis milhões de libras esterlinas, foi anunciado em 11 de abril (*GN*, p. 1, cols. 1-3). Em artigo de 26 de março, Ferreira de Araújo explica a sua necessidade. Diz, entre outras coisas: "Se o governo não contrair um empréstimo hoje, para pagar compromissos, e para realizar reformas indispensáveis e urgentes, sacando ousadamente sobre o futuro, que é enorme em um país como este, tão rico de recursos inexplorados, tem de contrair o empréstimo daqui a alguns meses". No seu livro *A crise financeira da abolição*, John Schulz diz que "O primeiro-ministro lançou esse bônus para ter fundos em mãos para resolver qualquer emergência financeira decorrente da abolição" (p. 66).
4 Fernando Francisco da Costa Ferraz (1838-?) foi autor de várias obras sobre saúde pública, incluindo *Leite, sua composição, conservação, falsificação e meios de reconhecê-lo* (1862). O escândalo da alimentação dos marinheiros da Armada, em que era freqüente o beribéri, surgiu várias vezes no fim do século XIX. O cirurgião-mor da Armada, o verdadeiro alvo da sátira de Machado, era o conselheiro Dr. Carlos Frederico dos Santos Xavier de Azevedo, o qual, como nos informa MJ, foi mais tarde proibido de discutir esses assuntos.
5 Francês: "O que é minha opinião".
6 Jogo de cartas semelhante ao voltarete; "jogar a leite de pato" significa "jogar sem dinheiro", jogar por distração.
7 A notícia dessa reunião aparece na *GN* de 6 de abril (p. 3, col. 2), sem que o discurso de Fernandes Vilela, obviamente pouco importante do ponto de vista comercial, fosse noticiado. Como comenta MJ, esse era um dos argumentos freqüentes dos escravagistas, que alegavam que, com a Lei do Ventre Livre e a liberdade dos escravos de mais de 60 anos, a liberdade (futura) dos escravos estava assegurada. O Banco Predial era um banco de "crédito real", destinado principalmente a facilitar a transição da escravidão para o trabalho livre. Possuía muitos escravos que lhe tinham sido hipotecados, sobretudo na província do Rio (v. artigo na *GN* de 20 de março, p. 1, col. 1).
8 *Os lusíadas*, canto I, est. 41.
9 Aristides Spínola César Zama (1837-1906), deputado liberal baiano, mencionado várias vezes nessas crônicas e nas "Balas de estalo". Um modelo para Camacho, de *Quincas Borba*?

Crônica 4

27 de abril de 1888

BONS DIAS!

O *cretinismo* nas famílias fluminenses é geral. Não sou eu que o digo: é o Dr. Maximiano Marques de Carvalho.[1] E qual a prova de tão grave asserção? O mesmo facultativo a dá nestas palavras, que ofereço à contemplação dos homens de olho fino: — "Não vedes todos esses indivíduos de pernas inchadas, que se arrastam pelas ruas desta capital? Não vedes que são portadores de enormes sarcoceles e de hidroceles e hematoceles?"

De mim confesso que, na rua, ando sempre distraído. Às vezes é uma idéia, às vezes é uma tolice, às vezes é o próprio tolo que me distrai, de modo que não posso, em consciência, negar nem afirmar. Depois, a minha rua habitual é a do Ouvidor, onde a gente é tanta e tais as palestras, que não há tempo nem espaço... Mas há outras ruas; deixe estar.

Sim, não se imagina como sou distraído. Para não ir mais longe, ainda ontem estive a conversar com alguém, sobre estes negócios de abolição e emancipação. A conversa travou-se a propósito dos vivas ao Partido Liberal, dados por uns escravos de Cantagalo, no ato de ficarem livres, manifestação política tão natural, que ainda mais me confirmou na adoração da natureza.[2] E dei um viva à natureza. O sujeito deu outro; depois, piscando o olho esquerdo, creio que foi o esquerdo, perguntou-me:

— A quantos de maio nasceu Porto Alegre?[3]

Respondi imediatamente:

— De porta acima.

O sujeito zanga-se, chama-me pedaço d'asno e some-se. Valha-me Deus! Estou com mais esse inimigo.

Entretanto, foi tudo distração. Quando ele piscou o olho, comecei eu a ruminar uma idéia que tenho, para dar emprego aos libertos que não quiserem ficar na agricultura; isto é o meu plano: aumentar o número de criados de servir, de tal maneira que ninguém tenha menos de três, ainda à custa de grandes sacrifícios... Aqui, quem supõe que está sendo empulhado, é o leitor; e eu digo-lhe que sim, só para ter o gosto de o desempulhar logo depois. Costuma ler os volumes da nossa legislação? Leia o de 1824: lá vem um aviso que lhe explicará tudo.[4] Foi expedido em 7 de fevereiro de 1824 ao intendente-geral da polícia, mandando que às pessoas de primeira consideração se não conceda mais que três criados de porta acima, e às de segunda somente um.

Já o leitor começa a entender. Restaurando-se este aviso (aliás não revogado expressamente), não haverá ninguém que não queira ser de primeira consideração, com três criados de porta acima. Por gosto, duvido que uma pessoa se deixe ficar entre as de segunda, menos ainda de terceira, que é a classe a que provavelmente pertencia D. João Tenório, criado de si mesmo.[5]

Há de custar; mas tirando daqui uma vela, dali um par de sapatinhos ao Janjão, sacrificando alguns divertimentos, deixando mesmo de pagar algum credor mais pacato, chega-se à primeira consideração, que é o fim de todos nós.

Eu cá, se vou para as gerais dos teatros, ou para os camarotes de terceira ordem, é porque esses lugares são baratos, e a economia também é um enfeite público.

Mas expeça amanhã algum ministro um aviso, declarando que só irão para ali as pessoas de segunda consideração, e verá onde me sento. Ou não vou mais ao teatro. Lá ver-me tachado de segunda, em público, não é comigo.

Quanto ao valor histórico do aviso, isso é com gente que possa puxar os colarinhos ao discurso, e dizer coisas de sociologia e outras matérias;[6]

não é comigo. Não quero saber se o aviso explica o nosso vezo de tudo esperar do governo, pois que ano e meio depois da Independência até esperávamos os criados. Também não quero saber se é dali que vem a introdução da raça dos credores, filha do diabo que a carregue.[7] Sei que hoje pode ser um modo de empregar libertos, e deixo esta idéia no papel, para uso das pessoas que não tenham outras. Olhem lá, não briguem.

Outra idéia, que também deixo aqui, é a de pedir à sociedade dos Dez Mil que cumpra um dos artigos dos seus estatutos.[8] Estabelece-se ali, que uma parte dos fundos seja empregada em bilhetes de loteria.

Faz-se isto? Creio que não. As loterias correm, algumas têm planos excelentes, e em geral os prêmios saem em números bonitos. Não me consta que a sociedade tenha comprado um décimo que seja; ao menos, ultimamente. Era até um meio de resolver a questão das duas diretorias: se o bilhete desse, ficava a diretoria A, se não desse, ficava a diretoria B. Todas as coisas aleatórias devem reger-se por modo aleatório, como a loteria, algumas convicções; e a *buena dicha*.[9]

La bonne aventure, ô gué!
La bonne aventure![10]

Boas Noites.

Notas

1   Maximiano Marques de Carvalho (1826-96) foi catedrático de filosofia no Seminário de São José e defensor ardente do sistema homeopático. Costumava publicar nos jornais pequenos anúncios, propondo remédios supostamente adequados a certas doenças, dos quais este é certamente um exemplo. Os três sintomas citados aparecem nos testículos — daí talvez em parte a reação do cronista. Vale a pena notar que a palavra "cretinismo", além da acepção mais conhecida, tem uma definição médica: "Estado mórbido produzido pela ausência ou insuficiência da glândula tireóide".

2   A notícia que atraiu a atenção de Machado vem na *GN* de 24 de maio (p. 1, col. 3). Vou citá-la por extenso:
    "A grande obra civilizadora despertou os altos sentimentos patrióticos dos fazendeiros do importante município de Cantagalo, muitos dos quais acabam de liber-

tar os seus escravizados, provando assim que aquele município não é um baluarte do escravagismo, como se dizia.

À frente desses dignos cidadãos estão os senhores Visconde de São Clemente e Visconde de Nova Friburgo, que incondicionalmente libertaram os seus escravizados, em número de 1909, e desistiram do serviço dos ingênuos. Estes ilustres fazendeiros marcaram salários aos libertos, para a colheita deste ano.

Um fato que prova a gratidão dos libertos, deu-se com os da fazenda da Aldeia, de que é proprietário o Sr. Visconde de Nova Friburgo. Esses libertos enviaram uma comissão ao seu generoso ex-senhor, incumbida de declarar que desistiam dos salários marcados para a próxima colheita.

Os da fazenda do Gavião, também do Sr. Visconde de Nova Friburgo, com a banda de música *Calliope Cantagalense* à frente, fizeram uma esplêndida manifestação ao seu ex-senhor, esplêndida pela gratidão que eles assim testemunhavam; em nome de todos, declarou um deles que jamais abandonariam o seu libertador e redobrariam os esforços para servi-lo.

Registrando este fato, diz o *Voto Livre*, que, entre os vivas erguidos pelos libertos, foram ouvidos estes:

'Viva o senhor que restituiu a liberdade que Deus nos deu!'

'Viva o Partido Liberal que ajudou!'".

Lido com os olhos machadianos, esse trecho, certamente escrito sem ironia intencional, dispensa comentários. É muito significativo que, após uma falsa interrupção, a discussão verse sobre as possibilidades de emprego dos libertos recentes.

3   O significado dessa pergunta, se tem algum significado, escapa-me. "Porto Alegre" (isto é, Manuel de Araújo Porto Alegre) nasceu em *novembro* de 1806. É mais provável que a conversa tenha uma dose agressiva de *nonsense*, um pouco como o "cometa" do Morro do Nheco na crônica 35, cujo *nonsense* vem quase provado por um trecho da "Teoria do medalhão" (v. cr. 35, n. 8).

4   Essa lei é de 7 de janeiro de 1824. Machado viu-a provavelmente na *Coleção das decisões do governo do Império do Brasil de 1824* (Imprensa Nacional, 1886).

5   Não identifiquei essa descrição de Don Juan.

6   A palavra "sociologia" foi criada por Auguste Comte (1798-1857); no fim do século XIX, porém, associava-se também com a filosofia de Herbert Spencer (1820-1903), cuja obra em três volumes, *The principles of sociology*, foi publicada entre 1876 e 1896.

7   Machado associa aqui, em nível individual e muito provavelmente nacional (v. cr. 3, n. 3), escravidão e endividamento: argumento liberal muito comum.

8   A Sociedade de Beneficência dos Dez Mil era uma organização filantrópica que providenciava funerais para seus sócios. Nessa altura, havia troca de insultos quase todos os dias nos "A pedidos" dos jornais, entre os adeptos de duas diretorias rivais, que se acusavam mutuamente de malversação.

9   "Boa sorte", em espanhol. Algumas das loterias mais famosas ("El Gordo", por exemplo) eram espanholas e anunciadas nos jornais cariocas.

10 Francês: "A boa aventura, evoé / a boa aventura". Refrão de uma canção infantil francesa: "Je suis un petit poupon / De bonne figure / Qui aime bien les bonbons / et les confitures [...]".

Crônica 5

4 de maio de 1888

BONS DIAS!

... Desculpem, se lhes não tiro o chapéu; estou muito constipado. Vejam; mal posso respirar. Passo as noites de boca aberta. Creio até, que estou abatido e magro. Não? Estou; olhem como fungo. E não é de autoridade, note-se; *ex-auctoritate*[1] *qua, fungor,* não senhor; fungo sem a menor sombra de poder, fungo à toa...

Entretanto, se alguma vez precisei de estar de perfeita saúde, é agora, e por várias razões. Citarei duas:

A primeira é a abertura das câmaras.[2] Realmente, deve ser solene. O discurso da princesa, o anúncio da lei de abolição, as outras reformas, se as há, tudo excita curiosidade geral, e naturalmente pede uma saúde de ferro. O meu plano era simples; metia-me na casaca, e ia para o Senado arranjar um lugar, donde visse a cerimônia, deputações, recepção, discurso. Infelizmente, não posso; o médico não quer, diz-me que, por esses tempos úmidos, é arriscado sair de casa; fico.

A segunda razão da saúde que eu desejava ter agora, prende com a primeira. Já o leitor adivinhou o que é. Não se pode conversar nada, assim mais encobertamente, que ele não perceba logo e não descubra. É isso mesmo; é a política do Ceará.[3] Era outro plano meu; entrava pelo Senado, e ia ter com o senador cearense Castro Carreira, e dizia-lhe mais ou menos isto:

— Saberá V. Exa. que eu não entendo patavina dos partidos do Ceará...

— Com efeito...

— Eles são dois, mas quatro; ou, mais acertadamente, são quatro, mas dois.

— Dois em quatro.

— Quatro em dois.

— Dois, quatro.

— Quatro, dois.

— Quatro.

— Dois.

— Dois.

— Quatro.

— Justamente.

— Não é?

— Claríssimo.

Dadas estas explicações, pediria eu ao Sr. Dr. Castro Carreira que me desse algumas notícias mais individuais dos grupos Aquirás e Ibiapaba... S. Exa., com fastio:

— Notícias individuais? Homem, eu não sei de política individualista; eu só vejo os princípios.

— Bem, os princípios. Sabe que o grupo Aquirás, com um troço liberal, tomaram conta da mesa; mas o grupo Ibiapaba acudia com outro troço liberal, e puseram água na fervura. Quais são os princípios?

— Os primeiros de todos devem ser os da boa educação, sem os quais não há boa política. Dai-me boa educação, e eu vos darei boa política, diria o Barão Louis.[4] São os primeiros de todos os princípios.

— Os segundos...

— Os segundos são os comuns — ou que o devem ser, a todos os partidários, quaisquer que sejam as denominações particulares; refiro-me ao bem da província. É o terreno em que todos se podem conciliar.

— De acordo, mas o que é que os separa?

— Os princípios.

— Que princípios?

— Não há outros; os princípios.

— Mas Aquirás é um título, não é um princípio; Ibiapaba também é um título.

— Há entre o céu e a terra mais acumulações do que sonha a vossa vã filosofia...⁵

— Pode ser, mas isto ainda não me explica a razão desta mistura ou troca de grupos, parecendo melhor que se fundissem de uma vez, com os antigos adversários. Não lhe parece?

— O que me parece, é que a princesa vem chegando.

Corríamos à janela; víamos que não; continuávamos a *entrevista*, à maneira americana,⁶ para trazer os meus leitores informados das coisas e pessoas. O meu interlocutor, vendo que não era a princesa, olhava para mim, esperando. Pouco ou nenhum interesse no olhar; mas é ditado velho, que quem vê cara não vê corações. Certo fastio crescente. Princípio de desconfiança de que eu sou mandado pelo diabo. Gesto vago de cruzes...

— Há os Rodrigues, os Paulas, os Aquirases, os Ibiapabas; há os...

— Agora creio que é a princesa. Estas trombetas... É ela mesma; adeus, sou da deputação... Apareça aqui pelo Senado... No Senado, não há dúvidas...

Mas eu pegava-lhe na mão, e não vinha embora sem alguns esclarecimentos. Tudo perdido, por causa de uma coriza! Coriza dos diabos, agora ou nunca, chegaríamos a entender aqueles grupos; e perde-se esta ocasião única, por tua causa, infame catarro, monco pérfido... Tuah! Vou meter-me na cama.

Boas Noites.

Notas

1 Latim: "Da autoridade de [...]" — frase com que se alude à pessoa (o imperador, por exemplo, ou o papa) sob cuja autoridade se publica alguma coisa. "Fungor" é falso latim, evidentemente — com o luxo de ser um verbo depoente (de forma passiva com sentido ativo).

2 As câmaras abriram-se em 3 de maio. É claro que, com a leitura pela princesa Isabel da Fala do Trono em que foi anunciada a abolição, foi mesmo uma ocasião solene.

3 Aqui há ironia, claro: ninguém entendia, nem provavelmente se preocupava com a política complicadíssima do Ceará, com seus partidos dentro dos partidos. O leitor certamente *não* "adivinharia", portanto. O assunto é uma plataforma para o ataque ma-

chadiano aos políticos que agiam seguindo todas as normas, menos os princípios que, entretanto, supostamente os guiavam. Liberato de Castro Carreira (1820-1903) foi senador pelo Ceará, de 1881 até o fim do Império; médico e político, foi autor da *História financeira e orçamentária do Império do Brasil* (1889).

4 A citação original "Dai-me boa política e eu vos darei boas finanças" é empregada muitas vezes — e freqüentemente, como aqui, deturpada com fins humorísticos por Machado (v., p. ex., *Quincas Borba*, cap. 57, e "A semana", crônica de 8 de dezembro de 1895). É o chavão por excelência do político vazio de idéias. É de Joseph-Dominique, barão Louis (1755-1837), ministro de Napoleão e da Restauração francesa, conhecido sobretudo pela sua competência em assuntos financeiros.

5 Citação muito conhecida de *Hamlet* (ato I, cena v), também utilizada inúmeras vezes por Machado, e freqüentemente adaptada desta forma: "There are more things in heaven and earth, Horatio, / Than are dreamt of in your philosophy". ["Há mais coisas entre o céu e a terra, Horácio, / do que as sonhadas por tua filosofia".] A palavra "vã" não está no original, mas como Machado faz esse acréscimo em outras ocasiões (p. ex., *Quincas Borba*, cap. 168), ou se trata de um "erro" inconsciente, ou está citando uma tradução particular de Shakespeare (v. também cr. 31, no fim).

6 A "entrevista", no seu principal significado moderno, data dos anos 1860 e foi "inventada" nos Estados Unidos. O *Daily News*, de Londres, em 1880, referia-se ao "costume americano de 'entrevistar' pessoas de certa notoriedade e de tentar "extrair as suas opiniões sobre todo tipo de assunto".

Crônica 6

11 de maio de 1888

BONS DIAS!

Vejam os leitores a diferença que há entre um homem de olho alerta, profundo, sagaz, próprio para remexer o mais íntimo das consciências (eu em suma), e o resto da população.

Toda a gente contempla a procissão na rua, as bandas e bandeiras, o alvoroço, o tumulto, e aplaude ou censura, segundo é abolicionista ou outra coisa; mas ninguém dá a razão desta coisa ou daquela coisa; ninguém arrancou aos fatos uma significação, e, depois, uma opinião. Creio que fiz um verso.

Eu, pela minha parte, não tinha parecer. Não era por indiferença; é que me custava a achar uma opinião. Alguém me disse que isto vinha de que certas pessoas tinham duas e três, e que naturalmente esta injusta acumulação trazia a miséria de muitos; pelo que, era preciso fazer uma grande revolução econômica, etc. Compreendi que era um socialista que me falava, e mandei-o à fava. Foi outro verso, mas vi-me livre de um amolador. Quantas vezes me não acontece o contrário!

Não foi o ato das alforrias em massa dos últimos dias, essas alforrias *incondicionais*, que vêm cair como estrelas no meio da discussão da lei da abolição.[1] Não foi; porque esses atos são de pura vontade, sem a menor explicação. Lá que eu gosto da liberdade, é certo; mas o princípio da propriedade não é menos legítimo. Qual deles escolheria? Vivia assim, como uma peteca (salvo seja), entre as duas opiniões, até que a sagacidade e profundeza de espírito com que Deus quis compensar a minha humildade, me indicou a opinião racional e os seus fundamentos.

Não é novidade para ninguém, que os escravos fugidos, em Campos, eram alugados.² Em Ouro Preto fez-se a mesma coisa, mas por um modo mais particular.³ Estavam ali muitos escravos fugidos. Escravos, isto é, indivíduos que, pela legislação em vigor, eram obrigados a servir a uma pessoa; e fugidos, isto é, que se haviam subtraído ao poder do senhor, contra as disposições legais. Esses escravos fugidos não tinham ocupação; lá veio, porém, um dia em que acharam salário, e parece que bom salário.

Quem os contratou? Quem é que foi a Ouro Preto contratar com esses escravos fugidos aos fazendeiros A, B, C? Foram os fazendeiros D, E, F. Estes é que saíram a contratar com aqueles escravos de outros colegas, e os levaram consigo para as suas roças.

Não quis saber mais nada; desde que os interessados rompiam assim a solidariedade do direito comum, é que a questão passava a ser de simples luta pela vida, e eu, em todas as lutas, estou sempre do lado do vencedor. Não digo que este procedimento seja original, mas é lucrativo. Alguns não me compreenderam (porque há muito burro neste mundo); alguém chegou a dizer-me que aqueles fazendeiros fizeram aquilo, não porque não vissem que trabalhavam contra sua própria causa, mas para pregar uma peça ao Clapp.⁴

— Sim, senhor. Saiba que o Clapp tinha o plano feito de ir a Ouro Preto pegar os tais escravos e restituí-los aos senhores, dando-lhes ainda uma pequena indenização do seu bolsinho, e pagando ele mesmo a sua passagem da estrada de ferro. Foi por isso que...

— Mas então quem é que está aqui doido?

— É o senhor; o senhor é que perdeu o pouco juízo que tinha. Aposto que não vê que anda alguma coisa no ar.

— Vejo; creio que é um papagaio.

— Não, senhor; é uma república. Querem ver que também não acredita que esta mudança é indispensável?

— Homem, eu, a respeito de governos, estou com Aristóteles, no capítulo dos chapéus.⁵ O melhor chapéu é o que vai bem à cabeça. Este, por ora, não vai mal.

— Vai pessimamente. Está saindo dos eixos; é preciso que isto seja, senão com a monarquia, ao menos com a república, aquilo que dizia o *Rio-Post*[6] de 21 de junho do ano passado. Você sabe alemão?
— Não.
— Não sabe alemão?

E, dizendo-lhe eu outra vez que não sabia, ele imitando o médico de Molière,[7] dispara-me na cara esta algaravia do diabo:

— *Es dürfte leicht zu erweisen sein, dass Brasilien weniger eine konstitutionelle Monarchie als eine absolute Oligarchie ist.*

— Mas que quer isto dizer?
— Que é deste último trono que deve brotar a flor.
— Que flor?
— As

Boas Noites.

Notas

1 No noticiário e nos "A pedidos" dos jornais vinham todos os dias muitos anúncios de tais alforrias. Só para dar uma idéia do tom, e para exemplificar um caso que pode ter inspirado Machado aqui e na criação de Pancrácio (cr. 7), cito, dos "A pedidos" da *GN* de 17 de abril (p. 2, col. 8):

"Liberdade

José Moreira da Silva Rocha, negociante e proprietário no município de Itaguaí, no lugar da ilha da Madeira, em atenção a fazer anos, libertou sua escrava Francisca parda, 45 anos de idade, sem condição alguma, já tendo feito o mesmo a cinco filhas da mesma que hoje são boas mães de família".

2 Não encontrei, nas várias referências às fugas em massa das fazendas de Campos, fenômeno que cresceu a partir do mês de março de 1888, menção ao fato de muitos dos escravos serem alugados. Com efeito, Machado parece dá-lo como coisa sabida, e por isso mesmo não como notícia.

3 No *JC* de 19 de abril (p. 1, col. 3) vem uma notícia que parece ter estado na origem dessa parte da crônica:

"Nos municípios vizinhos de Ouro Preto tem sido grande a agitação abolicionista. Na capital cresceu diariamente o número dos fugitivos, embora sejam muitos mandados para diversos pontos da província, às vezes com destino a estabelecimentos agrícolas.

Os abolicionistas já lutam com dificuldades para colocá-los e vão procurando libertar-se deles, mandando-os apresentar às autoridades. Não tardará que o desabrigo e a fome os dispersem ou afugentem".

4   João Fernandes Clapp (?-1902), presidente da Confederação Abolicionista.
5   Essa citação é apócrifa. No conto "Capítulo dos chapéus" (de 1883), Machado dá como epígrafe duas frases de Molière, que provêm de *Le médecin malgré lui* [O médico apesar de si mesmo]: "Géronte: Dans quel chapitre, s'il vous plaît? Sganarelle: Dans le chapitre des chapeaux". [Em que capítulo, por favor? — No capítulo dos chapéus] Sganarelle está fingindo de médico, e assevera que Hipócrates (não Aristóteles) diz que é preciso andar de chapéu, por razões de saúde, opinião que Géronte aceita logo, por ser de tal autoridade. Parece que Machado lançou mão da frase, inventando o seu próprio chavão com sua (falsa) autoridade. Não deixa de ser curioso que cite a mesma peça de Molière nesta mesma crônica (v. n. 7).
6   O *Rio-Post* era o jornal da colônia alemã da cidade. As palavras citadas significam: "Seria fácil provar que o Brasil é mais uma oligarquia absoluta do que uma monarquia constitucional". O artigo que Machado cita ocupa a primeira página, e é longo e interessante. É, sobretudo, um ataque à oligarquia e aos partidos Liberal e Conservador, "panelinhas" que exploram o país. Lamenta a falta de uma classe média, urbana ou rural, com suficiente independência para opor-se à sua influência, concluindo que se deve dar mais poder não só às províncias, como também às municipalidades, para criar a democracia que só em teoria (isto é, na Constituição imperial) existe no Brasil.
7   Como nota MJ, Machado imita aqui um diálogo de *Le médecin malgré lui* (ato II, cena 4):

Sganarelle: Vous n'entendez point le latin? [Não entende mesmo o latim?]

Géronte: Non. [Não]

Sganarelle: *(en faisant diverses plaisantes postures)* Cabricias arci thuram, catalamus, singulariter, etc. etc. (*adotando várias posturas divertidas*) [Cabricias etc.]

A euforia generalizada (*Revista Ilustrada*, ano 13 [1888], nº 498, p. 1).

Uma versão mais otimista da sorte dos libertos (*Revista Ilustrada*, ano 13 [1888], nº 499, p. 1).

Crônica 7

19 de maio de 1888

BONS DIAS!

Eu pertenço a uma família de profetas *après coup, post facto, depois do gato morto*, ou como melhor nome tenha em holandês. Por isso digo, e juro se necessário for, que toda a história desta lei de 13 de maio estava por mim prevista, tanto que na segunda-feira,[1] antes mesmo dos debates, tratei de alforrar um molecote que tinha, pessoa dos seus dezoito anos, mais ou menos.[2] Alforriá-lo era nada; entendi que, perdido por mil, perdido por mil e quinhentos, e dei um jantar.

Neste jantar, a que os meus amigos deram o nome de banquete, em falta de outro melhor, reuni umas cinco pessoas, conquanto as notícias dissessem trinta e três (anos de Cristo), no intuito de lhe dar um aspecto simbólico.

No golpe do meio (*coup du milieu*, mas eu prefiro falar a minha língua[3]), levantei-me eu com a taça de champanha e declarei que, acompanhando as idéias pregadas por Cristo, há dezoito séculos, restituía a liberdade ao meu escravo Pancrácio; que entendia que a nação inteira devia acompanhar as mesmas idéias e imitar o meu exemplo; finalmente, que a liberdade era um dom de Deus, que os homens não podiam roubar sem pecado.

Pancrácio, que estava à espreita, entrou na sala, como um furacão, e veio a abraçar-me os pés. Um dos meus amigos (creio que é ainda meu sobrinho), pegou de outra taça, e pediu à ilustre assembléia que correspondesse ao ato que eu acabava de publicar, brindando ao primeiro dos cariocas. Ouvi cabisbaixo; fiz outro discurso agradecendo, e entreguei a carta ao molecote. Todos os lenços comovidos apanharam as lágrimas de admiração. Caí na cadeira e não vi mais nada. De noite, recebi muitos cartões. Creio que estão pintando o meu retrato, e suponho que a óleo.

No dia seguinte, chamei o Pancrácio e disse-lhe com rara franqueza:

— Tu és livre, podes ir para onde quiseres. Aqui tens casa amiga, já conhecida e tens mais um ordenado, um ordenado que...

— Oh! meu senhô! fico.

— ... Um ordenado pequeno, mas que há de crescer. Tudo cresce neste mundo; tu cresceste imensamente. Quando nasceste, eras um pirralho deste tamanho; hoje estás mais alto que eu. Deixa ver; olha, és mais alto quatro dedos...

— Artura não qué dizê nada, não, senhô...

— Pequeno ordenado, repito, uns seis mil-réis,[4] mas é de grão em grão que a galinha enche o seu papo. Tu vales muito mais que uma galinha.

— Eu vaio um galo, sim, senhô.

— Justamente. Pois seis mil-réis. No fim de um ano, se andares bem, conta com oito. Oito ou sete.

Pancrácio aceitou tudo; aceitou até um peteleco que lhe dei no dia seguinte, por me não escovar bem as botas; efeitos da liberdade. Mas eu expliquei-lhe que o peteleco, sendo um impulso natural, não podia anular o direito civil adquirido por um título que lhe dei. Ele continuava livre, eu de mau humor; eram dois estados naturais, quase divinos.

Tudo compreendeu o meu bom Pancrácio; daí para cá, tenho-lhe despedido alguns pontapés, um ou outro puxão de orelhas, e chamo-lhe besta quando lhe não chamo filho do diabo; coisas todas que ele recebe humildemente, e (Deus me perdoe!) creio que até alegre.

O meu plano está feito; quero ser deputado, e, na circular que mandarei aos meus eleitores, direi que, antes, muito antes da abolição legal, já eu, em casa, na modéstia da família, libertava um escravo, ato que comoveu a toda a gente que dele teve notícia; que esse escravo tendo aprendido a ler, escrever e contar (simples suposição) é então professor de Filosofia no Rio das Cobras; que os homens puros, grandes e verdadeiramente políticos, não são os que obedecem à lei, mas os que se antecipam a ela, dizendo ao escravo: *és livre*, antes que o digam os poderes públicos, sempre retardatários, trôpegos e incapazes de restaurar a justiça na terra, para satisfação do céu.

Boas Noites.

Notas

1 Isto é, no dia 7 de maio.
2 Esse "mais ou menos" talvez encerre uma história. Se tivesse realmente 18 anos, Pancrácio teria nascido antes da Lei do Ventre Livre (28 de setembro de 1871), e portanto, não sendo ingênuo (nome dado aos escravos nascidos depois da Lei do Ventre Livre, que seriam livres aos 21 anos), valeria mais. Será que seu generoso senhor "esqueceu-se", ou simplesmente falsificou a sua data de nascimento?
3 O *coup du milieu*, que normalmente vem escrito "coupe de milieu", era uma bebida, às vezes acompanhada de brindes, que se tomava no meio de um banquete. Nosso herói não só mostra um patriotismo ridículo ao traduzir essa frase, como é bem possível que traduza mal, pois a tradução lógica seria "taça do meio". Às vezes, como nesse caso, ou na frase "boire un coup", a palavra pode significar "taça" e não "golpe".
4 Para dar uma idéia do mínimo valor desse ordenado, que seria mensal, dou os preços de alguns artigos: uma camisa normal custava uns 3 mil-réis, o aluguel mensal de uma casa de duas salas, dois quartos, cozinha e quintal, por mês, 35 mil-réis, um almoço ou jantar no Hotel Javanês, quatrocentos réis. A *GN* custava 40 réis.

Crônica 8

20-21 de maio de 1888
(Imprensa Fluminense)

BONS DIAS!

Algumas pessoas pediram-me a tradução do evangelho que se leu na grande missa campal do dia 17.[1] Estes meus escritos não admitem traduções, menos ainda serviços particulares; são palestras com os leitores e especialmente com os leitores que não têm o que fazer. Não obstante, em vista do momento, e por exceção, darei aqui o evangelho, que é assim:

1. No princípio era Cotejipe,[2] e Cotejipe estava com a Regente, e Cotejipe era a Regente.[3]

2. Nele estava a vida, com ele viviam a Câmara e o Senado.

3. Houve então um homem de São Paulo, chamado Antônio Prado,[4] o qual veio por testemunha do que tinha de ser enviado no ano seguinte.

4. E disse Antônio Prado: O que há de vir depois de mim é o preferido, porque era antes de mim.

5. E, ouvindo isto, saíram alguns sacerdotes e levitas e perguntaram-lhe: Quem és tu?

6. És tu, Rio Branco?[5] E ele respondeu: Não o sou. És tu profeta? E ele respondeu: Não. Disseram-lhe então: Quem és tu logo, para que possamos dar resposta aos chefes que nos enviaram?

7. Disse-lhes: Eu sou a voz que clama no deserto. Endireitai o caminho do poder, porque aí vem o João Alfredo.[6]

8. Estas coisas passaram-se no Senado, da banda de além do Campo da Aclamação, esquina da Rua do Areal.

9. No dia seguinte, viu Antônio Prado a João Alfredo, que vinha para ele, depois de guardar o chapéu no cabide dos senadores, e disse: Eis aqui o que há de tirar os escravos do mundo. Este é o mesmo de quem eu disse: Depois de mim virá um homem que me será preferido, porque era antes de mim.

10. Passados meses, aconteceu que o espírito da Regente veio pairar sobre a cabeça de João Alfredo, e Cotejipe deixou o poder executivo e o poder executivo passou a João Alfredo.

11. E João Alfredo, indo para a Galiléia,[7] que é no caminho de Botafogo,[8] mandou dizer a Antônio Prado, que estava perto da Consolação:[9] Vem, que é sobre ti que edificarei a minha igreja.

12. Depois, indo a uma cela de convento, viu lá um homem por nome Ferreira Viana,[10] o qual descansava de uma página de Agostinho, lendo outra de Cícero, e disse-lhe: Deixa esse livro e segue-me, que em breve te farei outro Cícero, não de romanos, mas de uma gente nova; e Ferreira Viana, despindo o hábito e envergando a farda, seguiu a João Alfredo.

13. Em caminho achou João Alfredo a Vieira da Silva,[11] e perguntou-lhe: És tu maçom? E ele respondeu: Sou, mas posso dizer-te, pelo que tenho visto, que maçom e ministro de ordem terceira é a mesma pessoa. Disse-lhe então João Alfredo: Vem comigo; serás ministro da ordem primeira, e trabalharás pelo Céu.

14. Depois, vendo um homem que passava, disse João Alfredo: Vem aqui: não és Rodrigo Silva,[12] que agricultavas a terra no tempo de Cotejipe? E Rodrigo respondeu: Tu o disseste. E tornou João Alfredo: Onde vai agora que parece abandonar-me? Vem comigo, e lavrarás a terra, e tratarás com os gentios, ao mesmo tempo, porque Antônio Prado vai a São Paulo, onde padecerá e donde voltará mais robusto.[13]

15. Depois, vendo Tomás Coelho, homem justo, da tribo de Campos,[14] disse: O Senhor Deus dos Exércitos manda que sejas ministro da Guerra. E descobrindo Costa Pereira:[15] Este é o que esteve comigo em 1871: eu o conheço; vem, serás também meu discípulo.

16. Unidos os sete, disse João Alfredo: Sabeis que vim libertar os escravos do mundo, e que esta ação nos há de trazer glória e amargura; estais dispostos a ir comigo?

17. E respondendo todos que sim, disse um deles por parábola, que no ponto em que estavam as coisas, melhor era cortar a perna que lavar a úlcera, pois a úlcera ia corrompendo o sangue.

18. Mas, ficando João Alfredo pensativo, disseram os outros entre si: Que terá ele?

19. Então o mestre, ouvindo a pergunta, disse: Prevejo que há de haver uma consulta de sacerdotes e levitas, para ver se chegam a compor certo ungüento, que os levitas aplicarão na úlcera, mas não temais nada, ele não será aplicado.

20. E como perguntassem alguns qual era a composição desse ungüento, o discípulo Viana, mui lido nas escrituras, disse:

21. Está escrito no livro de *Elle Haddebarim*, também chamado *Deuteronômio*, que quando o escravo tiver servido seis anos, no sétimo ano o dono o deixe ir livre, e não com as mãos abanando, senão com um alforje de comida e bebida. Este é de certo o ungüento lembrado, menos talvez o alforje e os seis anos.[16]

22. E acudiu João Alfredo: Tu o disseste: três anos bastam aos levitas e sacerdotes, mas a úlcera é que não espera.

23. Ora pois vinde e falemos a verdade aos homens.

24. E, tendo a Regente abençoado a João e seus discípulos, foram estes para as câmaras, onde apresentaram o projeto de lei, que, depois de algumas palavras duras e outras cálidas de entusiasmo, foi aprovado no meio de flores e aclamações.

25. A Regente, que esperava a lei nova, assinou com sua mão delicada e superna.

26. E toda a terra onde chegava a palavra da Regente, de João Alfredo e dos seus discípulos, levantou brados de contentamento, e os próprios senhores de escravos a ouviam com obediência.

27. Menos no Bacabal, província do Maranhão, onde alguns homens declararam que a lei não valia nada, e, pegando no azorrague, castigaram os seus escravos cujo crime nessa ocasião era unicamente haver

sido votada uma lei, de que eles não sabiam nada; e a própria autoridade se ligou com esses homens rebeldes.

28. Vendo isto, disse um sisudo de Babilônia, por outro nome Carioca: Ah! Se estivessem no Maranhão alguns ex-escravos daqui, que depois de livres, compraram também escravos, quão menor seria a melancolia desses que são agora duas coisas ao mesmo tempo, ex-escravos e ex-senhores. Bem diz o *Eclesiastes*: Algumas vezes tem o homem domínio sobre outro homem para desgraça sua.[17] O melhor de tudo, acrescento eu, é possuir-se a gente a si mesmo.

Boas Noites.

Notas

1 Missa ao ar livre, celebrada no Campo de São Cristóvão em 17 de maio, em ação de graças pela abolição, na presença da princesa regente e de muitos outros dignitários.
2 João Maurício Wanderley, barão de Cotejipe (1815-1889), presidente do Conselho, 1885-1888. Antiabolicionista, forçado a se demitir em março de 1888, a fim de abrir caminho para o governo João Alfredo, que decretou a completa abolição.
3 Princesa Isabel (1846-1921).
4 Antônio da Silva Prado (1840-1929). Importante político paulista, que mudou de posição em 1887, passando do combate à abolição ao reconhecimento de sua necessidade. Tal mudança foi decisiva para a queda do governo de Cotejipe.
5 José Maria da Silva Paranhos, visconde do Rio Branco (1819-1880), cujo governo, em 1871, aprovou a Lei do Ventre Livre.
6 João Alfredo Correia de Oliveira (1835-1919); ministro do Império no governo Rio Branco, mas contra a abolição até ao final de 1887, quando se convenceu de sua necessidade. Presidente do Conselho no governo formado em março de 1888.
7 Galiléia é um famoso engenho de Pernambuco, província pela qual João Alfredo foi senador. O irônico significado religioso é suficientemente claro.
8 Isto é, o Palácio Isabel (hoje Palácio Guanabara), a residência da regente e do seu consorte, o conde d'Eu.
9 O Palacete da Consolação, residência particular de Antônio Prado em São Paulo.
10 Antônio Ferreira Viana (1832-1903); ministro da Justiça no gabinete de João Alfredo. Conhecido adepto do clericalismo, muitas vezes caricaturado como um religioso. Também é famoso por seu discurso "Conferência dos divinos", atacando o imperador, a quem chamou de "César caricato" em 1882. Sua escolha como ministro foi, portanto, assunto de muitos comentários irreverentes.
11 Luís Antônio Vieira da Silva, visconde de Vieira da Silva (1828-1889); ministro da Marinha. Importante e antigo membro da maçonaria, cujos interesses defendeu duran-

te a crise da "Questão Religiosa", em 1873. O comentário irônico sobre a identidade dos maçons e membros de ordens religiosas caritativas remonta a essa mesma crise que teve sua origem na questão de se se devia ou não permitir aos maçons ingressar em tais ordens. Machado jamais viu a "Questão" em termos de princípios, como a viam os litigantes; considerava-a uma disputa em torno de um pseudoprincípio.

12 Rodrigo Augusto da Silva (1843-1889). Ministro da Agricultura no gabinete Cotejipe e também no gabinete João Alfredo. Quando Antônio Prado foi para São Paulo, depois da formação deste último, assumiu o cargo de ministro de Relações Exteriores (isto é, relações com "os gentios").

13 Antônio Prado ficou doente em São Paulo, durante o mês de abril de 1888. Houve quem dissesse que a doença era fingida, e que apenas queria distanciar-se, nos sentidos literal e metafórico, do governo João Alfredo. Daí talvez o tom dessa última frase.

14 Tomás José Coelho de Almeida (1838-1895). Ministro da Guerra. Dono de engenho em Campos. A expressão "homem justo" é quase certo que seja uma referência pessoal, por parte de Machado, porque Coelho o fizera chefe de seção no Ministério da Agricultura, em 1876, e, de acordo com uma nota na *GN* de 19 de abril de 1888 (p. 1, col. 4), foi felicitá-lo por ocasião da sua promoção a oficial da Ordem da Rosa.

15 José Fernandes da Costa Pereira (1853-1889). Ministro do Império no novo gabinete. Presidente de São Paulo em 1871 — daí talvez o "esteve comigo em 1871".

16 A citação é de Deuteronômio 15 12-14: vem citado por completo em *Machado de Assis: ficção e história* (2ª ed.), p. 158. *Elle Haddebarim* é um nome alternativo para o livro e corresponde às duas primeiras palavras hebraicas do texto: "Estas são as palavras".

17 Eclesiastes 8:9.

Crônica 9

27 de maio de 1888

BONS DIAS!

Cumpre não perder de vista o meteorólito de Bendegó.[1] Enquanto toda a nação bailava e cantava, delirante de prazer pela grande lei da abolição, o meteorólito de Bendegó vinha andando, vagaroso, silencioso e científico, ao lado do Carvalho.

— Carvalho, dizia ele provavelmente ao companheiro de jornada, que rumores são estes* ao longe?

E ouvindo a explicação, não retorquira nada, e pode ser até que sorrisse, pois é natural que nas regiões donde veio, tivesse testemunhado muitos cativeiros e muitas abolições. Quem sabe lá o que vai pelos vastos intermúndios de Epicuro e seus arrabaldes?[2]

Vinha andando, vagaroso, silencioso, científico, ao lado do Carvalho.

— Carvalho, perguntou ainda, falta muito para chegar ao Rio de Janeiro? Estou já aborrecido, não da sua companhia, mas da caminhada. Você sabe que nós, lá em cima, andamos com a velocidade de mil raios; aqui nestas ridículas estradas de ferro, a jornada é de matar. Mas espera, parece que estou vendo uma cidade...

— É a Bahia, a capital da província.

Chegaram à capital, onde um grupo de homens corria para uma casa, com ar espantado, preocupado, ou como melhor nome haja em fisionomia, que não tenho tempo de ir ao dicionário. Esses homens eram os

---

* No jornal, há aqui um ponto de interrogação.

vereadores. Iam reunir-se extraordinariamente, para saber se embargariam ou não a saída do meteorólito.³

Até então não trataram do negócio, por um princípio de respeito ao governo central. O governo central ordenara o transporte e as despesas; a Câmara Municipal, obediente, ficou esperando. Logo, porém, que o meteorólito chegou à capital, interveio outro princípio — o do direito provincial. Reuniu-se a câmara e examinou o caso.

Parece que o debate foi longo e caloroso. Uns disseram provavelmente que o meteorólito, tendo caído na Bahia, era da Bahia; outros, que vindo do céu, era de todos os brasileiros. Tal foi a questão controversa. Compreende-se bem que era preciso resolver primeiro esse ponto, para entrar na questão de saber se os meteorólitos entravam na ordem das atribuições reservadas às províncias. O debate foi afinal resumido e o voto da maioria contrário ao embargo; apenas dois vereadores votaram por este, segundo anunciou um telegrama.

E o meteorólito foi chegando, vagaroso, silencioso, científico, ao lado do Carvalho.

— Carvalho, disse ele, os que não quiserem embargar a minha saída são uns homens cruéis. Mas por que é que aqueles dois votaram pelo embargo?

— Questão de federalismo...⁴

E o nosso amigo explicou o sentido desta palavra, e o movimento federalista que se está operando em alguns lugares do império. Mostrou-lhe até alguns projetos discutidos agora, para o fim de adotar a constituição dos Estados Unidos, sem fazer questão do chefe de Estado, que pode ser presidente ou imperador...

Aqui o meteorólito, sempre vagaroso e científico, piscou o olho ao Carvalho.

— Carvalho, disse ele, eu não sou doutor constitucional nem de outra espécie, mas palavra que não entendo muito essa constituição dos Estados Unidos com um imperador...

Cheio de comiseração, explicou-lhe o nosso amigo que as invenções constitucionais não eram para os beiços de um simples meteorólito; que a suposição de que o sistema dos Estados Unidos não comporta um chefe hereditário resulta de não atender à diferença do clima e outras. Ninguém se admira, por exemplo, de que lá se fale inglês e aqui português. Pois* é a mesma coisa.

Entretanto, confessou o nosso amigo que, por algumas cartas recebidas, sabia que o que está na boca de muitas pessoas é um rumor de república ou coisa que o valha, que esta idéia anda no ar...

— *Noire? Aussi blanche qu'une autre.*

— *Tiens! Vous faites de calembours?*[5]

— Que queria você que eu fizesse, retorquiu o meteorólito, metido naquelas brenhas de onde você me foi arrancar? Mas vamos lá, explique-me isso pelo miúdo.

E o nosso amigo não lhe ocultou nada; confiou-lhe que andam por aí idéias republicanas, e que há certas pessoas para quem o advento da república é certíssimo. Chegou a ler-lhe um artigo da *Gazeta Nacional*, em que se dizia que, se ela já estivesse estabelecida, acabada estaria há muitos anos a escravidão...[6]

Nisto o meteorólito interrompeu o companheiro, para dizer que as duas coisas não eram incompatíveis: porque ele antes de ser meteorólito fora general nos Estados Unidos – e general do Sul, por ocasião da guerra de secessão, e lembra-se bem que os Estados Confederados, quando redigiram a sua constituição, declararam no preâmbulo: "A escravidão é a base da constituição dos Estados Confederados". Lembra-se também que o próprio Lincoln, quando subiu ao poder, declarou logo que não vinha abolir a escravidão...[7]

— Mas é porque lá falam inglês, retorquiu o nosso amigo Carvalho; a questão é essa.

O meteorólito ficou pensativo; daí a um instante:

— Carvalho, que barulho é este?

— É a visita do Portela, presidente da província.[8]

— Vamos recebê-lo, acudiu o meteorólito, cada vez mais vagaroso e científico.

Boas Noites.

---

* Peis, no jornal.

Notas

1. O nome do lugar, de forma variável, escreve-se assim nessa crônica. Alguns detalhes acerca do meteorólito: pesava mais de 30 mil quilos e foi trazido até a Bahia por 40 juntas de bois, que num momento ficaram atolados no leito do rio Bendegó, perto de Monte Santo. "Carvalho" é o comandante José Carlos de Carvalho (1847-1922), chefe da expedição e membro da Sociedade Geográfica do Rio de Janeiro.
2. Filósofo grego (341 a.C.-?), que achava que os deuses eram seres imortais que habitavam esses "intermúndios" ("metakosmia", em grego), ou espaços entre os mundos. A palavra "intermúndios" provém do latim, e de fato só se conhecem as doutrinas de Epicuro através dos escritores romanos, principalmente Lucrécio e Cícero, que no seu *De natura deorum* emprega essa palavra.
3. Machado tirou essa notícia de um telegrama da *GN* de 23 de maio (p. 2, col. 1): "Salvador: Chegou ontem a esta capital o meteorólito de Bendegó. A Câmara Municipal reunida ontem em sessão extraordinária, tratou de embargar a saída do mesmo. A favor dessa idéia votaram apenas dois vereadores".
4. Com efeito, essa forma constitucional, verdadeiro assunto dessa crônica, foi muito discutida na época. Sente-se pelo tom que Machado desconfiava muito da idéia. Até quando menciona o fato de o governo central ter pago as despesas da viagem à Bahia, fica claro que viu no telegrama citado uma ocasião excelente para expor o lado mesquinho e localista dessa "solução". É curioso notar que Ferreira de Araújo se opunha menos ao federalismo. Num artigo de 28 de maio (*Gazeta de Notícias*, p. 1, cols. 1-4), em que vê como inevitável o triunfo da república, diz assim: "A nosso ver, a monarquia não deve fazer guerra às aspirações contidas na idéia federal, seria isso preparar a revolução; o mais que pode, e é o que deve fazer se compreende o seu papel evolucionista [...] é preparar a nação para essa que é hoje o ideal das formas de governo [...]".
5. Francês: "Negra? Branca como qualquer outra. / Oh! Faz jogo de palavras?".
6. Não encontrei esse jornal, nem o artigo.
7. Os Estados Confederados (isto é, os do Sul) foram uma "república" escravista. Com efeito, Lincoln, eleito em 1860, negou explicitamente qualquer intenção de perturbar a escravidão nos estados onde estava estabelecida. Só durante a guerra (em 1862), e em parte como estratagema para provocar revoltas de escravos no Sul, é que promulgou a emancipação geral.
8. Manuel do Nascimento Machado Portela (1833-1895), presidente da Bahia, 1888-1889.

Crônica 10

1 de junho de 1888

BONS DIAS!

Agora fale o senhor, que eu não tenho nada mais que lhe dizer. Já o saudei, graças à boa educação que Deus me deu, porque isto de criação, se a natureza não ajuda, é escusado trabalho humano. Eu, em menino fui sempre um primor de educação. Criou-me uma ama, escrava; e, apesar de escrava e ama, nunca lhe pus a boca no seio para mamar, que não pedisse licença. Não estava em mim; às vezes dizia comigo:

— Mas, Policarpo, tu tens direito a ser aleitado, e depois é obrigação da escrava alugada. Em vão chorava, a Florinda corria, desabotoava o corpinho, punha o seio de fora, e eu, por mais fome que tivesse, não lhe pegava sem pedir licença. Pedia por gesto; parece que era um gesto de olhos...

Aos cinco anos (era em 1831), como já sabia ler, davam-nos no colégio a *Pátria*, pouco antes fundada pelo Sr. Carlos Bernardino de Moura,[1] com as mesmas doutrinas políticas que ainda hoje sustenta. A minha alma, que nunca se deu com política, dormia que era um gosto; mas os olhos não, esses iam por ali fora, risonhos, aprobatórios.

Agora mesmo, lendo naquela folha que o governo é que deu o dinheiro com que os jornais fizeram as festas abolicionistas, pensam que, se tivesse de explicar-me, fá-lo-ia como a comissão da imprensa?[2] Não; seria grosseiro. Nunca se deve desmentir ninguém. Eu diria que sim, que era verdade, que o governo tinha pago tudo, as festas e uns aluguéis atrasados da casa do Sousa Ferreira;[3] que para isso mesmo é que fora contratado o último empréstimo em Londres,[4] que o Serzedelo,[5] à custa do mesmo dinheiro, tinha reformado o pau moral; que as botinas novas do Pederneiras[6] não tinham outra origem; e que o nosso amigo e chefe José Telha[7] precisando de uma casaca para ir ao Coquelin,[8] é que se meteu naquelas manifestações. O redator ouvia tudo satisfeito; e no dia seguinte começava assim o editorial: "Conforme havíamos previsto" (o resto como em 1844).

Podia citar casos honrosíssimos, como prova de boa criação. Um deles nunca me há de esquecer, e é fresquinho.

Estando há dias a almoçar com alguns amigos, percebi que alguma coisa os amargurava. Não gosto de caras tristes, como não gosto delas alegres: — um meio-termo entre o Caju e o Recreio Dramático[9] é o que vai comigo. Senão quando, com um modo delicado, perguntei o que é que tinham. Calaram-se; eu, como manda a boa criação, calei-me também e falei de outra coisa. Foi o mesmo que se os convidasse a pôr tudo em pratos limpos. Tratando-se de um almoço, era condição primordial.

Um dos convivas confessou que no meio das festas abolicionistas não aparecia o seu nome, outro que era o dele que não aparecia, outro que era o dele, e todos que os deles. Aqui é que eu quisera ser um homem malcriado. O mesmo que diria a todos, é que eles tanto trabalharam para a abolição dos escravos, como para a destruição de Nínive, ou para a morte de Sócrates... Eu, com uma sabedoria só comparável à deste filósofo, respondi que a história era um livro aberto, e a justiça a perpétua vigilante. Um dos convivas, dado a frases, gostou da última, pediu outra e um cálice de Alicante.[10] Respondi, servindo o vinho, que as reparações póstumas eram mais certas que a vida, e mais indestrutíveis que a morte. Da primeira vez fui vulgar, da segunda creio que obscuro; de ambas sublime e bem criado.

Em linguagem chã, todos eles queriam ir à glória sem pagar o *bonde*; creio que fiz um trocadilho. De mim, confesso que lá iria, se pudesse, com a mesma economia; mas, não havendo outro meio, pago o tostãozinho, e paro à porta do Clube Beethoven, que anda agora em tais alturas, que já foi citado pela boca de eminente cidadão...[11] Hão de concordar que este período vai um pouco embrulhado, mas não devo desembrulhá-lo; seria constipar a minha idéia.

Podia citar outros muitos casos de boa criação, realmente exemplares. Nunca dei piparotes nas pessoas que não conheço, não limpo a mão à parede, não vou bugiar, que é ofício feio, e ando sempre com tal cautela, que não piso os calos aos vizinhos. Tiro o chapéu, como fiz agora ao leitor; e dei-lhes os *bons dias* do costume. Creio que não se pode exigir mais. Agora, o leitor que diga alguma coisa, se está para isso, ou não diga nada, e

Boas Noites.

Notas

1. Carlos Bernardino de Moura (1826-?), editor de *A Pátria* (folha democrata) entre 1854 e 1890. Machado exagera um pouco a idade do jornal, com fins cômicos.
2. Essa deve ter sido uma comissão especial ligada às comemorações da abolição.
3. João Carlos de Sousa Ferreira (1831-1907), redator do *JC*.
4. Ver crônica 3, nota 3.
5. Serzedelo Correia (1858-1932), abolicionista e republicano.
6. Oscar Pederneiras (1860-1890), jornalista e comediógrafo.
7. Um dos pseudônimos de Ferreira de Araújo, dono da *GN* (v. Introdução), com o qual assinava na época as croniquinhas humorísticas "Macaquinhos no sótão".
8. O ator francês Coquelin Aîné (1841-1909) representava nessa altura várias peças no Teatro São Pedro, o mais conceituado do Rio.
9. Isto é, entre o cemitério e o *vaudeville*.
10. Provavelmente um vinho branco espanhol, de qualidade relativamente baixa, que ainda se produz.
11. Pode ser que a origem da fama do clube seja o discurso de Ferreira Viana referido na primeira crônica da série, mas, ainda assim, não soube identificar esse cidadão — aliás, o próprio Machado admite que o período está "embrulhado".

Crônica 11

11 de junho de 1888

BONS DIAS!

Valha-me Deus! Frederico III acaba de conceder a um alto funcionário do Estado o tratamento de Excelência...[1] Valha-me Deus!

Que seja preciso um imperador para conceder lá aquilo que aqui concede qualquer pessoa! Decretos, formalidades, direitos de chancelaria, para uma coisa tão simples, quase um direito natural... Realmente, é autocracia, é feudalismo em excesso. De maneira que esse homem é boa pessoa, ou menos má! cumprimenta os vizinhos, tem outras qualidades apreciáveis, recebe o ordenado ou os aluguéis, é secretário de Estado, como o Sr. Puttkamer, e não pode receber Excelência...

Eu cá, no tempo em que tinha relojoaria aberta, distribuí Excelência que foi um gosto. Às vezes até servia de animação e alívio ao freguês. Entrava-me algum carrancudo, assim como quem receia ser enganado. Eu, sem decreto, sem nada, zás, Excelência. Em geral a carranca diminuía, falávamos risonhos, coração nas mãos, e caso houve em que o homem comprava o relógio por mais dinheiro que o marcado.

E fiquem sabendo que também eu recebia Excelências, e agora recebo-as ainda mais; é certo, porém, que nunca me custaram dinheiro, porque eu não chamo dinheiro pagar o bonde a uma pessoa que me trate bem, ou um sorvete, ou ainda um almoço. Isso paga-se até a pessoas mal-educadas.

Há só um caso em que me parece que não se deve dar Excelência, nem a reles Senhoria, nada, absolutamente nada; é o de certos nomes antigos, que devem ser tratados à antiga. Para não ir mais longe, há em Mato Grosso, na assembléia provincial, dois deputados, um chamado Cícero, outro Virgílio. Com que dor de coração li no resumo dos debates, dando apartes a um orador, o Sr. Virgílio, e principalmente o Sr. Cícero! Lembra-me que, em 1834, (há sempre um precedente de 1834) havia aqui na Câmara dos Deputados um Alcibíades,[2] que era inscrito assim, grotescamente: o Sr. Alcibíades. Romanos e gregos, sede romanos e gregos. Tu, Cícero, tu, Virgílio, por que consentis que taquígrafos sem história, sem estética e sem pudor, vos dêem um tratamento que vos diminui? Tu, principalmente, Cícero. Não sentes que os manes do grande orador, teu avô, hão de padecer, quando souberem que o seu nome, feito para as familiaridades eternas, perdeu o uso antigo, e traz hoje um triste senhor, além da gravata que provavelmente há de trazer a pessoa a quem lho deram?

Falei de um Alcibíades de 1834. Temos agora, na Câmara dos Deputados, um César, mas não usa César; usa só o sobrenome Zama, que não é de gente, embora seja antigo;[3] acho que este não está no caso dos primeiros. Por falar em Zama (vejam a minha arte das transições) sabem que esse ilustre deputado reclamou há dias uns duzentos mil-réis que lhe não pagaram; recebeu apenas um conto e trezentos mil-réis.[4] Francamente, eu não reclamava; eu, se amanhã me pagarem, já não digo um conto e trezentos, mas um simples conto de réis, não me zango, e a razão é clara, creio que entenderam, é porque ganho menos. Quando eu vejo uma pessoa zangar-se porque recebeu só um conto e trezentos, parece-me que ouço falar árabe. Outro deputado declarou na mesma ocasião que já recebeu de menos, uma vez, oitocentos mil-réis. É verdade que esse roeu calado, — ou não roeu, que é mais verdadeiro.

Toda a questão é ter o Sr. Zama chegado no dia 9, prestado juramento e tomado assento nesse dia. Entendeu a mesa que não lhe devia pagar os dias anteriores. Acho que teve toda a razão; mas não entendi o precedente de 1857. Esse precedente é que o deputado não reconhecido, uma vez que esteja aqui, embora seja reconhecido no fim do mês, recebe o subsídio do mês inteiro, em que não arredou pé, não votou, não discutiu, não faltou sequer às sessões. Creio que foi isto que li. Não juro que fosse, porque a coisa é tão extraordinária, que por mais que os olhos a mostrem, a razão recusa-se a admiti-la. Provavelmente é o que está acontecendo ao leitor. Eu, no caso da mesa, cumpria também o precedente, visto que eles regulam a vida parlamentar; não sendo da mesa, nem da Câmara, acho que o negócio é a um tempo precedente e presente.

Com esta vou-me embora. Queria falar-lhes de uma porção de coisas, das cinqüenta cédulas do Senado,[5] e outros sucessos, mas é tarde... nem falo como desejava, de um homem que achei... É verdade, achei um homem, mais feliz que Diógenes,[6] e tão feliz como Napoleão, que o achou em Goethe.[7] Não falo dele, até porque nunca o vi; aparentemente, só achei um quiosque, mas o quiosque é do homem, e pelo quiosque é que vejo o homem. É sabido que todos esses estabelecimentos vendem bilhetes de loteria, e têm títulos atraentes, afirmando cada um que ali é que está a fortuna e a boa sorte. Pois o meu homem pôs no seu quiosque este título fulminante: *Ao puro acaso*.

Realmente, é único. Ó tu, quem quer que sejas, autor dessa lembrança, posto que eu te anuncie desde já, que, em menos de seis meses, estás quebrado, deixa-me dizer-te que és um homem. Quando toda esta cidade, e eu com ela, traz na algibeira o elixir da certeza e da infalibilidade, tu vens mostrar ingenuamente ao povo a orelha do casual e do incerto; tu dizes-lhe: "Compre-me, se quer, estes papelinhos, mas não juro que valham alguma coisa. Pode ser que valham, pode ser que não; saia o que sair. Talvez o papel nem sirva para cigarros, por causa da tinta..." Homem único, manda-me o teu retrato.

Vou-me embora. Não quero falar do novo projeto adotado em um congresso de S. Paulo,[8] porque é assunto superior à minha capacidade. Já aqui dei opinião de aerólito* de Bendegó, acerca da constituição dos Estados Unidos com chefe hereditário, coisa que ele afirma que é o mesmo que pôr o chefe do Estado em terra. Agora adotou-se o mesmo projeto, com esta cláusula: que continuará o sistema parlamentar. Quando li isto a um amigo, vi-o ficar de boca aberta, e não entendi o

---

* "aerorito", no original.

motivo; agora mesmo, que ele me explicou o negócio, confesso que estou *in albis*.⁹ Diz ele (jurou-me por Deus nosso senhor) que o característico principal da constituição dos Estados Unidos é ser justamente o avesso do sistema parlamentar; a união dos dois parece-me uma cobra casada com um rato, segundo disse um poeta. Depois releu a primeira notícia, releu a segunda, mirou as duas, e suspirou isto que não sei o que é:

> Après l'*Agésilas*,
> Hélas!
> Mais, après l'*Attila*,
> Holà!¹⁰

Boas Noites.

Notas

1 O imperador Frederico III, filho do imperador Guilherme I, e pai de Guilherme II, só reinou de março a junho de 1888, e morreu de câncer. Quando príncipe herdeiro, era conhecido por suas idéias liberais (o que sem dúvida explica o tratamento de excelência dado a um "simples" funcionário); era filobritânico, casado com a filha mais velha da rainha Vitória, admirador de Gladstone e inimigo de Bismarck. Acabara de demitir Robert von Puttkamer, ministro do Interior e um dos burocratas mais fiéis a Bismarck, segundo anuncia um telegrama do *JC* de 10 de junho (p. 1, col. 6).

2 MJ identifica esse deputado, José Alcibíades Carneiro, representante de Minas na Câmara entre 1834 e 1837.

3 Zama é o nome da última batalha da Segunda Guerra Púnica, em que Cipião derrotou Aníbal (202 a.C.).

4 Esse assunto aparece no debate da Câmara de 4 de junho de 1888, noticiado no dia 5, no *JC* (p. 1, col. 4). Aqui, menciona-se o precedente de 1857, referido mais abaixo. O deputado Carlos Peixoto "declara que a folha do subsídio foi formulada de acordo com precedentes que achou estabelecidos por mesas anteriores. [...] Mostra que o nobre deputado não pode invocar o precedente da mesa, em relação ao nobre deputado Elpídio de Mesquita, porque é precedente formado desde 1857, que o deputado que é reconhecido depois de aberta a sessão para a que não concorreu, se não há dúvidas sobre a legitimidade de sua eleição, tem direito ao subsídio desde o dia de abertura da sessão". Confesso que não entendo bem, porque aqui parece concluir que Zama, sim, tem direito ao subsídio. Talvez fosse essa a dúvida do próprio Machado.

5 Na votação para a segunda vice-presidência do Senado, no dia 4 de junho, houve empate: procedeu-se à segunda votação, que deu o seguinte resultado: 46 votos para um

candidato, 43 para outro, e um em branco. O curioso do caso é que havia só 84 pessoas na sala.

6 O filósofo cínico Diógenes (413-323 a.C.) costumava buscar "um homem" com lanterna, à luz do dia.

7 Em 2 de outubro de 1808, Goethe e Napoleão avistaram-se em Erfurt: o resultado mais célebre do encontro é o comentário "Voilà un homme!" que Napoleão teria dito depois.

8 A "Gazetilha" do *JC*, no dia 6 de junho, numa reportagem sobre a segunda sessão do congresso liberal de São Paulo, informa que o conselheiro Leôncio de Carvalho apresentou a seguinte proposta:

"O povo brasileiro, no intuito de firmar a sua união e promover a sua prosperidade, formará uma confederação modelada pela dos Estados Unidos, com as seguintes modificações:

1. O chefe do poder executivo federal continuará a ser o imperador, que o exercerá por meio de ministros responsáveis, de acordo com o regímen parlamentar;

2. Os presidentes dos estados serão escolhidos pela coroa de entre três cidadãos apresentados pelo poder legislativo dos mesmos estados com mandato por três anos, servindo os dois outros como vice-presidentes".

9 Frase latina que significa "em branco".

10 Francês: "Depois do *Agésilas* / Ai! / Mas depois do *Attila* / Alto lá!". Esse epigrama, de Boileau, se refere a duas peças de Pierre Corneille, *Agésilas* e *Attila*, de 1666 e 1667, reconhecidamente entre as mais fracas do dramaturgo — a segunda ainda pior que a primeira, ao que parece.

Crônica 12

16 de junho de 1888

BONS DIAS!

Recebi um requerimento, que me apresso em publicar com o despacho que lhe dei:

"Aos pés de V. Exa. vai o abaixo assinado pedir a coisa mais justa do mundo.

"Rogo me preste atenção por alguns instantes; não quero tomar o precioso tempo de V. Exa.

"Não ignora V. Exa. que, desde que nasci, nunca me furtei ao trabalho. Nem quero saber quem me chama, se é pessoa idônea ou não; uma vez chamado, corro ao serviço. Também não indago do serviço; pode ser político, literário, filósofo, industrial, comercial, rural, seja o que for, uma vez que é serviço, lá estou. Trato com ministros e amanuenses, com bispos e sacristães, sem a menor desigualdade.

"Cheguei até (e digo isto para mostrar atestados de tal ou qual valor que tenho), cheguei a fazer aposentar alguns colegas, que, antes de mim, distribuíam o trabalho entre si, *distinguindo-se* um, outro *sobressaindo*, outro *pondo em relevo* alguma qualidade particular. Não digo que houvesse injustiça na aposentação: estavam cansados, esta é a verdade. E para gente de minha classe a fadiga estrompa e até mata.

"Ficando eu com o serviço de todos, naturalmente tinha muito a que acudir; e repito a V. Exa. que nunca faltei ao dever. Não tenho presunção de bonito, mas sou útil, ajusto-me às circunstâncias e sei explicar as idéias.

"Não é o trabalho, mas o excesso de trabalho que me tem cansado um pouco, e receio muito que me aconteça o que se deu com outros. Isto de se fiar uma pessoa no carinho alheio e na generalidade dos afetos é erro grave. Quando menos espera, lá se vai tudo; chega alguma pessoa nova e (deixe V. Exa. lá falar o João) ambas as mãos da experiência não valem um dedinho só da juventude.

"Mas vamos ao pedido. O que eu impetro da bondade de V. Exa. (se está na sua alçada) é uma licença por dois meses, ainda que seja sem ordenado; mas com ordenado seria melhor, porque há despesas a que acudir, a fim de ir às águas de Caxambu. Seria melhor, mas não faço questão disso; o que me importa é a licença, só por dois meses; no fim deles verá que volto robusto e disposto para tudo e mais alguma coisa.

"Peço pouco, apenas um pouco de descanso. Deus, feito o mundo, descansou no sétimo dia. Pode ser que não fosse por fadiga, mas para ver se* não era melhor converter a sua obra ao caos; em todo o caso a Escritura fala de descanso, e é o que me serve. Se o Supremo Criador não pôde trabalhar, sem repousar um dia depois de seis, quanto mais este criado de V. Exa.?

"Não faltará quem conclua (mas não será o grande espírito de V. Exa.) que, se eu algum direito tenho a uma licença, maiores e infinitos têm outros colegas, cujo trabalho é constante, ininterrupto e secular. Há aqui um sofisma que se destrói facilmente. Nem eu sou da classe da maior parte de tais companheiros, verdadeira plebe, para quem uma lei de Treze de Maio seria a morte da lavoura (do pensamento); nem os da minha categoria têm a minha idade, e, de mais a mais, revezam-se a miúdo, ao passo que eu suo e tressuo, sem respirar.

"Contando receber mercê, subscrevo-me, com elevada consideração, de V. Exa. admirador e obrigado verbo *Salientar*".

O despacho foi este:

"Conquanto o suplicante não junte documentos do que alega, é, todavia, de notoriedade pública o seu zelo e prontidão em bem servir a

---

* No jornal, falta o "se".

todos. A licença, porém, só lhe pode ser concedida por um mês, embora com ordenado, porque, trabalhando as câmaras legislativas, mais que nunca é necessária a presença do suplicante, cujo caráter e atividade, legítima procedência e brilhante futuro folgo em reconhecer e fazer públicos. Se tem trabalhado muito, é preciso dizer, por outro lado, que o trabalho é a lei da vida e que sem ele o suplicante não teria hoje a posição culminante que alcançou e na qual espero que se conservará honrosamente por longos anos, como todos havemos mister. Lavre-se portaria, dispensados os emolumentos."

Boas Noites.

Sátira das tentativas de Cotejipe e seus aliados (o cacique
e os índios) de conseguir indenização por perdas com a

Abolição (cr. 13). A própria pedra de Bendegó entra na história (*Revista Ilustrada*, ano 13 [1888], nº 506, pp. 4-5).

Crônica 13

26 de junho de 1888

BONS DIAS!

Eu, se tivesse crédito na praça, pedia emprestados a casamento¹ uns vinte contos de réis, e ia comprar libertos. Comprar libertos não é expressão clara; por isso continuo.

Conhece o leitor um livro do célebre Gogol, romancista russo, intitulado *Almas mortas*?² Suponhamos que não conhece, que é para eu poder expor a semente da minha idéia. Lá vai em duas palavras.

Chamam-se *almas* os campônios que lavram as terras de um proprietário, e pelos quais, conforme o número, paga este uma taxa ao Estado. No intervalo do lançamento do imposto, morrem alguns campônios e nascem outros. Quando há *déficit*, como o proprietário tem de pagar o número registrado, primeiro que faça outro recenseamento, chamam-se *almas mortas* os campônios que faltam.

Tchitchikof, um espertalhão da minha marca, ou talvez maior, lembra-se de comprar as *almas mortas* de vários proprietários. Bom negócio para os proprietários, que vendiam defuntos ou simples nomes, por dez réis de mel coado. Tchitchikof, logo que arranjou umas mil *almas mortas*, registrou-as como vivas; pegou dos títulos do registro, e foi ter a um monte de socorro, que, à vista dos papéis legais, adiantou ao suposto proprietário uns 200.000 rublos; Tchitchikof* meteu-os na mala e fugiu para onde a polícia russa o não pudesse alcançar.

---

*   "Tchitchiko", no jornal.

Creio que entenderam; vejam agora o meu plano, que é tão fino como esse, e muito mais honesto. Sabem que a honestidade é como a chita; há de todo o preço,* desde meia pataca.

Suponha o leitor que possuía duzentos escravos no dia 12 de maio, e que os perdeu com a lei de 13 de maio. Chegava eu ao seu estabelecimento, e perguntava-lhe:

— Os seus libertos ficaram todos?

— Metade só; ficaram cem. Os outros cem dispersaram-se; consta-me que andam por Santo Antônio de Pádua.[3]

— Quer o senhor vender-mos?

Espanto do leitor; eu, explicando:

— Vender-mos todos, tanto os que ficaram, como os que fugiram.

O leitor assombrado:

— Mas, senhor, que interesse pode ter o senhor...

— Não lhe importe isso. Vende-mos?

— Libertos não se vendem.

— É verdade, mas a escritura da venda terá a data de 29 de abril; nesse caso, não foi o senhor que perdeu os escravos, fui eu. Os preços marcados na escritura serão os da tabela da lei de 1885;[4] mas eu realmente não dou mais de dez mil-réis por cada um.

Calcula o leitor:

— Duzentas cabeças a dez mil-réis são dois contos. Dois contos por sujeitos que não valem nada, porque** já estão livres, é um bom negócio.

Depois refletindo:

— Mas, perdão, o senhor leva-os consigo?

— Não, senhor: ficam trabalhando para o senhor; eu só levo a escritura.

— Que salário pede por eles?

— Nenhum, pela minha parte, ficam trabalhando de graça. O senhor pagar-lhes-á o que já paga.

---

* "preçof", no jornal (ou seja, caiu uma letra de uma linha para outra).

** "é porque", no jornal.

Naturalmente, o leitor, à força de não entender, aceitava o negócio. Eu ia a outro, depois a outro, depois a outro, até arranjar quinhentos libertos, que é até onde podiam ir os cinco contos emprestados; recolhia-me à casa, e ficava esperando.

Esperando o quê? Esperando a indenização, com todos os diabos!⁵ Quinhentos libertos, a trezentos mil-réis, termo médio, eram cento e cinqüenta contos; lucro certo: cento e quarenta e cinco.

Porquanto, isso de indenização, dizem uns que pode ser que sim, outros que pode ser que não; é por isso que eu pedia o dinheiro a casamento. Dado que sim, pagava e casava, (com a leitora, por exemplo); dado que não, ficava solteiro e não perdia nada, porque o dinheiro era de outro. Confessem que era um bom negócio.

Eu até desconfio que há já quem faça isto mesmo, com a diferença de ficar com os libertos. Sabem que no tempo da escravidão, os escravos eram anunciados com muitos qualificativos honrosos, perfeitos cozinheiros, ótimos copeiros, etc. era, com outra fazenda, o mesmo que fazem os vendedores, em geral: superiores* morins, lindas chitas, soberbos cretones. Se os cretones, as chitas e os escravos se anunciassem, não poderiam fazer essa justiça a si mesmos.

Ora, li ontem um anúncio em que se oferece a aluguel, não me lembra em que rua, — creio que na do Senhor dos Passos, — uma *insigne* engomadeira.⁶ Se é falta de modéstia, eis aí um dos tristes frutos da liberdade; mas se é algum sujeito que já se me antecipou... Larga, Tchitchikof de meia tigela! Ou então vamos fazer o negócio a meias.

Boas Noites.

Notas

1 Não conheço essa expressão, e suponho que seria também estranha ao leitor de 1888. Por isso, Machado a explica no fim da crônica, e parece significar "empreender um negócio de parceria com outra pessoa que assume os riscos financeiros".

---

*   "Superiores", no jornal.

2   Romance de Nicolai Gogol (1809-1852), um dos grandes clássicos da literatura russa. Essa crônica é o indício mais claro do interesse que Machado tinha por Gogol — interesse profundo, apesar da existência de um único volume das obras dele (em alemão), no que resta da sua biblioteca. O resumo que dá do enredo é, naturalmente, exato, embora incompleto, servindo apenas aos fins dessa crônica. Para mais informações sobre a influência — possivelmente, muito importante — de Gogol em Machado, veja-se o artigo de Eugênio Gomes, "Machado de Assis e Gogol", em seu *Machado de Assis* (pp. 116-21).

3   Lugar do Vale do Paraíba, perto de Campos, no rio Pomba. Essa foi uma das áreas mais afetadas pela abolição, e nos jornais há várias queixas e reportagens sobre grupos de libertos que "vagam pelas estradas sem ocupação proveitosa". Não creio — mas é possível — que Machado se refira a esse lugar por alguma razão especial.

4   Para efeitos de manumissão, os escravos eram avaliados segundo tabelas oficiais, a última das quais datava de 1885.

5   A indenização, é claro, é o verdadeiro assunto desta crônica, e era o assunto principal dos jornais do momento. Os fazendeiros mais conservadores, sobretudo fluminenses, liderados por Cotejipe e Paulino de Sousa, propuseram medidas nesse sentido logo depois da abolição. O projeto não tinha nenhuma possibilidade de sucesso, e não passou na Câmara. Mesmo assim, focalizou os ressentimentos dos ex-donos.

6   Havia muitos anúncios desse tipo nos jornais: cito só um exemplo, talvez o que atraiu Machado, da *GN* do 25 de junho: "Aluga-se uma insigne engomadeira e lavadeira branca. Na Rua Senhor dos Passos 90, sobrado". Essa casa, a que se referem muitos desses anúncios, parece ter sido uma espécie de agência desses "aluguéis" humanos.

Crônica 14

6 de junho de 1888

BONS DIAS!

Está o Sr. Comendador Soares[1] no Senado. Dou-lhe os meus sinceros parabéns.

Na qualidade de comerciante, como eu na de relojoeiro, o Sr. Senador Soares deve ignorar profundamente o latim. Mas não será tanto, que não conheça um famoso trecho de Lucrécio, que dizia que é sempre coisa muito agradável, estando em terra firme, ver de longe o naufrágio dos outros.[2] O Sr. Senador Soares está na mais firme das terras deste mundo, tão firme e tão vasta, que pega com o continente da morte e da eternidade. *Suave, mari magno... Suave, mari magno...* De lá, da glória eterna, esquina do Campo da Aclamação, olha o Sr. Soares tranqüilamente para o vale de lágrimas da Rua da Misericórdia.[3] Com que olhos saudosos o vão ver sair dali os que, como ele, choraram e choram na terra, onde ficam padecendo as conseqüências da culpa do primeiro homem! O novo senador é magro: mas vai parecer muito mais gordo que o mais gordo dos seus ex-colegas da Câmara, e que era até há tempos o Sr. Castrioto. Hoje creio que é o Sr. Alves de Araújo; minto, é o Sr. Góis.[4] Tão certo é que não há gordos nem magros; há fatos subjetivos.

Notemos que eu citei justamente três nomes que, mais tarde ou mais cedo, acabam na estatística senatorial. Mas, quantos, Deus de misericórdia, quantos estão ali que nunca hão de sair! Não cito nomes, para não vexar ninguém; mas as consciências dirão, lá fundo, que sim, que é isto mesmo...

Pois bem, trago a esses desesperados uma esperança... Não me sufoquem: ouçam-me; sosseguem; deixem-me falar... Ouçam.

Hão de ter lido que se trata de federalizar o Brasil; não faltam projetos nem programas a este respeito. Ainda agora apareceu o programa do Partido Liberal do Pará, estabelecendo as cláusulas da reforma, e uma delas é que cada província tenha o seu senado especial.

Aí está o remédio. Quem não puder entrar no senado geral, entra no provincial. Não é um senado de primeira ordem, um senado (como se diz na relojoaria) de patente, um cronômetro; mas é um senadozinho de prata dourada, afiançado por quatro anos, que é o prazo marcado no programa do Pará.

Pior! lá cai a viseira aos meus amigos. Mas, meus amigos, isto de quatro anos é um modo de falar; há meio de cumprir a lei e ficar vitalício; é a reeleição. Portem-se bem os senadores provinciais, dêem-se uns com os outros, não puxem brigas, ajudem-se, e, quando mal cuidarem, estão vitalícios. Ouro é o que ouro vale.

Creio até (é um palpite) que de toda a federação que anda no ar, se ficar um só artigo, há de ser este, o senado provincial. Há dúvidas sobre os outros, divergências daqui e dali; os próprios autores talvez os rejeitem, quando houverem de votar. Mas o senado é dessas idéias simples, que se metem pelos olhos dentro; traz naturalmente equilíbrio à legislatura.

E, além das vantagens políticas, há outras de certa ordem. Quem me impede a mim, se for senador do Espírito Santo, quem me impede de mandar imprimir nos cartões: *Fulano de tal, senador?* Ou então: *O senador Fulano de tal*, sem mais nada? Podem confundir-me, é verdade, com os senadores do império; mas que tenho eu com as confusões dos outros? Posso responder pela lucidez do espírito alheio? Hei de mandar pôr o meu retrato nos cartões? etc., etc.

A única objeção que se pode fazer ao senado provincial é tornar ainda mais ininteligível a política do Ceará.[5] Quando os paula-aquirases e os ibiapaba-pompeus tiverem outro campo de divisão, certamente o problema ficará mais complexo. Mas, francamente, coração nas mãos. Há alguém que presuma decifrar aquilo no estado atual? Deixem-se de fumaças. Dobradas as dificuldades, subdivididos os partidos em ibia-pom-las e peu-aqui-pabas, fica o mesmo volapuque,[6] com a diferença que, por ora, ainda há gente que queima as pestanas para ver se percebe o que é; quando vierem o senado e a subdivisão deixaremos o caso aos americanistas[7] de ofício.

Boas Noites.

Notas

1 Manuel José Soares (1829-1893), deputado mineiro escolhido como senador no começo de julho. Diretor do Banco do Comércio.
2 O trecho completo do poema didático *De rerum naturae*, de Lucrécio (95-52 a.C.), livro 2, vv. 1-4, reza assim: "Suave, mari magno turbantis aequora ventis, / e terra magnum alterius spectare laborem / non quia vexare quemquam jucunda voluptas, / sed quibus ipse malis careas quia cernere suave est": "É doce, quando os mares estão turbados por ventos violentos, / ver desde a terra os trabalhos dos outros. / não que haja prazer em ver as desgraças dos outros / senão porque o homem está feliz por saber que está seguro". Trecho preferido de Machado, e que dá título a um poema de 1880, publicado em *Ocidentais*.
3 O Senado (vitalício) ficava no Campo da Aclamação (atual Campo de Santana) e a Câmara dos Deputados, na Cadeia velha, perto do paço, e em frente da Rua da Misericórdia.
4 Os três deputados gordos: Carlos Frederico Castrioto (1833-1894), que veio a ser senador da República; Manuel Alves de Araújo (1836-1908), que fora ministro da Agricultura em 1882; Manuel José de Araújo Góis (1839-?), partidário de João Alfredo.
5 Ver crônica 5, nota 2.
6 Língua artificial, para comunicação internacional, lançada em 1879 pelo padre alemão Johann Martin Schleyer.
7 Parece que essa palavra tinha o sentido restrito de estudioso dos indígenas americanos: é a conclusão que tiro de uma reportagem sobre uma conferência de Karl von den Steinen sobre o Xingu (v. cr. 16, n. 1), em que Lucien Adam, estudioso dos índios, vem definido assim. Os novos nomes das facções cearenses se pareceriam aos de tribos indígenas. A primeira ocorrência datada da palavra no seu sentido atual, de estudioso dos Estados Unidos, é de 1899, segundo o dicionário *Houaiss*.

Crônica 15

15 de julho de 1888

BONS DIAS!

Não gosto de ver censuras injustas.

Há dias, um eminente senador disse que a Câmara dos Deputados era a câmara de dois domingos,[1] e disse a verdade, porque ali um sábado e um domingo são a mesma coisa. Não a censurou por isso, entretanto, mas por adiar para o sábado os requerimentos, isto é, mandar-lhes o laço de seda com que eles se enforquem logo.

Sejamos justos. A Câmara, não fazendo sessão aos sábados, obedece a um alto fim político: — imitar a Câmara dos Comuns ingleses, que nesse dia também repousa. Deste modo, aproxima-nos da Inglaterra, *berço das liberdades parlamentares*, como dizia um mestre que tive e que me ensinou as poucas idéias com que vou acudindo às misérias da vida. Dele é que herdei a *espada rutilante da justiça,* — *o timeo Danaos,*[2] — *o devolvo-lhe intacto a injúria*, e outros vinténs mais ou menos magros.

Dir-me-ão que os comuns ingleses descansam no sábado, porque ficam estafados das sessões de oito, nove e dez horas, que é o tempo que elas duram nos demais dias.

É verdade; mas cumpre observar que os comuns começam a trabalhar de tarde e vão pela noite dentro, depois de terem gasto a primeira parte do dia nos seus próprios negócios. Deste modo estão livres e prontos para ir até a madrugada, se preciso for. Trabalham com a fresca, despreocupados, tranqüilos. Não acontece o mesmo conosco. As nossas sessões parlamentares começam ao meio-dia, hora de calor, sem dar tempo a fazer alguma coisa particular; e depois o clima é diferente. Nem já agora é possível tornar aos sábados. O Sr. Barão de Cotejipe disse que desde 1826 dormem projetos de lei nas pastas das comissões do Senado;³ com os requerimentos da Câmara deve acontecer a mesma coisa, mas suponhamos que só começam em 1876...

Censuras não faltam. Já ouvi censurar um dos nossos costumes parlamentares, que justamente mais me comovem; refiro-me ao de levantar a sessão, quando morre algum dos membros da casa. A notícia é dada por um deputado ou senador, que faz um discurso, pondo em relevo as qualidades do finado. Às vezes o defunto não prestou ao Estado o menor serviço; não importa, essa é justamente a beleza do sistema democrático e de igualdade que deve reger, mais que todos, os corpos legislativos. Para o parlamento, como para a morte, como para a Constituição, todos são legisladores, todos merecem igual cortesia e piedade.

Os censuradores alegam que este uso não existe em parte nenhuma, fora daqui. O argumento Aquiles (como me diria o citado mestre) é que, tendo sido as câmaras inventadas para tratar dos negócios públicos, a morte de um dos seus membros deve pesar menos, muito menos, que o dever social. Daí o discurso em que o presidente deve noticiar a morte, com palavras de saudade,* e passar à ordem do dia.

Os preconizadores de hábitos peregrinos chegam a citar o que agora mesmo se deu no parlamento de Inglaterra, quando chegou a notícia da morte do genro da rainha, que não era membro da Câmara dos Lordes, mas podia sê-lo, se não fosse imperador da Alemanha.⁴ A notícia foi comunicada a ambas as câmaras por um ministro; respondeu-lhe o *leader* da oposição, e continuaram os trabalhos, durante os da Câmara até às duas da madrugada.

Mas quem não vê que nem o exemplo nem o argumento servem ao nosso caso?

---

* No jornal, falta a vírgula.

Quanto ao exemplo, basta considerar que, posto que o imperador fosse um digno e grande homem, não era membro de nenhuma das casas. Fizeram-se mensagens à rainha e à imperatriz.

Além disto, pode ser que, realmente, nesse dia houvesse negócios urgentes. Digo isto, porque o discurso do ministro na Câmara dos Lordes, respeitoso e grave, ocupa apenas doze linhas no *Times*, e o da oposição onze. Na dos Comuns, o do ministro tem nove linhas, e o da oposição oito. Cabe ainda notar que ninguém mais falou. Finalmente, dali em diante proferiram-se na Câmara dos Comuns, sobre diversos projetos, mais de cinqüenta discursos.

Quanto ao argumento, não há nada mais falho. É certo que as câmaras foram criadas para curar principalmente dos negócios públicos; mas onde é que constituições escritas revogam leis do coração humano? Podem transtorná-las, é certo, como na dura Inglaterra, na França inquieta, na Itália ambiciosa; mas, tais não são as nossas condições. Demais, a veneração dos mortos cimenta a amizade dos vivos.

Ponhamo-nos de acordo. Se a Câmara não faz sessão aos sábados, para acompanhar a dos Comuns, aqui-del-rei. Se não acompanha a dos Comuns, e se vai embora, sempre que morre algum membro, terá igual censura. Ponhamo-nos de acordo.

Boas Noites.

Notas

1 O "eminente senador" era o poderoso Gaspar da Silveira Martins (1834-1901), gaúcho, liberal e senador desde 1880. Ele se queixava do pequeno número de requerimentos da oposição liberal que chegavam a ser discutidos, insinuando que se tratava de uma manobra do governo.
2 Frase da *Eneida*, de Virgílio: "Timeo Danaos et dona ferentes": "Temo os danaenses, ainda que suas mãos tragam presentes". Normalmente adaptado para o aviso "Tema os gregos que tragam presentes".
3 O barão de Cotejipe (v. cr. 8, n. 2) queixava-se da lentidão do processo parlamentar, também insinuando manobras do governo.
4 O imperador Frederico III morrera a 15 de junho (v. cr. 11, n. 1).

Crônica 16

19 de julho de 1888

BONS DIAS!

Quem me não fez bei de Túnis cometeu um desses erros imperdoáveis, que bradam aos céus.

Suponhamos por um instante que eu era bei de Túnis. Antes de mais nada, tinha prazer de viver em Túnis, que é um dos meus mais desenfreados desejos. Depois, não entendia nada do que me dissessem, nem os outros me entendiam, e para estabelecer relações cordiais, não há melhor caminho. O Sr. Von Stein fez-se amigo dos índios do Xingu, recitando versos de Goethe.[1]

Não perderia o gosto cá do Rio, porque levaria naturalmente assinaturas de jornais; leria tudo, a questão da revista cível n.º 10.893,[2] o imortal processo do Bíblia,[3] os debates do parlamento, os manifestos políticos, etc. Quando alguma coisa me parecesse dita ou escrita em dialeto barbaresco, teria o meu colégio de intérpretes, que me explicaria tudo.

Não indo mais longe, acabo de ler no discurso do Sr. Senador Leão Veloso uma frase, que, se eu tivesse em Túnis, não lhe perderia o sentido. S. Exa. declarou que a vitaliciedade do cargo não o segregou daqueles que o elegeram.[4] Ora, os que o elegeram vão morrendo e hão de ir morrer todos, como já devem ter morrido os que elegeram o Sr. Visconde do Serro Frio.[5] Como é que não há segregação? Há e é uma das vantagens da instituição. Se em 1871 os Srs. Silveira Martins e Barão de Mauá fossem vitalícios, não haveria o recurso aos eleitores, que pôs o Sr. Mauá fora da Câmara.⁶ Quando o primeiro desafiasse o segundo a irem pleitear ante os eleitores liberais o procedimento de ambos, responderia o Sr. Mauá:

— Mas, meu caro colega, os meus eleitores estão mortos. Há dois dias vivia o Bandeira, de Pelotas; pois morreu, aqui está o telegrama, que recebi agora mesmo da família. Sabe que somos velhos conhecidos...

Entretanto, aquela frase, que em português dá este resultado, talvez possa ser explicada pelo arábico; mas eu não sou bei de Túnis.

Outras muitas coisas me explicará o colégio de intérpretes. Não as digo todas; mas aqui vai mais uma.

Os espiritistas brasileiros acabam de dar um golpe de mestre. Apareceu por aqui um médium, Dr. Slade é o seu nome, com fama de prodigioso.⁷ A Federação Espírita Brasileira nomeou uma comissão para estudar os fenômenos da escritura direta sobre ardósias e outros efeitos físicos produzidos com o médium. Pois, senhores, não achou que o homem valesse a fama; declarou que os trabalhos ficaram muito abaixo do que esse mesmo médium conseguiu na Inglaterra, França, Alemanha, Estados Unidos e Austrália. É verdade que a própria Federação explica a diferença. "Todos os que estudam os fenômenos espíritos (diz ela) conhecem que as mediunidades estão sujeitas a esses eclipses". E noutro lugar: "Sabem todos que os invisíveis não estão servilmente à nossa disposição".

Ora tudo isto, que parece algaravia, sendo lido por um espiritista, é como a língua de Voltaire pura, límpida, nítida e fácil. "Os invisíveis não estão servilmente à nossa disposição!" Não falo do enriquecimento da língua com a palavra mediunidade, que é nova, sem ser esbelta.

Fosse eu bei de Túnis, e o meu colégio me explicaria tudo isso e mais isto: "Somente lamentamos que nesses eclipses da sua faculdade, o *médium* — sem dúvida por sugestões malignas, busque simular os fenômenos que obtém nas condições normais..."

Ao que parece, o *médium* não só foi (com perdão da palavra) apenas um *minimum*, mas até procurou embaraçar a Federação. Não andou bem; e a Federação cumpriu o seu dever desvendando as sugestões malignas. Nem pareça que isto mesmo foi sugestão de despeito; a Federação conclui francamente aquele período: "fato aqui plenamente verificado."

Valha-me Nossa Senhora! Que porção de coisas abstrusas, que eu nunca hei de entender! E daí, quem sabe? Schopenhauer chegou a crer nas *mesas que giram*;[8] há quem acredite no casamento da constituição americana com o sistema parlamentar. Não é muito acreditar nos motivos do eclipse do Dr. Slade, mesmo sem entendê-los... Ah! porque me não* fazem bei de Túnis!

Boas Noites.

Notas

1 Machado, ou os revisores da *GN*, errou o nome de Karl von den Steinen (1855-1929), explorador alemão e autor, entre outras coisas, de *Unter den naturvolken zentral-Brasiliens* (1884) e *Durch zentral-Brasiliens* (1886). Dera uma palestra no dia 16 de julho na Imprensa Nacional, e é bem possível que Machado a tenha assistido e ouvido essa história, que não vem mencionada na reportagem sobre a palestra na *GN*, de 18 de julho (p. 1, col. 6).
2 Trata-se de uma contenda legal, que resultava em muitas cartas nos "A pedidos", sobretudo do *JC*, sobre a posse de algumas terras em Porto Alegre que tinham pertencido a Antônio Pereira do Couto, falecido em 1819.
3 A história desse assunto, muito parecido com o da nota anterior, se bem que de maior duração e com detalhes dramáticos — houve provavelmente falsificação do testamento do "Custódio Bíblia" —, é contada por MJ em *Machado de Assis desconhecido* (pp. 318 e segs.). Machado já se referira a ele na "Gazeta de Holanda" de 7 de março de 1887.
4 Pedro Leão Veloso (1828-1902), senador liberal pela Bahia, e antiabolicionista, no discurso que Machado cita, apoiava a indenização e, numa ameaça não muito velada, dizia que a monarquia não podia alienar de si os interesses conservadores. Insistia na sua coerência ideológica, e "Entende que a vitaliciedade não o segregou daqueles que o elegeram" (*JC*, 18 de julho, p. 1, col. 1).
5 Antônio Cândido da Cruz Machado, visconde do Serro Frio (1820-1905) — deputado pela primeira vez em 1850 e senador desde 1874. Machado certamente o escolhe por já ter sido senador durante 14 anos.
6 Irineu Evangelista de Sousa, barão de Mauá (1813-89), célebre capitalista e deputado liberal pelo Rio Grande do Sul em 1873, quando aconteceu esse incidente, e não em 1871, como parece pensar Machado. Nesse ano apoiou o governo conservador do visconde de Rio Branco, amigo dele, e cujo programa de reformas aprova. Gaspar Silvei-

---

* Falta essa palavra no original.

ra Martins, deputado liberal gaúcho (v. cr. 15, n. 1), acusou-o de trair seu partido, e reptou-o a apelar aos eleitores — repto aceito por Mauá, que perdeu a eleição e decidiu não ocupar mais a sua cadeira. O incidente está contado com riqueza de detalhes no livro de Jorge Caldeira *Mauá: empresário do Império*, pp. 485-92. Era um caso exemplar e célebre do conflito entre ideologia e lealdade partidária, no fundo causado pelo "liberalismo" do governo conservador, autor da Lei do Ventre Livre, que, essa sim, é de 1871 — talvez seja por isso que Machado confundiu as datas.

7   Não achei qualquer referência a esses acontecimentos nos jornais consultados. Como se sabe, Machado era inimigo velho e acirradíssimo do espiritismo. Desde 1865 (quando este não obtivera a popularidade que já tinha nos anos 1880) até pelo menos 1895, não cessou de atacá-lo e, o que surpreende mais, quase sempre diretamente, sem ironia. No seu excelente livro *Os intelectuais e o espiritismo*, Ubiratan Machado nos informa que o dr. Slade era um médium norte-americano famoso, que acabou condenado a três meses de trabalhos forçados na Inglaterra, por trapaça. Ver também as crônicas 43 e 49.

8   Não consegui achar qualquer referência a esse assunto em particular, embora Schopenhauer mostrasse um interesse (cético) nos fenômenos mágicos e na conversa com os mortos (v., p. ex., "Ensaio sobre os sentidos do espírito e outros assuntos relacionados" nos *Parerga e Paralipomena*).

Crônica 17

29 de julho de 1888

BONS DIAS!

Antes de mais nada deixem-me dar um abraço no Luís Murat, que acaba de não ser eleito deputado pelo 12º distrito do Rio de Janeiro.[1] Eu já tinha escovado a casaca e o estilo para o enterro do poeta e o competente necrológio; ninguém está livre de uma vitória eleitoral. Escovei-os e esperei as notícias.

Vieram elas, e não lhes digo nada: dei um salto de prazer. Cheguei à janela; vi que as rosas, — umas grandes rosas encarnadas que Deus me deu, — vi que estavam alegres e até dançavam; a música era um bater de asas de pássaros brancos e azuis, que apareceram ali vindos não sei donde, nem como.

Sei que eram grandes, que batiam as asas, que as rosas bailavam, e que as demais plantas pareciam exalar os melhores cheiros. Umas vozes surdas diziam rindo: Murat, derrotado, Murat, derrotado.

E que bonita derrota, Deus da misericórdia! Podia perder a eleição por vinte ou trinta votos; seria então um meio desastre, porque abria novas e fundadas esperanças. Mas, não, senhor; a derrota foi completa; nem cinqüenta votos. Por outros termos, é um homem liberto; teve a sua lei de 13 de maio: "Art. 1º Luís Murat continuará a compor versos. Art. 2º Ficam revogadas as disposições em contrário".

Não é que seja mau ter um lugar na Câmara. Tomara eu lá estar. Não posso; não entram ali relojoeiros. Poetas entram, com a condição de deixar a poesia. Votar ou poetar. Vota-se em prosa, qualquer que seja, prosa simples, ruim prosa, boa prosa, bela prosa, magnífica prosa, e até sem prosa nenhuma, como o Sr. Dias Carneiro, para citar um nome.[2] Os versos, quem os fez, distribui-os pelos parentes e amigos e faz uma cruz às musas. Alencar (e era dos audazes) tinha um drama no prelo, quando foi nomeado ministro.[3] Começou mandando suspender a publicação; depois fê-lo publicar sem nome de autor. E note-se que o drama era em prosa...

Suponhamos que Luís Murat saía eleito, e que seu rival, o Augusto Teixeira, é que ficava com os quarenta votos. Com certeza, os versos de Murat não passavam a ser feitos pelo Teixeira; e era, talvez, uma vantagem. Em todo caso, ficávamos sem eles. Onde estão os do Dr. Afonso Celso?[4] José Bonifácio, se os fazia, enterrava-os na chácara...[5] Podia citar outros, mas não quero que a Câmara brigue comigo.

Vá lá outro abraço, e adeus. Agora, é arrazoar de dia no escritório de advogado, e versejar de noite. Não fazem mal as musas aos doutores, disse um poeta; podem fazê-lo aos deputados.

Antes de mais nada, disse eu a princípio; mas francamente não vi se tinha mais alguma coisa que dizer. Prefiro calar-me, não sem comunicar aos leitores uma notícia de algum interesse.

Os leitores pensam com razão que são apenas filhos de Deus, pessoas, indivíduos, meus irmãos (nas prédicas), almas (nas estatísticas), membros (nas sociedades), praças (no exército), e nada mais. Pois são ainda certa coisa, — uma coisa nova, metafórica, original.

Ontem, indo eu no meu bonde das tantas horas para (não digo o lugar), ao entrarmos no Largo da Carioca, costeamos outro bonde, que ia enfiar pela Rua de Gonçalves Dias. O condutor do meu bonde falou ao do outro para dizer que na viagem que fizera da estação do Largo do Machado até a cidade, trouxe um só passageiro. Mas não contou assim, como aí fica; contou por estas palavras: "Que te dizia eu? Fiz uma viagem à toa; apenas pude apanhar um carapicu..."[6]

Aí está o que é o leitor: um carapicu este seu criado; carapicus os nossos amigos e inimigos. Aposto que não sabia desta? Carapicu... Como metáfora, é bonita; e podia ser pior.

Boas Noites.

Notas

1 Luís Murat (1861-1929), jornalista radical, abolicionista e republicano, foi eleito deputado na República, em 1890. Também poeta "parnasiano dissidente e ainda hugoano" (Andrade Murici), autor de vários livros, entre os quais *Quatro poemas* (1885), *A última noite de Tiradentes* (1886), *O faquir* (1886), *Ondas I e II* (1890 e 1895). Na eleição mencionada, em que Murat figurou como candidato republicano, recebeu 39 votos, e seu rival, comendador Antônio Augusto Teixeira, 225.

2 Francisco Dias Carneiro Júnior (1837-1896). Fazendeiro e deputado maranhense. Na sua biografia, por Alberto Pizarro Jacobina (*Dias Carneiro, o conservador*), este diz que "No parlamento, Dias Carneiro não se notabilizou como orador" (p. 101); fez três discursos, um dos quais, em 1885, foi uma longa defesa da escravidão.

3 O drama em questão é *Expiação*, continuação de *As asas de um anjo*, escrita em 1865. É a única peça de Alencar que não foi encenada. Foi publicada sob o criptônimo***, em 1868, ano em que Alencar foi ministro da Justiça.

4 Afonso Celso de Assis Figueiredo (1860-1938), célebre sobretudo por ser o autor de *Por que me ufano do meu país*. Filho do visconde de Ouro Preto, poeta, abolicionista e liberal. Publicou três livros de poemas entre 1875 e 1881. Depois de eleito deputado em 1882, não publicou mais versos.

5 José Bonifácio publicou as *Poesias avulsas de Américo Elísio* em Bordéus em 1825, no exílio. Não voltou a publicar poesia.

6 Essa palavra, que designa um pequeno peixe quase sem valor comercial, era expressão da gíria contemporânea, usada por exemplo n'*O cortiço*, de Aluísio Azevedo (1890), para designar um bando de capoeiras. Hélio Guimarães, no seu livro *Os leitores de Machado de Assis*(p. 25), explica a imagem citando uma crônica de 15 de março de 1877 (*Obra completa*, 1959, vol. III, p. 364), em que se refere justamente à "pescaria" dos bondes que vão lentamente, "a catar um passageiro de longe".

Crônica 18

7 de agosto de 1888

BONS DIAS!

Apesar desta barretada e da minha usual cortesia, fiquem sabendo que ando armado; trago aqui uma pistola, para meter uma bala na cabeça do primeiro que me falar ainda em Maria das Dores, Umbelino, Ramos, Vilar, e o mais que se prende ao crime da Rua da Uruguaiana.[1]

Crimes, em se tornando longos, aborrecem; os próprios crimes políticos perdem o sabor, com o tempo; mas, enfim, vão vivendo. Olhem o caso do Bananal;[2] esse está ainda fresco, cheio de interesse e significação. Trata-se de uma família dividida por política, um sobrinho, um tio, alguns tiros, assassinato; é a primeira feição; segunda feição: pelos depoimentos se conclui que uma das causas recentes do ato foi haver passado o comando superior da Guarda Nacional, do tio (Comendador Nogueira) para o sobrinho (Coronel Ramos). Tudo isto vale mais que trinta delitos da Rua Uruguaiana.

Há ainda uma terceira feição no processo Bananal. Uma das testemunhas depôs que a vida do Coronel Ramos e a de outras pessoas andavam *em quitanda*.[3] Esta feição é puramente de língua e de estilo. Vemos aqui uma expressão nova, — ao menos para mim, — nova e brasileira, genuinamente brasileira; expressão da roça, que bem merece direito de cidade. Estar com a vida *em quitanda*, pôr a vida *em quitanda*... Até por isso há mais interesse no crime do Bananal.

Não falarei das duas primeiras. A segunda principalmente é muito significativa. Esse rancor deixado ou acrescido com a troca de um posto de comandante superior da Guarda Nacional há que atrapalhar (ou quem sabe se esclarecer em muitos casos?) o historiador futuro. Terrível Guarda Nacional!⁴ Tu és mansa, tu és pacífica, tu chegas mesmo a não existir; mas quão funestos são os ódios que deixas! Verdade é que costumas consolar também. Possuo um retrato de mil oitocentos e sessenta e tantos; é de um varão, agora defunto, e que por esse tempo já não era nada; quero dizer, era isto que se lê por baixo da litografia da casa Sisson:⁵ *"Ao ilustríssimo Senhor Fulano, ex-major do batalhão de reserva, oferecem, etc..."*

Ex-major e de reserva! Tão pouca coisa consolava o homem, e até lhe dava certo orgulho, porque a figura é altiva, e marcial. Ex-major e de reserva!

Há de haver algum mistério nessa instituição. Eu, ainda de rapaz já achava esquisito que os liberais de outros países a quisessem, e que os do nosso falassem sempre em extingui-la. Concluí que não era a mesma coisa; mas então o que era? Agora mesmo, para complicar mais o problema, o indiciado Nogueira (do Bananal) é paralítico; estado que parece impedir qualquer comando superior ou inferior. Não entendo; duvido que alguém chegue a entendê-lo nunca.

Há outra espécie de crimes, que, não se tendo dado, são mais interessantes que o da Rua da Uruguaiana. Não há muito, em discurso na Câmara dos Deputados, declarou o Sr. Zama que tivera três processos às costas, sendo um deles por crime de morte; o Sr. Barão de Jeremoabo respondeu, em aparte, que fora processado igual número de vezes, sendo uma vez por assassinato. Contaram isso, ninguém se admirou, ninguém lhes negou a mão, tomaram café com os colegas, e lá estão nos seus lugares; a razão é que toda a gente sabe que são crimes supostos; se morte houve, não houve assassinato. São truques políticos.

Outro gênero de crimes, que não deixa de ser curioso, é o dos crimes de *resistência*.⁶ Um ex-deputado, há tempos, dissolvida uma câmara, disse-me que não ia pleitear a eleição no distrito, à vista da agitação política. Se lá fosse, era preso, *resistia*, e ficava morto na luta.

— Pois não resista, disse-lhe eu.

— Ah! isso é impossível; ainda que eu vá tranqüilo, rezando comigo, obediente, hei de *resistir* por força; o meu distrito é assim. Resiste-se, morre-se na luta.

Ora, digam-me se qualquer de tais crimes não é muito mais interessante do que o da Rua da Uruguaiana. Este não tem o sabor dos outros, nem envolve os mesmos problemas... Portanto, repito, trago aqui uma pistola e estou pronto a disparar sobre quem me vier falar de Maria das Dores... É verdade que, se tal caso se der, será justamente a parte interessante do crime da Rua da Uruguaiana, não só pelas qualidades que me exornam, como porque será a última vez que lhes dê as minhas

Boas Noites.

Notas

1   Esse crime foi o assunto do dia: em 27 de julho, Umbelino Joaquim de Silos matara a tiros Antônio Joaquim de Santana Ramos, por tê-lo enganado com sua mulher. O assassinato foi fartamente noticiado nos jornais, e o interesse público nos detalhes da história foi muito grande. Na longa reportagem de 28 de julho (p. 1, col. 8), o *JC* diz que a curiosidade era tanta que, "quando o povo acotovelou-se na Rua do Ouvidor para ver o que se passava, os gatunos aproveitaram-se da confusão e subtraíram diversos relógios a alguns curiosos"! Não sei se o desinteresse machadiano é real ou fingido, pois as atitudes do "grande público" e dos jornais têm seu interesse para o leitor de hoje. Impressionam sobretudo a simpatia pelo marido desonrado (e assassino), que foi absolvido (suicidando-se pouco depois), e a tendência a classificar a mulher como *femme fatale*, sedutora dos dois homens (v., p. ex., a reportagem do *JC* de 1º de agosto, que insinua claramente que ela é mentirosa e cínica).

2   Esse assassinato aconteceu no dia 20 de julho, e chegou a ser assunto para uma grande charge de Ângelo Agostini na *Revista Ilustrada*, de 28 de julho. De fato, é um retrato vivo de certos aspectos da sociedade do interior, e é evidente que Machado leu as reportagens detalhadamente. Foram mortos o coronel Pedro Ramos Nogueira e o dr. Ramos Horta: o "troly" deles foi detido por uma trincheira em frente da casa do comendador Antônio José Nogueira, e foram abatidos a tiros. Ao que parece, sabia-se que o autor principal do crime tinha sido o comendador, secundado por seu sogro, e já na reportagem do dia 21 de julho no *JC* (p. 1, col. 8) diz-se "Atribui-se geralmente o móvel do crime ao fato de ter sido ultimamente reformado o Comendador Nogueira, que era o comandante superior da Guarda Nacional, para servir interinamente o finado Coronel Ramos". A reportagem no mesmo jornal de 23 de julho (p. 1, col. 7) menciona "a circunstância de ser o Comendador Nogueira paralítico e não podia fazer a viagem a pé" quando foi levado para a cidade do Bananal. As notícias estão cheias de empregados e agregados que não se atrevem a dizer a verdade: "Não me façam mal, porque quem matou foi sinhô velho", diz um deles. No dia 2 de agosto (*JC*, p. 2, cols. 1-3), nas reportagens sobre as interrogações das testemunhas, Domingos de Matos Barreiros, 48 anos, diz que "sabe, por ouvir dizer desde muito tempo, que a vida [do Coronel Pedro Ramos] e a de outras pessoas [...] andavam *em quitanda*, não por parte do Comendador

Nogueira pessoalmente, mas por sua gente". Vê-se por outros trechos que a história é antiga, e que as lutas entre "a gente do réu e a gente do Curato" datam de alguns anos. No dia 3, finalmente, mencionando novamente a substituição do comandante pelo coronel no comando da Guarda Nacional, o *JC* comenta que "esse fato, efetivamente de diminuto alcance, pode ter tido o efeito de exacerbar ainda mais o ânimo do querelado Nogueira, que, como é notório, ligava extrema importância à sua posição de comandante superior da Guarda Nacional" (p. 2, cols. 6-7).

3   Suponho que essa frase, que não é explicada no trecho (citado na nota anterior) de onde Machado a tirou, quer dizer "à venda" ou "em leilão"; isto é, que havia mercado de vidas no sentido de que os que queriam a morte de uma pessoa e os que costumavam, digamos, por "profissão", cumprir sua vontade acertavam um preço.

4   A Guarda Nacional foi criada em 1831, por imitação do modelo francês, como milícia local, "para manter a obediência às leis, conservar ou restabelecer a ordem e a tranqüilidade públicas; e auxiliar o exército de linha na defesa das fronteiras e costas". Perdeu importância, porém, durante o Segundo Reinado, e já no fim do período tinha somente importância local.

5   A casa Sisson (do francês Sébastien Auguste Sisson) publicou sua obra mais famosa, a *Galeria de brasileiros ilustres*, em 1859-1861.

6   É claro que resistência é eufemismo para assassinato: é o moderno "morto em tentativa de fuga".

Nesta página e na seguinte: Charges relativas aos dois crimes que Machado contrasta na crônica de 7 de agosto de 1888 (nº 18) (*Revista Ilustrada*, ano 13 [1888], nº 507, pp. 4-5).

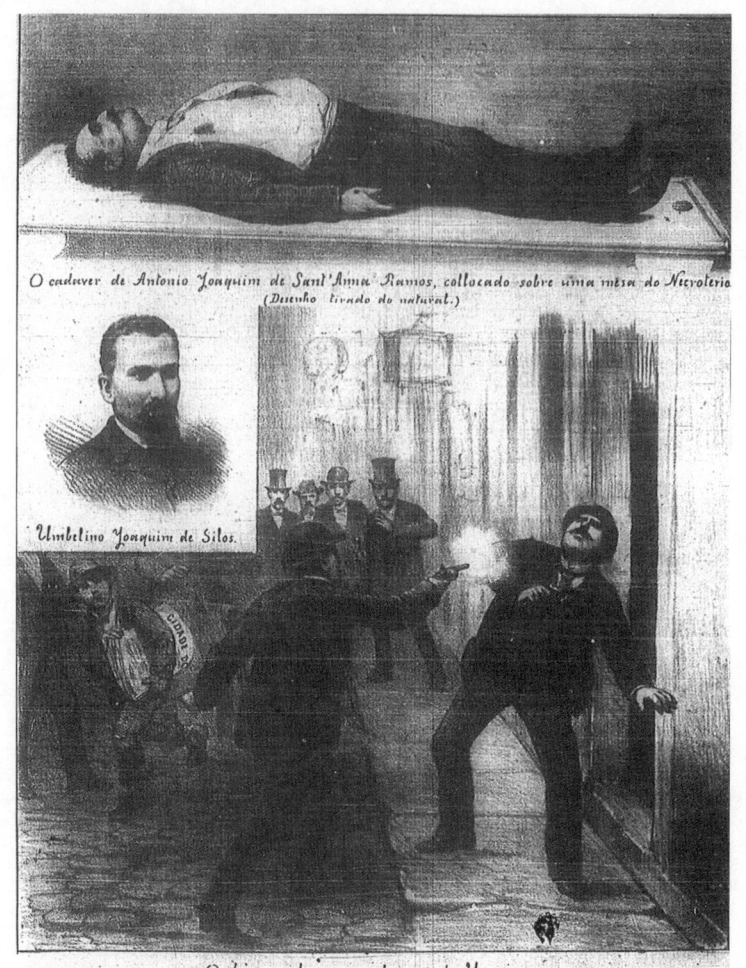

O cadaver de Antonio Joaquim de Sant'Anna Ramos, collocado sobre uma mesa do Necroterio
(Desenho tirado do natural.)

Umbelino Joaquim de Silos.

O drama de sangue da rua da Uruguayana.
No dia 24, às 6¾ horas da tarde, encontrando-se no ponto dos bonds de Villa-Izabel, Sant'Anna Ramos e Silos, depois de breve altercação, este, em desaggravo da sua honra, disfechou-lhe 3 tiros, matando-o instantaneamente.

Crônica 19

26 de agosto de 1888

BONS DIAS!

Agora que tudo está sossegado, aqui venho de chapéu na mão e dou-lhes os bons dias de costume. Como passaram do outro dia para cá? Eu bem. Vi a chegada do imperador, as manifestações públicas, as iluminações, e gostei muito.[1] Dizem que houve na Rua do Ouvidor uns petelecos e não sei se algum sangue;[2] mas como eu não piso na Rua do Ouvidor, desde 1834, não tenho sequer este delicioso prazer de saber que escapei de boa. Não escapei de nada.

Estou a ver daqui a cara do leitor, os olhos curiosos que estica para mim, a fim de adivinhar o que vai acontecer nestes seis meses mais próximos, em relação à política. Bate a ruim porta, meu amigo. Eu, se pudesse saber alguma coisa, compunha um almanaque, gênero Ayer, anunciando as tempestades ou simples aguaceiros.[3] Mas não sei nada, coisa nenhuma. Moram aqui perto um deputado e um senador, com quem me dou; mas parece que também não sabem nada. A única coisa positiva é que a primavera começa em setembro e que a semana dos quatro domingos ainda não está anunciada. É verdade que, tendo um geólogo moderno calculado que a duração da terra vai a mais de um milhão de séculos,[4] há tempo de esperar alguma coisa, ainda quando o milhão de séculos deva ter um grande desconto, para a nova vida, desde que se apague o sol, isto é, daqui a dez milhões de anos.

O que me agrada particularmente nos mestres da Astronomia são os algarismos. Como essa gente joga os milhões e bilhões! Para eles umas mil léguas representa pouco mais que de Botafogo ao Catete... Creio que é Catete que ainda se diz; avisem-me quando for João Alves...⁵ E o tempo? Quem não tiver cabeça rija cai por força no chão; dá vertigens todo esse turbilhão de números inumeráveis. Ainda não vi astrônomo que, metendo a mão no bolso, não trouxesse pegados aos dedos uns dez mil anos pelo menos. Como lhes devem parecer ridículas as nossas semanas! A própria moeda nacional, inventada para dar estímulo e grandeza à gente, os seiscentos, os oitocentos mil-réis, que tanto assombram o estrangeiro novato, para os astrônomos valem pouco mais que coisa nenhuma. Falem-lhes de milhões para cima.

Se eu tivesse vagar ou disposição, puxava os colarinhos à filosofia e diria naquele estilo próprio do assunto que esta nossa deleitação a respeito dos trilhões astronômicos é um modo de consolar a brevidade dos nossos dias e do nosso tamanho. Parece-nos assim que nós é que inventamos os tempos e os espaços; e não somente as dimensões e os nomes. Uma vez que os inventamos, é que eles estavam em nós.

Muita gente ficará confusa com o milhão de séculos de duração da terra. Outros dirão que, se isto não é eterno, não vale a pena escrever nem esculpir ou pintar. Lá eterno, como se costuma dizer, não é; mas aí uns dez séculos, ou mesmo cinco, é o que se pode chamar (com perdão da palavra) um retalho de eternidade.

Nem por isso os nossos políticos escreverão as suas memórias, como desejara o Sr. Senador Belisário.⁶ Há muitas causas para isso. Uma delas é justamente a falta do sentimento da posteridade. Ninguém trabalha, em tais casos, para efeitos póstumos. Polêmica, vá; folhetos para distribuir, citar, criticar, é mais comum. Memórias pessoais para um futuro remoto, é muito comprido. E quais sinceras? quais completas? quais trariam os retratos dos homens, as conversações, os acordos, as opiniões, os costumes íntimos, e o resto? Que era bom, era; mas, se isto acaba antes de um milhão de séculos?

Boas Noites.

Notas

1 O imperador chegara da terceira de suas viagens à Europa em 22 de agosto. No dia 23, o *JC*, por exemplo, conta os festejos em estilo ditirâmbico: "Não conta a nossa história, nem registram os fastos de outras monarquias muitos dias como os de ontem, em que se viu a população de uma grande capital, sem distinção de nacionalidades, de posições ou de condições sociais, precipitar-se radiante de prazer, com o sorriso nos lábios e as mãos cheias de flores ao encontro do chefe da nação" (p. 1, col. 1).

2 Esses distúrbios, que perturbaram a atmosfera oficial de regozijo e de "tranqüilidade pública" — frase que intitula a reportagem sobre o assunto do *JC* em 24 de agosto (p. 2, col. 2) — que devia rodear a volta do imperador, foram obra de alguns republicanos.

3 Os almanaques, dos quais o mais popular era o de Ayer, continham previsões sobre o tempo durante o ano, além de muitas outras matérias.

4 Não sei identificar esse geólogo em particular. A idade conhecida da Terra, agora calculada em 4,6 bilhões de anos, crescia constantemente no século XIX.

5 Protesto tipicamente machadiano contra as mudanças dos nomes tradicionais das ruas, para homenagear pessoas muitas vezes insignificantes.

6 Francisco Belisário Soares de Sousa (1839-89), conservador e escravagista, senador desde 1887. Ministro da Fazenda no gabinete Cotejipe, "quando [segundo a *Enciclopédia Delta*] teve notável atuação em favor da economia nacional, consolidou a dívida flutuante, reorganizou os serviços, reduziu os encargos do tesouro, criou o fundo de resgate, reformou gradualmente as tarifas aduaneiras, etc.". O contexto de sua observação não deixa de ser interessante, se pensarmos, por exemplo, na crônica 43, em que Machado tenta falar com os espíritos dos fundadores do "regime" do Segundo Reinado, como Bernardo de Vasconcelos e outros. Desde a época da Maioridade, diz Belisário, os partidos têm por costume abandonar os princípios na caça ao poder.

> "Desde essa época, a coroa tomou por sistema outro meio que escapava um pouco mais aos olhos da população, e para isso concorreu muito a criação do presidente do conselho, e sua instalação junto ao imperante; pois sendo sempre um homem mais ou menos superior, incapaz de trair as confidências, como é do seu dever, tomava a responsabilidade de uma política, que muitas vezes não é sua, ou deixava o poder, sem dar as verdadeiras razões por que o fazia, quando discordava das opiniões da coroa.
> Sr. presidente, há sempre na nossa história política uma grande obscuridade sobre estes assuntos de caráter reservado; nós não escrevemos memórias; os homens políticos não explicam os fatos e as cenas em que tomaram parte, ou em que foram autores."

Crônica 20

6 de setembro de 1888

BONS DIAS!

Não é pelo gosto de imitar o Fradique Mendes,[1] que uso tomar nota de algumas frases parlamentares. Nem o conhecia ainda, quando já praticava este salutar costume. Nunca o disse a ninguém: digo-o agora, para que, quando morrer, se aparecer no meu espólio um livro assim, não me atribuam qualquer idéia de plágio.

Ainda na semana passada lá deixei uma nota, um pequeno aparte do Sr. Senador Siqueira Mendes:[2] "Eu fui quem falou a ele". Referia-se a um presidente de província, mas podia referir-se a três, que tinha a mesma graça. "Eu fui quem falou a ele".

Escrevendo isto, não trago a menor intenção de me meter na questão entre aquele nobre senador e o Sr. Barão de Cotejipe;[3] menos ainda na revelação dos estatutos que o Sr. Deputado A. Pena descobriu e leu na Câmara.[4] Demais, este último caso é velho, e ninguém mais se lembra dele. *Où sont les neiges d'antan?*[5] Tão-somente os observadores de gabinete poderão ir acumulando esses e outros sintomas para estudos sociais; mas, cá fora, onde a gente vive e respira, não há tempo, os dias andam mais depressa, pela medida dos anos de Horácio.[6]

Nova, nova, temos uma coisa; o anúncio de que o Sr. Senador Ávila vai tomar parte no concurso de tiro do Clube de Esgrima.[7] Se o Sr. Ávila quer um conselho de amigo, não se meta nisso; pelo menos, se ainda tem desejo de ser ministro; e, quando não o tenha, pode ser obrigado a sê-lo, que para isso está na política. Dado até que nem o queira nem o seja, é prudente não ir ao concurso. Vou dizer-lhe por quê.

Em absoluto, não há nada mau em atirar ao alvo; ao contrário, é exercício aprovado e louvável; mas todas as coisas dependem do meio. Os tiros que o Sr. Ávila disparar no concurso, hão de cair-lhe em cima. Tem de ouvir epigramas, pôr-lhe-ão uma alcunha, pedir-lhe-ão a espingarda. Não faltará quem pense que S. Exa. nesse dia rebaixou o Senado até a vil competência de um exercício sem dignidade. Quando ministro, dir-lhe-ão a rir: "O tiro de V. Exa. não chegou ao alvo".

Tome o meu conselho; dispare um desaforo, que é melhor. Um parlamentar de espingarda na mão, ninguém ainda o concebe nem admite. Dispare uns documentos, lidos de fio a pavio, como fez agora, mas guarde a espingarda para caçar no mato, ou atirar à toa, no fundo da chácara.

E por falar em documentos, S. Exa. ao ler agora alguns, referiu-se à regra estabelecida no regimento do Senado, que não permite a inserção de nenhum no discurso do orador, desde que não seja lido. Ora, valha-me Deus! Pois não é muito melhor a regra da Câmara!* Na Câmara, o orador refere-se a documentos que traz, e, se lhe não convém lê-los, declara com esta simplicidade:

— Não os leio, para não fatigar a Câmara, mas incluí-los-ei no meu discurso.

À primeira vista, parece que só se pode imprimir oficialmente aquilo que a Câmara ouviu, e cuja publicação consente pelo silêncio; é o fundamento da disposição do Senado. Mas, atentando bem, vê-se que não. A boa regra é que o discurso de um orador pertence-lhe; que ele pode fazer dele o que quiser, trocá-lo, ampliá-lo ou *amenizá-lo*, como dizia há dias na Câmara o Sr. Barão de Jeremoabo, protestando contra uma expressão do Sr. Mesquita.[8] Logo, ele pode lá meter o que quiser, um documento, vinte documentos, cartas particulares, o *Evangelho de São Marcos*, ou as belezas de Chateaubriand.[9] Se a constituição garante a

---

* O jornal tem esse ponto de exclamação, que MJ substitui por um ponto de interrogação. Do ponto de vista da gramática, a substituição será correta, mas como, do ponto de vista coloquial, a versão do original também cabe, creio preferível mantê-la.

propriedade das minhas calças, que estão fora de mim, como não há de garantir a propriedade do meu pensamento? É idéia velha e invulnerável.

Que o Senado é superior em muitas outras coisas, não há dúvida; e é por isso que, se algum desejo me mata, é de não poder morrer lá. A Câmara pode arranjar crises, deitar ministérios abaixo, mas o Senado é que compõe os novos; e quando a Câmara é dissolvida, o Senado chega às janelas para vê-la passar e ouvi-la repetir o que aprendeu na escola: *Morituri te salutant.*[10] Pois bem, naquele ponto, acho melhor o sistema da Câmara. A gente inclui o que quer; se teve dares e tomares com algum rival do distrito, põe tudo em letra oficial, sem gastar o tempo precioso em ler cartas anônimas ou artigos de jornais. Já não falo na economia...

Creio que tenho alguma coisa que dizer, mas não me lembro. Não era o Liceu, não eram as letras falsas, não era o fogo de Botafogo...[11] Seja o que for,

Boas Noites.

Notas

1 De 26 de agosto até 4 de setembro, dois dias antes desta crônica, a *GN* tinha publicado seis cartas d'*A correspondência de Fradique Mendes*, de Eça de Queirós. O trecho a que Machado se refere é a parte final da última carta a ser publicada. Cito um trecho relativamente extenso, em parte porque não se encontra nas versões da *Correspondência* publicadas em Portugal, que se baseiam noutra publicação, e em parte pela própria graça de Eça, pela sua ironia mais galhofeira que a de Machado:

"Como contei, Fradique costuma ler o *Diário das Câmaras*, e quando encontrava uma suprema sandice, um soberbo dito à Calino, alguma chata e desoladora banalidade — riscava a coisa a lápis vermelho. O seu secretário (um moço algarvio, Pedro Vidal) copiava depois num pesado fólio esses trechos, pondo-lhe por baixo o nome do autor e a data. Este livro magnificamente encadernado em ébano, tinha por título *Livro d'ouro da sandice parlamentar*. Pertence hoje a um amigo meu, e nada conheço mais terrível. Poucos são os homens públicos em Portugal que não possam ser amarrados ao atroz pelourinho do Ridículo, entre as risadas estridentes da multidão, com citações extraídas desse imenso e formidável depósito. Ora, uma tarde, o duque de *F.N.*, então embaixador de Espanha em Paris, vendo este livro nos quartos de Fradique, e pelo luxo bárbaro da encadernação pensando ser um álbum d'arte — abriu-lhe os fechos de prata. Nunca esquecerei a aflição com que Fradique correu e gritou: 'Mon Dieu, ce sont des lettres de femme!'

O pobre duque recuou, aterrado: e Fradique sepultou o *Livro d'ouro da sandice parlamentar* nas profundidades duma arca de D. João III, entre antigas colchas de seda. Pensou mesmo depois em o queimar. Mas o seu interesse de crítico prevaleceu sobre a sua piedade de cidadão".

2   Cônego Manuel José de Siqueira Mendes (1825-92), paraense, senador liberal desde 1886. Não encontrei esse aparte, que deve estar nas reportagens.

3   Barão de Cotejipe (v. cr. 8, n. 2). A "questão" dizia respeito à nomeação de um presidente do Pará pelo governo conservador chefiado por Cotejipe. Parece que Siqueira Mendes insinuava que houvera corrupção em relação a alguns contratos.

4   Afonso Pena (1847-1909), deputado liberal mineiro, que mais tarde veio a ser presidente da República. Os documentos que leu tratavam do "grande número de nomeações para a guarda nacional e condecorações distribuídas para a província do Pará, sendo que esta última parte prende-se a um novo sistema de impostos que o orador não pode deixar de censurar" — eram taxas, de até um conto de réis (três contos, se escolhido) para candidatos aos parlamentos nacional e local. Afonso Pena diz que "não sabe se o documento que tem em mãos é autêntico ou apócrifo, porque traz a data de 1 de abril". A julgar pelo seu comentário ("esse último caso é velho"), Machado está menos surpreendido.

5   "Onde estão as neves de antanho?", estribilho famoso da "Ballade des dames du temps jadis", de François Villon (1431-1489), e que Machado usa ou adapta mais de uma vez.

6   Outra citação e lugar-comum: "Eheu fugaces, Postume, Postume, / Labuntur anni", das *Odes* de Horácio, livro II, poema 14: "Ai de mim, Póstumo, como os anos passam velozes".

7   Henrique Francisco d'Ávila (1833-1900), senador liberal (desde 1882) pelo Rio Grande do Sul. Aqui, parece-me que Machado está comentando indiretamente um discurso que Ávila tinha pronunciado no Senado no dia 24 de agosto, e em que se mostrou bom humanista à Quincas Borba. O *JC*, em 25 de agosto (p. 1, col. 3), resume assim: "O Sr. Ávila, prosseguindo, entra em detidas [eufemismo para longas e pedantes?] considerações para mostrar que a paz universal, de que se declaram sectários os Srs. Dantas e Cândido de Oliveira, não passa de uma generosa utopia. A guerra é tão necessária como as tempestades que purificam o ar, e ela constitui um fato antropológico normal. Querer que não haja guerras é pretender a supressão da natureza física e das paixões humanas no mundo moral". *O País* (p. 1, col. 1), no mesmo dia, comentou esse discurso, o que reforça minha hipótese de que foi o assunto do dia, a que Machado não precisava se referir diretamente. Os papéis que leu na Câmara diziam respeito a possíveis indenizações para algumas vítimas da invasão paraguaia de 1864.

8   Elpídio Pereira de Mesquita (1857-?), deputado liberal. O barão de Jeremoabo protestava contra a inserção de insultos que, segundo ele, não proferira, na versão impressa de um discurso seu: "Eu portanto, venho pedir a V. Exa. providências para que não fique estabelecido o precedente de, na revisão das provas do discurso, em vez de se amenizarem algumas frases, se aumentem com palavras injuriosas [...]. Este precedente não deve ficar, porque felizmente não estamos no Xique-Xique, estamos no parlamento brasileiro, onde deve haver mais respeito, moralidade, e cavalheirismo". Momentos depois, o presidente teve que suspender a sessão, tal a balbúrdia. Parece que a frase "não parlamentar" foi "as trapaças do Sr. Barão de Cotejipe" (*JC*, 28 de agosto, p. 1, cols. 2-3).

9   A prosa do escritor romântico François René, visconde de Chateaubriand (1768-1848), está cheia de trechos de bravura, e foi um modelo muito admirado no século XIX, inclusive por Machado.

10 "Os que vão morrer saúdam-te": frase originária de Suetônio (+128 d.C.), que consta da sua biografia do imperador Cláudio.
11 O Liceu de Artes e Ofícios estava ameaçado de encerramento, porque o governo tinha recusado algumas condecorações propostas pelo diretor para uns 70 professores que trabalhavam ali gratuitamente; as letras falsas, no valor de 44 contos de réis, tinham sido apresentadas ao Banco do Brasil; o "fogo de Botafogo" foi um fogo de artifício, parte das comemorações do regresso do imperador.

Crônica 21

16 de setembro de 1888

BONS DIAS!

Venho de um espetáculo longo, em parte interessante, em parte aborrecido, organizado em benefício do incidente Manso.¹

Começou por uma comédia de Musset: *Il faut qu'une porte soit ouverte ou fermée*.² Não confundam com o drama de grande espetáculo *Fechamento das portas*, representado há dias no Liceu, com alguma aceitação.³ Não: a peça de Musset é um atozinho gracioso e límpido. Trata-se de um conde, que vai visitar uma marquesa, e não acaba de sair nem de ficar, até que a dama conclui por lhe dar a mão de esposa. Clara alusão ao incidente Manso.

No dia seguinte, tivemos um drama extenso e complicado, cujos atos contei enquanto me restaram dedos; mas primeiro acabaram-se os dedos que os atos. Cuido que não passariam de vinte, talvez dezenove. Boa composição, lances novos, cenas de efeito, diálogos bem travados. Um dos papéis, escrito em português e latim, produziu enorme sensação pelo inesperado. Dizem que a inovação vai ser empregada cá fora, por alguns autores dramáticos, cansados de escrever em uma só língua, e, às vezes, em meia língua. Os monólogos, os diálogos, que eram vivíssimos, e os coros foram, se assim se pode dizer de obra humana, irrepreensíveis.

Essa peça, começada no segundo dia, durou até o terceiro, porque o espetáculo, para em tudo ser interessante, imitou esse uso das representações japonesas, que não se contentam com quatro ou cinco horas.⁴ Não bastando o drama, deram-nos ainda uma comédia de Shakespeare,

As You Like it, — ou, como diríamos em português, *Como aprouver a Vossa Excelência*.⁵ Posto que inteiramente desconhecida do público, pareceu agradar bastante. Dois outros espectadores aplaudiram por engano umas cenas, em vez de outras; mas a culpa foi dos amadores, que não pronunciaram bem o inglês.

Como acontece sempre, algumas pessoas, para se mostrarem sabidas dos teatros estrangeiros,* disseram que era preferível dar outra comédia do grande inglês: *Muito barulho para nada*.⁶ Mas esta opinião não encontrou adeptos.

Pela minha parte, achei o defeito da extensão. Espetáculos daqueles não devem ir além de duas ou três horas. Verdade é que, sendo numerosos os amadores, todos quereriam algum papel, e para isso não bastava esse ato de Musset. Bem; mas para isso mesmo tenho eu o remédio, se me consultassem.

O remédio era o fonógrafo, com os aperfeiçoamentos últimos que lhe deu o famoso Edison.⁷ Fez-se agora a experiência em Londres, onde por meio do aparelho se ouviram palavras, cantigas e risadas do próprio Edison, como se ele ali estivesse ao pé. Um dos jornais daquela cidade escreve que o fonógrafo, tal qual está agora aperfeiçoado, é instrumento de duração quase ilimitada. Pode conservar tudo. Justamente o nosso caso.

Acabada a representação, em pouco tempo, segundo convinha à urgência e gravidade do assunto e do momento, se ainda houvesse amadores que quisessem um papel qualquer, grande ou pequeno, o diretor faria distribuir fonógrafos, onde cada um daqueles depositaria as suas idéias; podiam ajustar-se três ou quatro para os diálogos.

A reprodução de todas as palavras ali recolhidas podia ser feita, não à vontade do autor, mas vinte e cinco anos depois. Ficavam só as belezas do discurso; desapareciam os inconvenientes.

E, reparando bem, está aqui o remédio a um dos males que afligem o regime parlamentar: o abuso da palavra. Não é fácil, mas é possível. Basta fazer uma escolha de oradores, um grupo para cada negócio, por ordem; os restantes confiariam ao fonógrafo os discursos que a geração futura escutaria.

---

* Falta essa vírgula no jornal.

No ano de 1913, por exemplo, abriam-se os fonógrafos, com as formalidades necessárias, e os nossos filhos ouviriam a própria voz de algum orador atual discutir o orçamento da receita geral do Império: ... "E, perguntaria ao nobre ministro, sabe que faleceu o tabelião de Ubatuba? Esse homem padecia de uma afecção cardíaca, mas ia vivendo; tinha mulher e quatro filhos, — o mais velho dos quais não passava de sete anos. Note S. Exa. que o tabelião nem era filho da província; nasceu em Cimbres,[8] e de uma família respeitável; um dos irmãos foi capitão do 7º regimento de cavalaria, e esteve em Itororó;[9] a sua fé de ofício é das mais honrosas que conheço; lê-las-á daqui a pouco; mas, como dizia, o tabelião de Ubatuba ia vivendo, com a sua afecção cardíaca e dois dedos de menos, circunstância esta que lhe tornava ainda mais penoso o escrever, mas à qual se acomodava pela necessidade. A perda de dois dedos originou-se de um fato doméstico, com o qual nada tem esta Câmara, posto que, ainda aí se possa ver um exemplo, não direi raro, mas precioso, das virtudes daquele homem. Chovia, uma das cunhadas do tabelião... Mas eu prefiro chegar ao caso principal, a entrada do Alferes Tobias. Senhores, este alferes..."

E deste modo, discursos que hoje não se lêem, chegariam à posteridade com frescura da própria cor do orador. Os jornais do tempo os reproduziriam, os sociologistas viriam lê-los e analisá-los, e assim os lingüistas, os cronistas, e outros estudiosos, com vantagem para todos, começando talvez por nós, — ingratos!

Boas Noites.

Notas

1 O "incidente Manso" foi dos mais comentados da época. O deputado republicano mineiro Antônio Monteiro Manso recusou-se, em 6 de setembro, a prestar juramento à coroa ao tomar posse. Após dias de debate, a Câmara decidiu afinal, no dia 11, que "Só seria dispensado de prestá-lo o deputado que declarar à mesa ser o dito juramento contrário às suas crenças e opiniões políticas". Ver o capítulo "Monteiro Manso, o deputado sem juramento", em MJ, *O Império em chinelos* (pp. 264-71).
2 Alfred de Musset (1810-1857), dramaturgo e poeta romântico. A peça é de 1845. Para a relação de Machado com Musset, ver João Roberto Faria, "Machado de Assis, leitor de Musset", *Teresa*. USP, Editora 34, Imprensa Oficial, nºs 6/7, pp. 364-84.

3   O movimento para reduzir o número de horas em que ficavam abertas as lojas e em que, por conseqüência, os caixeiros tinham que trabalhar, era intermitente nos últimos anos do século. Nem aos domingos fechava, fato mencionado por Machado na crônica 25, em que trata do assunto mais detidamente.

No Liceu de Artes e Ofícios havia, nessa época, uma greve de professores, e suponho que Machado se refere aqui a algum incidente relacionado com essa luta.

4   Aqui, Machado parece referir-se ao fato de que, no teatro japonês, cenas de várias peças podem ser representadas numa única sessão. Havia, é claro, uma onda de interesse pelo Japão, e por sua cultura, na última parte do século XIX, que acompanhou o surgimento desse país como potência mundial.

5   Essa é uma tradução literal, e deliberadamente pomposa, do título da peça de Shakespeare, que normalmente vem traduzido de forma mais simples, *Como quiser*. Evidente comentário ao gosto estilístico dos fãs do incidente Manso.

6   *Much ado about nothing*, em inglês.

7   Thomas Alva Edison (1847-1931), americano, e talvez o mais famoso inventor do século XIX.

8   Lugar de Pernambuco que agora se chama Pesqueira.

9   Batalha da Guerra do Paraguai (com vitória brasileira), em 1868. Machado parece associar esses "aguaceiros de palavras" (frase de *Quincas Borba*, cap. 34) com campanhas militares: o maravilhoso exemplar daquele capítulo é do major Siqueira, veterano de Monte Caseros, batalha da guerra do rio da Prata, de 1853.

Crônica 22

22 de outubro de 1888

BONS DIAS!

Não me acham alguma diferença? Devo estar pálido, levanto-me da cama, e se não fosse a Alfaiataria Estrela do Brasil... quero dizer o xarope de Cambará,[1] ainda agora lá estava. Podia contar-lhes a minha doença; para os convalescentes não há prazer mais fino que referir todas as fases da moléstia, as crises, as dores, os remédios; e se o ouvinte vai de *bonde*, ruminando alguma coisa, então é que a narração nunca mais acaba. Descansem, que não lhes digo o que foi: limito-me a cumprimentá-los.

E vosmecês, como vão da sua tosse? Provavelmente não perderam o *pique-nique* (tenho lido esta palavra escrita ora *pik-nik*, ora *pic-nic*;[2] depois de alguma meditação, determinei-me a escrevê-la como na própria língua dela), nem sessões de câmaras, nem a entrega da Rosa de Ouro a Sua Alteza Imperial.[3] E eu de cama, gemendo, sabendo das coisas pelas folhas. Foi por elas que soube da interpelação do Sr. Zama, a qual deu lugar à *Gazeta de Notícias* proferir uma blasfêmia.[4] Dizia ela que direito de interpelação degenera aqui, e chama-lhe válvula.

A *Gazeta* parece esquecer a teoria dos meios, não estudou bem a climatologia, e finalmente não me consultou, porque eu lhe diria que nada degenera e tudo se transforma.[5] Há lugares onde o quiosque é ocupado por uma mulher que vende jornais; aqui é ocupado por um homem que vende o bom café, a bela pinga e o rico bilhete de loteria. Pode-se chamar a isto válvula? Note-se que também ali se vendem jornais, — o que reforça minha asserção.

Uma hipótese. Pessoa muito entendida em costumes americanos me contou que no congresso e no senado dos Estados Unidos, como o melhor trabalho é feito pelas comissões, os oradores (salvo exceções de estilo) apresentam-se com os discursos na mão, lêem só o exórdio e o final, e mandam para a imprensa nacional os manuscritos. *Time is money.* Os eleitores que os leiam depois. Suponhamos que, transplantado para aqui este costume, os nossos discursos se compusessem só de exórdios e finais, muito compridos ambos; diríamos que era degeneração ou transformação? E, mais que tudo, chamaríamos a isto válvula? Válvula é nome que se diga? Válvula será ela.

Sou assim; não gosto de ver censuras injustas e prefiro os métodos científicos.* Há dias, o meu cozinheiro arranjou um prato de mil diabos, e mandando eu chamá-lo, censurei-o asperamente. Ele sorriu cheio de piedade, e disse-me, com um tom que nunca mais me há de esquecer:

— V. Exa. fala mal deste arroz, porque não conhece os métodos científicos.

Tanto mais me espantou esta resposta, quanto que sempre o vi a ler um velho romance *Oscar e Amanda*, ou *Amanda e Oscar*;[6] e não é dali que ele tira os métodos.

Vamos adiante, — ou melhor, vamos ao fim, porque só este pequeno esforço me está transtornando a cabeça. Assunto não me falta, mas os convalescentes devem ser prudentes, se quiserem rimar consigo. Creio que fiz algumas censuras; aqui vai um elogio. Nem eu sou pessoa que negue a verdade das coisas, quando as vejo bem ajustadas.

Sabem do banquete dado pelo internúncio aos bispos brasileiros e à embaixada pontifícia. Vi escrito no *menu* que se publicou, entre outros pratos, o *punch à la Romaine*...[7] Oh! bem cabida coisa! Conheço esse excelente *punch* de outras mesas, em que foi sempre hóspede, por serem elas profanas. Ali, sim, ali é que ele esteve bem, perfeitamente bem. Tudo era ali romano, o internúncio, a embaixada e os bispos católicos. *Punch à la Romaine* calhou. Porque é preciso que lhes diga, e

---

* "scintificos", no jornal.

sem ofensa da unidade italiana:[8] quando se fala em Roma, só me lembro da Roma papal; também me lembro da Roma antiga; a Roma do Sr. Crispi[9] é que me não acode logo. Há de acudir mais tarde. Nenhuma Roma se faz num dia.

Boas Noites.

Notas

1 Essa alfaiataria e esse xarope eram dos mais insistentemente anunciados nos jornais. Daí a confusão fingida.
2 O barão de Guaí (v. cr. 1, n. 7) ofereceu esse piquenique a 300 pessoas na sua chácara da Rua Conde de Bonfim, no dia 1º de outubro (v. *O País*, 2 de outubro, p. 1, col. 7). Machado crê que a origem da palavra é francesa: o *Novo dicionário Aurélio* dá a palavra portuguesa como de origem inglesa; o *Shorter Oxford English dictionary*, por sua vez, como de origem francesa...
3 Essa Rosa foi entregue à princesa Isabel pelo internúncio apostólico, representante do papa Leão XIII, no dia 28 de setembro, em cerimônia na catedral metropolitana.
4 Nesse artigo, do "Boletim Parlamentar" de 2 de outubro (p. 1, col. 1), comenta-se um discurso longo em que Zama acusava Ferreira Viana de ter "abandonado no ministério as idéias que sustentara como deputado". Diz-se, na *GN*: "O dize tu, direi eu da politicagem apaixonada e partidária é a única coisa que ainda desperta a atividade da Câmara. O direito de interpelação é um grande direito; mas como quase todas as coisas transplantadas dos parlamentos europeus para o nosso, o direito de interpelação é perfeitamente platônico desde que a maioria dos casos não termina por uma votação da Câmara. A interpelação é apenas uma válvula". Não sei por que razão a palavra válvula poderia ser interpretada como blasfêmia.
5 Essas palavras se referem a certas teorias da evolução, na esteira da de Darwin, para as quais era possível uma espécie, sob a influência do meio, degenerar. O conceito de "degenerescência" foi também muito usado em certas teorias raciais e psicológicas, nas quais havia uma boa dose de medo das classes e raças "inferiores", que poderiam surgir à tona. Aqui, com uma dose de ironia, Machado salienta a duvidosa validez do termo.
6 Machado sabia muito bem que esse romance se chamava *Amanda e Oscar*. Alencar, em "Como e por que sou romancista", menciona-o entre o "pequeno repertório romântico" — romances populares e muito lidos nos anos 30, 40 e 50 do século XIX — e que inclui o mais famoso, *Saint-Clair das Ilhas*. Segundo Marlyse Meyer, no seu importante artigo "O que é, ou quem foi *Sinclair das Ilhas*?" (p. 53), trata-se de *Children's abbey (Les enfants de l'abbaye*, em francês), de Miss Roche.
7 O menu com esse item foi publicado, por exemplo, n'*O País* de 29 de setembro.
8 Roma (menos a cidade do Vaticano) foi a última parte da Itália a juntar-se à nação no processo do *Risorgimento*, em 1870.
9 Francesco Crispi (1819-1901), primeiro-ministro da Itália nesse momento. Ex-revolucionário e amigo de Mazzini, revelou tendências autoritárias no poder. Pregava uma aliança com a Alemanha.

Crônica 23

21 de outubro de 1888

BONS DIAS!

A Agência Havas acaba de comunicar aos habitantes desta leal cidade, que o Imperador Guilherme II visitou Pompéia, e foi muito aclamado.[1] Não confundam essa Pompéia com o nosso Raul; este vi-o hoje na igreja do Sacramento,[2] e com certeza não foi o visitado. A Pompéia do telegrama é a velha cidade que o Vesúvio entupiu em 79, e foi descoberta em 1750.

Singular fortuna, a do atual imperador da Alemanha! Até os mortos o aclamam. Os esqueletos, se ainda os há, as velhas armas romanas, as trípodes, as colunas, os banheiros, as lâmpadas, as paredes, os mosaicos, tudo o que por lá resta do mundo antigo compreendeu que ali estava o árbitro dos tempos, e tudo se inclinou e bradou: *Viva o imperador!* Pode ser que até falassem em alemão.[3]

Bulwer* Lytton, como se sabe, escreveu um romance sobre os últimos dias daquela cidade e fez uma bela reconstrução da antiga vida elegante.[4] Os que gostam dessas arqueologias, embora em romances, relembram com prazer as primeiras e alegres palavras do livro: "Olá, Diomedes, foi bom encontrar-te! Vais cear hoje à casa de Glauco?" — "Não, meu querido Cláudio, não fui convidado. Por Pólux! Pregou-me uma boa peça! Dizem que as ceias dele são as melhores de Pompéia". E a majestosa Ione! e a linda escrava Nídia! Depois aquele final terrível do Vesúvio...

---

* "Bulwe", no jornal.

Têm ido a Pompéia príncipes e reis. O nosso imperador também lá esteve, creio eu; mas o que era morto, morto ficou. Só um homem na terra teve o condão de restituir a fala do extinto. Singular fortuna a do jovem imperador da Alemanha! Os perfumes que se supunham esvaídos, começaram a desprender-se novamente das caçoulas; e as próprias eras* mortas, que eram as Borghi-Mammos⁵ daquela sociedade, acharam nos ecos da Campânia as notas da música moderna para saudar o imperador. *Lebehoch! Lebehoch!*⁶

Pode bem ser que Pompéia supusesse ver nele o antigo Tito.⁷ Esse morreu (e Deus o tenha lá muitos anos sem mim); mas nada obsta que o** recente e germânico imperador chegue a imitar o antigo latino. Tem força, basta-lhe vontade. Há quem diga que estas duas coisas são sinônimas;⁸ não entro na questão; fiquemos na augusta necrópole.

Quer me parecer (a Agência Havas não o disse); quer me parecer que o imperador alemão, ouvindo falar a cadeira de bronze em que talvez se sentou Plínio,⁹ e o leito em que se estirou Diomedes,¹⁰ contou os séculos passados e mirou o Sr. Crispi,¹¹ companheiro de Félix*** Pyat¹² no exílio, agora ministro de um grande Estado, e disse consigo: — "Tudo passa; já lá o dizia um poeta brasileiro, Gonzaga, creio eu; e, antes dele, Horácio, e entre um e outro muitos poetas também lá vão: *Eheu! fugaces... Minha bela Marília, tudo passa... Delfim, meu caro Delfim, com que ligeiro...* etc. etc."¹³

Saindo do reino dos vivos, o imperador deu com os Napoleões brigados, pai e filho, tão cheios de ódio que nem o casamento de uma Bonaparte os uniu por instantes.¹⁴ É assim mesmo, disse ele consigo; viva a razão de Estado!

Pela minha parte, ao contrário dos outros homens, não quisera ser príncipe, menos ainda imperador ou rei. É caro. Primeiramente, causa invejas; depois obriga a malquerer, quando o pede a felicidade geral da

---

*   Essa frase não parece fazer sentido, e pode ter havido erro nessa palavra, que me confesso ser incapaz de corrigir.
**   Falta essa palavra no jornal.
*** "Felix", no jornal.

nação. Antes ser flor de mato virgem, tão coberta pela ramagem, que nem o vento a deite em terra... Meu Deus! Como estou poético! As belas imagens saem-me da boca já feitas, à maneira da fotografia instantânea, tudo por causa da Agência Havas.

"— Olá, Diomedes, vais cear hoje à casa de Glauco?"

Traduzido em vulgar:

"— Ó Pimenta, vais hoje ao bródio do nosso visconde?

— Homem, não sei... *Peut-être oui*...[15] Vou, vou... Há madamismo?"

Por Pólux! Parece a mesma coisa mas não é a mesma coisa. No meio está o Vesúvio.

Boas Noites.

Notas

1. O telegrama (de Roma), publicado na *GN* de 20 de outubro (p. 1, col. 3) e datado do dia 19, dizia: "S.M. Guilherme II da Alemanha visitou Pompéia, onde foi calorosamente aclamado. Depois, voltou S.M. a esta capital".
2. Raul Pompéia (1863-1895), autor d'*O Ateneu*, romance que publicara na *GN*, a partir de abril de 1888. Fazia parte da redação do jornal, o que explica o "nosso".
3. Quando o imperador Guilherme II subiu ao trono em 1888, era já uma personalidade fascinante com a fama de ser muito vivaz e inteligente, ou muito vaidoso, segundo os gostos. Aqui Machado parece pender para a segunda hipótese.
4. Edward Bulwer-Lytton, barão de Lytton (1803-1873), autor de *The last days of Pompeii* (1834); trata dos amores de dois jovens, Glauco e Ione, e dos planos malvados de Arbaces, tutor de Ione. Quando a cidade é destruída pela erupção, a escrava cega Nídia, que também ama Glauco, guia os amantes ao mar pela escuridão. O original inglês, com diálogos escritos numa linguagem "antiga", vagamente shakespeariana, soa tão ou mais absurdo a ouvidos modernos quanto essa tradução.
5. MJ nos informa que eram duas célebres cantoras, mãe e filha, Adelaide e Hermínia Borghi-Mammo. A filha esteve três vezes no Brasil na década de 1880.
6. Alemão: "Viva! Viva!".
7. Imperador de Roma em 79, ano da erupção do Vesúvio. Pode ser que Machado se refira aqui também à sua fama de soldado.
8. Será que Machado se refere aqui à doutrina da vontade de Schopenhauer, que chamou de vontade à força que, segundo ele, subjaz a toda a vida?
9. Gaius Plinius Secundus, Plínio, o Velho (23-79 d.C.), autor latino, que morreu na mesma erupção, por ter desejado vê-la mais de perto.
10. Creio que aqui, por razões satíricas, Machado confunde história e ficção: esse Diomedes é o do romance de Bulwer-Lytton.

11 Ver crônica 22, nota 9.
12 Félix Pyat (1810-1889), escritor e político francês, socialista e membro da Comuna de 1870, e que nesse momento combatia o movimento que apoiava o general Boulanger (v. cr. 33).
13 Para a citação de Horácio, ver crônica 20, nota 6. A de Gonzaga é da lira I, 14. Não encontrei o terceiro, que parece de Gonzaga também, ou pelo menos do estilo do Arcadismo.
14 Machado tirou esse detalhe de uma longa reportagem no *JC* de 10 de outubro (p. 2), que trata das notícias da França: "As folhas bonapartistas publicam uma nota declarando que, com muito sentimento, deixou o Príncipe Vítor de ir a Turim para assistir ao casamento de sua irmã [...] porque seu pai, o Príncipe Jerônimo Napoleão, queria impor-lhe condições políticas inaceitáveis para deixá-lo tomar parte nessa festa da família".
15 Francês: "Talvez sim". Machado está satirizando o linguajar dos rapazes de bom-tom.

Crônica 24

28 de outubro de 1888

BONS DIAS!

Vive a galinha com a sua pevide.¹ Vamos nós vivendo com a nossa polícia. Não será superior, mas também não é inferior à polícia de Londres, que ainda não pôde descobrir o assassino e estripador de mulheres.² E dizem que é a primeira do universo. O assassino, para maior ludíbrio da autoridade, mandou-lhe cartões pelo correio.

Eu, desde algum tempo, ando com vontade de propor que aposentemos a Inglaterra... Digo, aposentá-la nos nossos discursos e citações. Neste particular, tivemos a princípio a mania francesa e revolucionária; folheiem os *Anais* da constituinte,³ e verão. Mais tarde ficou a França constitucional* e a Inglaterra: os nomes de Pitt, Russell, Canning, Bolingbrook,⁴ mais ou menos intatos, caíram da tribuna parlamentar. E frases! e máximas! Até 1879, ouvi proclamar cento e dezenove vezes este aforismo** inglês: "A câmara dos comuns pode tudo, menos fazer de um homem uma mulher, ou vice-versa".

— Justamente o que a nossa câmara faz, quando quer, dizia eu comigo.

Pois bem, aposentemos agora a Inglaterra; adotemos a Irlanda.*** Basta advertir que, há pouco tempo, lá estiveram (ou ainda estão) vinte

---

*   "contitucional", no jornal.
** "aphrosimo", no jornal.
*** "Itália", no jornal, evidente e importante engano.

e tantos deputados metidos em enxovia, só por serem irlandeses.[5] Nenhum dos nossos deputados é irlandês; mas se algum vier a sê-lo, juro que será mais bem tratado. E, comparando tanta polícia para pegar deputados com tão pouca para descobrir um estripador de mulheres, folgazão e científico, a conclusão não pode ser senão a do começo: — Viva a galinha com a sua pevide...

Aqui interrompe-me o leitor: — Já vejo que é nativista! E eu respondo que não sei bem o que sou. O mesmo me disseram anteontem, falando-se do projeto do meu ilustre amigo Senador Taunay.[6] Como eu dissesse que não aceitava o projeto* integralmente, alguém tentou persuadir-me que eu era nativista. Ao que respondi:

— Não sei bem o que sou. Se nativista é algum bicho feio, paciência; mas, se quer dizer exclusivista, não é comigo.

Não se pode negar que o Sr. Senador Taunay tem o seu lugar marcado no movimento imigracionista, e lugar eminente; trabalha, fala, escreve, dedica-se de coração, fundou uma sociedade, e luta por algumas grandes reformas.

Entretanto, a gente pode admirá-lo, sem achar que este último projeto seja inteiramente bom. Uma coisa boa que lá está, é a grande naturalização. Não sei se ando certo, atribuindo àquela palavra o direito do naturalizado a todos os cargos públicos. Pois, senhor, acho acertado. Com efeito, se o homem é brasileiro e apto, por que não será tudo aquilo que podem ser outros brasileiros aptos? Quem não concordará comigo (para só falar de mortos), que é muito melhor ter como regente, por ser ministro do Império, um Guizot ou um Palmerston,[7] do que um ex-ministro (Deus lhe fale na alma!) que não tinha este olho?[8]

Mas o projeto traz outras coisas que bolem comigo, e até uma que bole com o próprio autor. Este faz propaganda contra os chins;[9] mas, não havendo meio legal de impedir que eles entrem no Império, aqui temos nós os chins, em vez de instrumentos de trabalho, constituídos em milhares de cidadãos brasileiros, no fim de dois anos, ou até de um.

---

* Aqui, no jornal, havia uma vírgula sobrando.

Excluí-los da lei é impossível. Aí fica uma conseqüência desagradável para o meu ilustre amigo.

Outra conseqüência. O digno Senador Taunay deseja a imigração legal em larga escala. Perfeitamente. Mas, se o imigrante souber que, ao cabo de dois anos, e em certos casos ao fim de um, fica brasileiro à força, há de refletir um pouco e pode não vir. No momento de deixar a pátria, ninguém pensa em trocá-la por outra; todos saem para arranjar a vida.

Em suma, — e é o principal defeito que lhe acho, — este projeto afirma de um modo estupendo a onipotência do Estado. Escancarar as portas, sorrindo, para que o estranho entre, é bom e necessário; mas mandá-lo pegar por dois sujeitos, metê-lo à força dentro de casa, para almoçar, não podendo ele recusar a fineza, senão jurando que tem outro almoço à sua espera, não é coisa que se pareça com liberdade individual.

Bem sei que ele tem aqui um modo de continuar estrangeiro: é correr, no fim do prazo, ao seu consulado ou à câmara municipal, declarar que não quer ser brasileiro, e receber um atestado disso. Mas, para que complicar a vida de milhares de pessoas que trabalham, com semelhante formalidade? Além do aborrecimento, há vexame — vexame para eles e para nós, se o número de recusantes for excessivo. Haverá também um certo número de brasileiros por descuido, por se terem esquecido de ir a tempo cumprir a obrigação legal. Esses não terão grande amor à terra que os não viu nascer. Lá diz São Paulo, que não é circuncisão a que se faz exteriormente na carne, mas a que se faz no coração.[10]

O Sr. Taunay já declarou em brilhante discurso, que o projeto é absolutamente original. Ainda que o não fosse, e que o princípio existisse em outra legislação, era a mesma coisa. O Estado não nasceu no Brasil; nem é aqui que ele adquiriu o gosto de regular a vida toda. A velha república de Esparta, como o ilustre senador sabe, legislou até sobre o penteado das mulheres; e dizem que em Rodes era vedado por lei trazer a barba feita.[11] Se vamos agora dizer a italianos e alemães, que, no fim de um ou dois anos, não são mais alemães nem italianos, ou só poderão sê-lo com declaração escrita e passaporte no bolso, parece-me isto muito pior que a legislação de Rodes.

Desagravar a naturalização, facilitá-la e honrá-la, e, mais que tudo, tornar atraente o país por meio de boa legislação, reformas largas, liberdades efetivas, eis aí como eu começaria o meu discurso no Senado, se os eleitores do império acabassem de crer que os meus quarenta anos já lá vão, e me incluíssem em todas as listas tríplices.[12] Era assim que eu começaria o discurso. Como acabaria, não sei; talvez nos braços do meu ilustre amigo.

Boas Noites.

Notas

1. Isto é: Sejamos como somos, ainda que com defeitos.
2. O caso, famoso até hoje, de "Jack the ripper" (Jack, o Estripador), que obcecava a imprensa inglesa no momento. O assassino de prostitutas, que nunca foi identificado, matou pelo menos sete mulheres, entre 7 de agosto e 10 de novembro de 1888. Como Machado indica, o assassino, ou outra pessoa, costumava mandar bilhetes à polícia, contando seus crimes.
3. A Constituinte de 1823.
4. Quatro célebres políticos ingleses: William Pitt, o Jovem (1759-1806), primeiro-ministro durante as guerras napoleônicas; lorde John Russell (1792-1878), primeiro-ministro de 1846 a 1852 e em 1865 e 1866; George Canning (1772-1827), primeiro-ministro em 1827; e Henry St. John Bolingbroke (como normalmente se escreve) (1678-1751), propagandista contra os Whigs de *sir* Robert Walpole, amigo de Alexander Pope e Jonathan Swift, e autor de uma "Dissertação sobre os partidos políticos".
5. Aqui Machado comenta um episódio da repressão inglesa na Irlanda. O "Home Rule Bill", proposto por Gladstone para dar uma certa independência à ilha, tinha sido derrotado em 1886, e nos anos de protesto que se seguiram, tendo como líder Charles Stewart Parnell, muitos irlandeses, inclusive membros do parlamento, foram presos. A lei não distinguia os prisioneiros políticos dos comuns, e o tratamento que receberam constituía uma das armas mais importantes na propaganda antibritânica.
6. Alfredo d'Escragnolle, visconde de Taunay (1843-1899); autor de *Inocência* e senador conservador (embora ligado aos liberais do visconde de Ouro Preto) de 1886 a 1889. O projeto de nacionalização apresentado por ele ao Senado propunha, entre outras coisas, que "todo brasileiro que tiver residência efetiva no Brasil, por espaço de dois anos, será considerado cidadão brasileiro" (com exceção de alguns casos, em que o prazo ficava reduzido a um ano). Ficavam excetuados dessa lei, entre outros, "os que forem fazer, nos consulados das suas nações ou na câmara municipal do lugar de sua residência, declaração de que não desejam pertencer à comunhão brasileira, e tiverem disso atestado" (*GN*, 25 de outubro, p. 1, col. 5).
7. Dois políticos dominantes nos seus respectivos países quando Machado era jovem: François Guizot (1787-1874), líder dos monárquicos constitucionais durante o reinado de Luís Filipe (1830-1848), e o visconde de Palmerston (1784-1865), ministro

dos Assuntos Exteriores muitas vezes entre 1830 e 1851 e, posteriormente, duas vezes primeiro-ministro — um dos símbolos do imperialismo britânico.

8   Essa frase parece ser uma maneira de se referir a ninguém em particular.

9   Havia nesse momento uma proposta, apoiada entre outros por Cotejipe, de introduzir trabalhadores chineses no Brasil. A Sociedade Central de Imigração, de que Taunay era membro importante, protestou contra essa idéia, exprimindo-se da seguinte maneira: estava contra "a introdução de chins, *coolies* e proletários asiáticos" e à "idéia da repulsiva importação de representantes dessa raça que, nas condições atuais, viria ser em nosso país a inteira substituição da escravidão negra, pela escravidão amarela". Lavra "formal e enérgico protesto contra a nefanda tentativa de manchar-se o solo do Brasil com a importação de representantes de uma raça atrofiada e corrupta, incapaz de colaborar eficazmente com este povo neolatino, ávido de progresso e glorioso futuro, em sua grande evolução altruísta (sic)". A carta, publicada na *GN* a 26 de outubro (p. 1, cols. 7-8), está assinada, entre outros, por Taunay e André Rebouças.

10 Romanos 2:29: "Mas é judeu aquele que o é interiormente, e circuncisão é a do coração, no espírito e não na letra".

11 A fonte da referência a Esparta parece ser a *Vida de Licurgo*, de Plutarco, a que Machado se refere mais de uma vez, e onde se diz que, na noite do casamento, se cortava todo o cabelo da casada. Não encontrei referência às barbas feitas de Rodes.

12 O imperador escolhia os senadores entre as três pessoas propostas nessas listas, escolhidas, por sua vez, pelo presidente do Conselho.

Crônica 25

10 de novembro de 1888

BONS DIAS!

Há anos por ocasião do movimento Ester de Carvalho,[1] aquela boa atriz que aqui morreu, lembra-me haver lido nos jornais um pequenino artigo anônimo. Nem se lhe podia chamar artigo; era uma pergunta nua e seca. O numeroso partido da atriz estava em ação; havia palmas, flores, versos, longas e brilhantes manifestações públicas. E então dizia a pergunta anônima: "Por que não aproveitaremos este movimento Ester de Carvalho para ver se alcançamos o fechamento das portas?"[2]

A pergunta tinha um ar esquisito, à primeira vista: mas, era a mais natural do mundo. Entretanto não se fez nada por dois motivos, um fácil de entender, que era a absorção do pensamento em um só assunto. A alma não se divide. A questão do fechamento das portas era exclusiva, pedia as energias todas, inteiras, constantes, lutando dia por dia.

A segunda razão é que há anos e há séculos de revoluções e transformações. Para o caso de que se trata não era preciso o século, mas o ano era indispensável. Entre a vinda de Jesus e a morte de César há pouco mais de quarenta anos: e a Revolução Francesa chegou à Bastilha depois de feita nos livros e iniciada nas províncias, desde os albores do século XVIII.[3]

Aqui o caso era de um ano, o mesmo que viu a extinção da escravidão. Todas as liberdades são irmãs; parece que, quando uma dá rebate, as outras acodem logo.

Aí temos explicado o movimento atual, que, em boa hora, vai sendo praticado em paz e harmonia. Note-se bem que o movimento outrora tinha um caráter meio duvidoso; pedia-se o fechamento das portas aos domingos. O domingo, só por si, sem mais nada, é um dia protestante; e o movimento, limitando o descanso a esse dia, como que parecia inclinar à igreja inglesa. Daí esta frieza do clero católico. Agora, porém, a plataforma (se me é lícito dizer uma palavra que pouca gente entende)⁴ abrange os domingos e dias santos. Deste modo não se pede só o dia do Senhor, mas esse e os mais que o rito católico estabelece em honra dos grandes mártires ou heróis da fé, e dos fastos da Igreja desde os primitivos tempos.

Seguramente, há maior número de dias vagos, mas o trabalho dos outros compensará os perdidos; por esse lado, não vejo perigo. Pode dar-se também que a definição das férias se estenda um pouco mais, pelo tempo adiante. Por exemplo, o dia 2 de novembro é feriado ou não? Vimos este ano duas opiniões opostas, a do Senado e a da Câmara. O Senado declarou que era, e não deu ordem do dia; a Câmara entendeu que não era, e deu ordem do dia. Foi o mesmo que não desse, é verdade, porque lá não apareceu ninguém; mas a opinião ficou assentada. O Senado comemora os defuntos, a Câmara não. Talvez a Câmara não deseje lembrar o próximo fim dos seus dias. O Senado, embalsamado pela vitaliciedade, pode entrar sem susto nos cemitérios. Não é a lei que o há de matar.

Pois bem, ainda nesses casos o acordo é possível entre caixeiros e patrões; fechem as portas ao meio-dia. Os patrões e os rapazes irão de tarde aos cemitérios.

Noto, e por honra de todos, que não tem havido distúrbios nem violências. Há dias, é certo, um grupo protestou contra uma casa do Largo de S. Francisco de Paula, que estava aberta; mas quem mandou fechar as portas da casa não foi o grupo, foi o subdelegado. Tem havido muita prudência e razão. O próprio ato do subdelegado, olhando-se bem para ele, foi bem feito. Já lá dissera Musset estas palavras: *"Il faut qu'une porte soit ouverte ou fermée"*.⁵ Não podendo estar abertas as da loja de grinaldas, foi muito melhor fechá-las. "É assim que eu gosto dos médicos especulativos", dizia um personagem de Antônio José.⁶

Não sei se tenho mais alguma coisa que dizer. Creio que não. A questão chinesa está absolutamente esgotada;[7] tão esgotada que, tendo eu anunciado por circular manuscrita, que daria um prêmio de conto de réis a quem me apresentasse um argumento novo, quer a favor, quer contra os chins, recebi carta de um só concorrente, dizendo-me que ainda havia um argumento científico, e era este: "A criação animal decresce por este modo: — *o homem, o chim, o chimpanzé...*" Como vêem, é apenas um *calembour*; e se não houvesse *calembour* no Evangelho e em Camões, era certo que eu quebrava a cara ao autor; limitei-me a guardar o dinheiro no bolso.

Boas Noites.

Notas

1   Como nos conta MJ, Ester de Carvalho, popularíssima atriz portuguesa, morreu no Rio, aos 24 anos, em 1884. Fora pretexto de uma dessas batalhas entre fãs de atrizes rivais — sua rival era Pepa Ruiz — que caracterizaram a vida teatral do século XIX. História já contada na crônica de 19 de julho de 1885, de "Balas de estalo".

2   Ver crônica 21, nota 3. Um dos medos, refletido nos comentários dos jornais sobre o assunto do fechamento das portas, e por sua vez nesta crônica, era a violência às vezes associada com o movimento. Havia métodos tradicionais — assuar as lojas ainda abertas e jogar piche às suas portas — que podiam levar a coisas piores. Por exemplo, na *GN* de 12 de novembro, na primeira coluna, acusa-se a "classe caixeiral" de se envolver com "maltas de capoeiras". Passo a citar a reportagem do dia 2, no mesmo jornal (p. 2, col. 1), que Machado comenta mais tarde nesta crônica: "Ontem, cerca de 9 horas da noite, um grande grupo de moços, que nos dizem serem empregados do comércio, percorreram algumas ruas da cidade dando vivas ao fechamento das portas e saudando as redações dos jornais. Não se limitaram, porém, a isso, e cometeram alguns desatinos, dignos de censura. Ao passarem pelo Largo de S. Francisco de Paula, apedrejaram e invadiram a casa de negócio do Sr. Luís José Alves, destruindo algumas coroas para finados. Admoestados pelo Sr. Tenente Franklin e Capitão Lírio do corpo policial, foram estas autoridades desrespeitadas, e tiveram de efetuar algumas prisões. Travou-se então grande conflito [...]. Não nos parece seja este o melhor meio para os srs. caixeiros conseguirem o fechamento das portas".

3   Não sei de onde vem essa interpretação das origens da Revolução Francesa, se é que vem de algum historiador em particular. Era muito comum pensar que os filósofos das Luzes tinham previsto e preparado a revolução: a referência às províncias me parece menos rotineira.

4   Suponho que esse parêntese se deve à novidade dessa palavra, pelo menos com o significado de programa partidário, anglicismo ainda exclusivo do Brasil.

5   Ver crônica 21, nota 2.
6   Antônio José da Silva, o Judeu (1705-1739). A citação, que no texto é "Eis aqui como gosto de ver os médicos; assim especulativos!", é de *Guerras do alecrim e da manjerona* (1737) (parte II, cena 5). É possível que Machado esteja lembrando uma representação da peça, que foi encenada no Rio pouco antes (v. anúncio na *GN* do 2 de outubro, p. 1, cols. 6-7).
7   Ver crônica 24, nota 9.

Crônica 26

18 de novembro de 1888

BONS DIAS!

Agora acabou-se! Já se não pode contar um caso* meio trágico em casa de família, que não digam logo vinte vozes:

— Já sei, outra Mme. Torpille!![1]

— Perdão minha senhora, eu vi o que lhe estou contando. O homem não tinha pés nem cabeça...

— Mas tinha uma cruz latina no peito.

— Isso não sei, pode ser. A senhora sabe se trago também alguma cruz latina ao peito? Pois saiba que sim... Olhe, a cruz latina também figurou agora na revolução dos rapazes de Pernambuco;[2] a diferença é que não era no peito que eles a levavam, mas às costas. Por falar em latim, sabem que Cícero...

Aqui não houve mais retê-las; todas voaram, umas para as janelas, outras para os pianos, outras para dentro; fiquei só, peguei no chapéu e vim ter com os meus leitores, que são sempre os que pagam as favas.

E, prosseguindo, digo que o velho Cícero escreveu uma coisa tão certa, que até eu, que não sei latim, só por vê-la traduzida em sueco, entendi logo o que vinha a ser, e é isto: "*Grata populo est tabella...*".[3] Em português: "O voto secreto agrada ao povo, porque lhe dá força para dissimular o pensamento e olhar com firmeza para os outros".

---

* No jornal há aqui uma vírgula que parece sobrar.

Ora bem, este voto secreto, que me é tão grato, quer o nosso ilustre Senador Cândido de Oliveira arrancá-lo ao eleitor, no projeto eleitoral que apresentou ao Senado.[4] Note-se que foi justamente por ser secreto o voto, que eu, embora conservador, votei em S. Exa. para a lista* tríplice. Não gostei da chapa do meu partido, e disse comigo: — Não, senhor; voto no Cândido, no Afonso e no Alvim.[5] Quando mais tarde o Cruz Machado (Visconde do Serro Frio)[6] me falou na eleição, declarei-lhe que ainda uma vez levara às urnas a lista da nossa gente. Era mentira; mas para isso mesmo é que vale o voto secreto.

S. Exa. quer o voto público. Há de ser escrito o nome do candidato em um livro com a assinatura do eleitor (art. 3º §1º). Concordo que este modo dá certa hombridade e franqueza, virtudes indispensáveis. É fora de dúvida que, com o voto público, o caixeiro vota no patrão, o inquilino no dono da casa (salvo se o adversário lhe oferecer outra mais barata, o que é ainda uma virtude, a economia), o fiel dos feitos vota no escrivão, os empregados bancários votam no gerente, e assim por diante. Também se pode votar nos adversários. Mas, enfim, nem todos são aptos para a virtude. Há muita gente capaz de falar em particular de um sujeito, e ir jantar publicamente com ele. São temperamentos.

Se as nossas eleições fossem sempre impuras, vá que viesse aquela disposição no projeto; mas é raro que a ordem e a liberdade se não dêem as mãos diante das urnas. Uma eleição entre nós pode ser aborrecida, graças ao sistema de chamadas nominais, que obriga a gente a não arredar o pé da seção em que vota; mas são em geral boas. E depois, se o voto secreto já fez algum bem neste nosso pequeno mundo, por que aboli-lo?

Bem sei tudo o que se pode de bem e de mal acerca do voto secreto. Em teoria, realmente, o público é melhor. A questão é que não permite o trabalhinho oculto, e, mais que tudo, obsta a que a gente vote contra um candidato, e vá jantar com ele à tarde, por ocasião da filarmônica e dos discursos.[7]

---

* "alista", no jornal.

Voto público e muito público — foi o que aquela linda Duquesa de Cavendish[8] alcançou, estando a cabalar por um parente; parou dentro do carro à porta de um açougueiro e pediu-lhe o voto. O açougueiro, que era do partido oposto, disse-lhe brincando:

— Votarei, se Vossa Senhoria me der um beijo.

E a duquesa, como toda a gente sabe, estendeu-lhe os lábios, e ele depositou ali um beijinho, que já agora é melhor julgar que experimentar. Neste sentido, todos somos açougueiros. Tais votos são mais que públicos. Complete S. Exa. o seu projeto, estabelecendo que as candidaturas só poderão ser trabalhadas por mulheres, amigas do candidato, devendo começar pelas mais bonitas, e está abolido o voto secreto. O mais que pode acontecer, é a gente faltar a nove ou dez pessoas, se a vaga for só uma; mas creia S. Exa., que não há beijo perdido.

Tinha outra coisa que dizer acerca do projeto, ou antes, que perguntar a S. Exa., mas o tempo urge.

Há uma disposição, porém, que não posso deixar de agradecer desde já; é a abolição do 2º escrutínio, saindo deputado com os votos que tiver; maioria relativa, em suma. Tem um distrito 1.900 eleitores inscritos; compareçam apenas 104; eu obtenho 20 votos, o meu adversário 19, e os restantes espalham-se por diferentes nomes. Entro na Câmara nos braços de vinte pessoas. Há famílias mais numerosas, mas muito menos úteis.

Boas Noites.

Notas

1 Para atrair leitores para um novo folhetim de Marc Aufossi, a *GN* tinha enganado seus leitores, contando a história de madame Torpille como se fosse verdade e tivesse acontecido no Rio. Cito, em parte para ilustrar as coisas que aliciavam os leitores, parte da "reportagem" da *GN* de 12 de novembro (p. 1, col. 4): "Foi cometido ontem à noite um horrível assassinato, rodeado de circunstâncias misteriosas, numa casa próxima do antigo Hotel Aurora, na estrada velha da Tijuca. [...]. Os seios estavam descobertos. O assassino teve tempo de cometer o crime à sua vontade, e de praticar ainda atrocidades próprias de um canibal. No peito de Mme. Torpille havia uma cruz latina, retalhada com a ponta do punhal. Na boca, semi-aberta, de que saía o sangue em fio por uma das

extremidades dos lábios, não estava a língua". No dia 13 tem início o folhetim, e explica-se o "erro" com uma mentira transparente (um repórter que, "ouvindo a conversa e pensando que se tratava de um fato, foi à tipografia e impingiu-nos esta verdadeira história da meia-noite"). Conta-se também, com evidente delícia, que vários jornalistas de outros jornais tinham ido à caça de detalhes sobre esse falso "furo".

2   Machado usa a palavra "revolução" com ironia. Tinha havido uma revolta contra o presidente da mesa examinadora de Aritmética, dr. Augusto Vaz, por causa do número de reprovados (v. *GN*, 13 e 14 de novembro). A "cruz nas costas" refere-se sem dúvida ao sinal de reprovação.

3   Esta frase "Etenim grata populo est tabella, quae frontis aperit hominum, mentes tegit datque eam libertatem, ut quod velint faciant" é traduzida corretamente, e vem no capítulo V de *Pro Plancio*, discurso ciceroniano que trata da questão do voto e das eleições, no contexto de um homem acusado de corrupção. O discurso inteiro, que não é dos mais conhecidos do autor, é, sobretudo, um julgamento realista do processo de votação, dentro do seu contexto social. Pode ser que Machado o conhecesse por isso.

4   Cândido Luís Maria de Oliveira (1845-1919): mineiro, senador liberal desde 1886. Esse projeto foi publicado no *JC* em 13 de novembro (p. 1, col. 1) e diz, entre outras coisas, no artigo citado por Machado: "É abolido o escrutínio secreto: cada eleitor escreverá no livro especial da eleição a que se procede, aberto, numerado, rubricado e encerrado pelo juiz de direito da comarca, o nome ou nomes dos cidadãos em quem votar, assinando em seguida o seu próprio nome".

5   Afonso Pena (v. cr. 20, n. 4); José Cesário de Faria Alvim (1839-1903): mineiro, deputado liberal, mais tarde ministro do Interior na República (1890-1891).

6   Ver crônica 16, nota 5.

7   A filarmônica era a banda de música, presente nas comemorações da vitória de um candidato.

8   Georgina Cavendish, duquesa de Devonshire (1757-1806), figura notável e famosa, que apoiou a candidatura do liberal Charles James Fox e "diz-se que trocou beijos por promessas de voto" (*Dictionary of national biography*, vol. III, p. 1.256).

Crônica 27

25 de novembro de 1888

BONS DIAS!

Nunca tirei o chapéu com tanta melancolia. Tudo é triste em volta de nós. A própria risada humana parece um dobre de finados. Creio que somos chegados ao fim dos tempos.[1]

Não faltam banquetes, é verdade;[2] mas, pergunto eu, que é que se come nesses banquetes, estando tudo falsificado?[3] Eu, se tivesse de dar programa aos republicanos, lembrava-lhes, entre outros artigos, a chanfana de Esparta.[4] Está sabido que as comidas finas andam eivadas de morte ou de moléstia. Eu já pouco como; dois ou três dedos da Aurora, uma fatia de coxa de Davi,[5] frutos de sabedoria, alguns braços da lavoura, eis o meu jantar. Manteiga, nem por sombra; consolo-me da falta, lendo estes versos de Nicolau Tolentino:

Bota o cordão, *Manteiga*, agarra tudo.
E sentido!* não saltem da janela.[6]

Mas, como se não bastasse a falsificação dos comestíveis, temos as mortes súbitas, os tiros com ou sem endereço, a peste dos burros, a seca do Ceará, vários desaparecimentos,[7] e, porventura, algum harém

---

* Falta o ponto de exclamação no jornal, que está no poema de Tolentino, e sem o qual o verso fica difícil de entender, pois "Sentido!" tem o significado de uma voz de comando militar. A omissão bem pode ter sido um erro dos compositores.

incipiente seja onde for... mas isto agora entende com a liberdade dos cultos, projeto que está pendente na Câmara.⁸ Não é que o harém seja templo, mas é um artigo de religião muçulmana. Demais, enquanto vir na Rua dos Inválidos uma casa, que se parece tanto com casa, como eu com o leitor, e na fachada da qual está escrito: *Igreja evangélica*, vou acreditando que o projeto do Senado pode esperar.

Já agora fico triste de uma vez, e digo que é muito melhor infringir a lei que reformá-la. Onde é que está a tristeza disso? Não sei; escrevi *triste*, como podia escrever *alegre* ou *polca*. A minha pena parece-se com um cachorrinho que me doaram; quando lhe dá para correr, tão depressa está em casa como nas pontas da lua. Não tem juízo esta pena. Não obedece a posturas, nem às leis, nem a nada; ainda, desanda, tresanda. Creiam-me; não me faltam idéias sublimes; falta-me pensar como que as fixe no papel. Agora mesmo, surgira-me cá dentro uma elegia a propósito dos burros doentes; mas a pena segreda-me que depois da elegia de José Telha,⁹ está tudo dito; o melhor é deixá-los penar.

Resta-me sempre um assunto, não por falta de outro, mas por ser fecundo em reflexões graves; é raro achar um homem menos dado a pilhérias do que eu. Eu prefiro sempre um coveiro a Molière, e nenhum orador aprecio tanto como o que me mete logo na sepultura desde o exórdio. O cipreste é a minha árvore de predileção. As rosas, por isso que pedem a alegria, acho-as insuportáveis. Eu, se fosse Nero ou Calígula,¹⁰ mandava cortar a cabeça a todas as bandas de música jovial. Desconfio do homem que ri; é uma onça disfarçada; é, quando menos, um gato-ruivo.¹¹

O assunto é o fechamento das portas.¹² Escrevo o título da coisa, sem acreditar que ele exprima a coisa. Mas, em suma, é assim que se escreve. Digo que este assunto dá lugar a reflexões graves, porque vem de longe, e é um documento vivo de que as campanhas pacíficas são as menos sangrentas. Todos os dias leio declarações de patrões que concordam em fechar as casas; e vão todos por classe.

Uma senhora ingênua, quando há tempo houve um barulho na rua, por causa de portas abertas, ao ler que um ferido foi levado à farmácia, perguntou-me:

— Mas se as portas das farmácias já estivessem fechadas?

Respondi a esta senhora que mui provavelmente não haveria barulho nem ferido, pois que as boticas (como se dizia até 1860) serão naturalmente as últimas que fecharão as portas. Nada impede até que haja algumas exceções na medida geral. Também se adoece aos domingos. Aqui está quem já escapou de morrer pela Páscoa.

Que este movimento liberal e generoso assuste a alguns, é natural. Assim é que um amigo meu, negociante de trastes velhos, dizia-me há dias que talvez chegasse o tempo em que ele e os colegas tenham de fazer um movimento igualmente liberal para obter a abertura de portas, aos sábados, por exemplo. A reflexão é grave, como se vê, mas nem por isso há de atar as mãos ao atual movimento. Façam primeiro 89; os ferros-velhos que tragam o 18 Brumário.[13]

Boas Noites.

Notas

1. Pode ser que Machado se refira aqui não só ao que menciona no começo do terceiro parágrafo desta crônica, mas à febre amarela, que nesse verão, como quase todos os anos até a campanha de erradicação de 1903-1904, fazia muitas vítimas. Essa expressão volta a aparecer em muitas crônicas desse período, freqüentemente como uma sombra no fundo do quadro.
2. Há referências a dois banquetes, dados pelo visconde do Cruzeiro e pelo senador Correia, na *GN* de 21 de novembro (p. 1, cols. 6-7). Neste último, o *coup du milieu* foi *punch à l'abolition*!
3. Esse assunto era perene: uma reportagem da *GN* de 18 de novembro (p. 1, col. 3) traz várias notícias desse tipo, inclusive "a inexistência da manteiga nas latas da dita, ou que de manteiga tinham o rótulo", e conclui "ante tal furor de falsificações já um homem chega a recear tocar nos alimentos que lhe são servidos".
4. Essa chanfana — comida malfeita, literalmente — fazia parte do famoso sistema espartano, descrito por Plutarco na sua *Vida de Licurgo*, onde diz (seção 12, último parágrafo) que era prezada acima de todos os outros pratos. Essa obra, que é menos uma biografia do que a descrição de uma utopia, é citada outras vezes por Machado: por exemplo, no conto "Eterno!" (v. nota à p. 358 do meu *Contos: uma antologia*).
5. "Coxa", sem dúvida, é eufemismo para "virilhas", utilizado na *Bíblia* para se referir à descendência do rei Davi.
6. São versos de "O bilhar", poema satírico de Nicolau Tolentino (1740-1811), publicado em 1778 na *Miscelânea curiosa e proveitosa*. Nesse passo a polícia invade uma casa de bi-

lhar, e o alcaide dá ordens ao seu cabo de quadrinheiros (por alcunha Manteiga — daí a relevância desses versos aqui) para prender os jogadores.

7   Todas essas notícias aparecem na *GN* por essa época — dia 18, "Cena de sangue", dia 19, "Rapto singular", "Assassinato a pauladas e facadas", "Horrível morte", "A peste dos burros de bondes"; o "Misterioso desaparecimento" — que se insinuava ser assassinato — ocupou muito espaço nos "A pedidos". A seca no Ceará era a pior desde 1877.

8   Esse projeto, para permitir a celebração pública de outras religiões além da católica, fazia parte do processo de liberalizar o Brasil e, assim, atrair imigrantes.

9   José Telha foi pseudônimo de Ferreira de Araújo, dono da *GN*, que assinava com ele as crônicas "Macaquinhos no sótão". A elegia a que Machado alude apareceu em 19 de novembro (p. 1, col. 6).

10 Imperadores romanos de fama sanguinolenta. Suetônio atribui ao segundo a frase: "Utinam populus romanus unam cervicem haberet" — "Oxalá o povo romano tivesse um só pescoço" (para cortá-lo, evidentemente).

11 Não conheço essa palavra (que tem hífen no texto). Será uma mistura da idéia de "gato-preto" (diabo) com a de disfarce, talvez presente no "ruivo"?

12 Ver crônica 21, nota 3, e crônica 25, nota 2. Nos "A pedidos", apareciam freqüentemente avisos como este, de 22 de novembro (p. 2, col. 5): "Nós abaixo assinados, barbeiros e cabeleireiros, resolvemos de comum acordo com os nossos colegas fechar as nossas lojas aos domingos e dias santificados, às 3 horas da tarde[...]."

13 (17)89 é a Revolução Francesa; o 18 Brumário (10 e 11 de novembro de 1799) foi a data do golpe por meio do qual Napoleão subiu ao poder — isto é, da reação. As expressões "ferros-velhos" e "negociante de trastes velhos" parecem representar aquilo que envelheceu com o tempo. Tudo que é novo envelhece; toda revolução traz sua reação.

A *Revista Ilustrada* felicita a *Gazeta de Notícias*, na pessoa de Ferreira de Araújo, que aparece com a pena de "Coisas políticas" e até com dois "Macaquinhos no sótão" — título de uma crônica de sua autoria (*Revista Ilustrada*, ano 13 [1888], nº 508, p. 1).

Crônica 28

17 de dezembro de 1888

BONS DIAS!

Posso aparecer? Creio que agora está tudo sossegado.¹ Enquanto houve receio de alguma coisa, não pus o nariz, quanto mais as manguinhas, de fora. Não, meus amigos, o grande fenômeno de longevidade não se obtém expondo-se a gente à bordoeira de um e outro lado. Se não houvesse jornais, que nos dão notícias, vá; e ainda assim um criado podia ir saber das coisas, e, se corresse sangue, corria o dele. Quando eu nasci, existia já este adágio: morrer por morrer, morra meu pai que é mais velho. Não digo que seja a última expressão da piedade filial; mas não há dúvida que sai das entranhas. E para morrer, qualquer pessoa, um criado, um vizinho, um cocheiro, — em último caso, uma mulher, — qualquer pessoa é pai.

Não se cuide que estive em casa vadio. Aproveitei a folga obrigada para compor* uma obra, que espero seja útil ao meu país, — ou, quando menos, a alguns compatriotas de boa vontade.

Vi publicado um *Orador popular*, ou coisa que o valha, contendo discursos prontos para todas as ocorrências e comemorações da vida, — batizado, enterro, aniversário, entrega de uma comenda, despedida de um juiz de direito, casamento e outras muitas coisas,

---

* O original traz "comprar". O contexto exige "compor".

que podem aparecer. Lembrou-me então fazer uma imitação do livro, aplicada à política: *O orador parlamentar*.

É sabido que, se Deus dá o frio conforme a roupa, não faz o mesmo com as idéias; há pessoas bem enroupadas e pouco *ideiadas*. Trinta coletes nem sempre supõem um silogismo. Entretanto, como tais coletes podem entrar nas câmaras, é bom pregar-lhes, em vez de botões, discursos. Aqui parece que faço confusão misturando idéias com discursos, coisas que, muita vez, andam separadas; mas é engano. Eu dou as idéias e o modo de as dizer.

O livro está a sair. O meu editor não queria admitir que publicasse nenhum trecho; mas alcancei dar dois, e aqui vão. São dois discursos, ambos para a resposta à fala do trono.

O primeiro destina-se ao orador oposicionista; o segundo ao ministerial:

OPOSICIONISTA:

"Sr. presidente. Serei curto, porque é bem curta a vida que nos reserva o ministério. Quando esses sete homens que aí estão cavando as ruínas da pátria, trancam os ouvidos às lamentações de uns, aos brados de outros, e às dores de todos, pouca vida nos resta; não há pensar senão na morte e na eternidade.

"Entretanto, como há no nosso país um cantinho, a que sou particularmente afeiçoado — o (*aqui o número*) distrito da nobre província (*o nome da província*), não quero que se diga que, nesta hecatombe de todos os princípios e de todos os homens, deixei de implorar do ministério alguma piedade, um pouco de misericórdia para aqueles que aqui me mandaram.

"Não é debalde, sr. presidente, que *proletários* rimam com *argentários*; rimam na escritura e na política (*aqui convém percorrer os olhos pela Câmara, limpando os beiços*). E por que rimam? Rimam, porque uns e outros são, por assim dizer, os pobres corcéis que puxam o carro do Estado. O ministério, entretanto, concebeu a singular idéia de fazer puxar o carro, cujo governo se lhe confiou, unicamente por um daqueles nobres animais...

"UMA VOZ (provável). — Como os bondinhos da Lapa.

"O ORADOR. — Os argentários dominam no meu distrito; todos os eleitores de poucos meios são postos à margem. O ministério fez agora uma derrama de graças. A quem aproveitou esse ato de magnificência? Aos de bolsas grandes e cheias. Nenhum cidadão pobre, embora de altos serviços ao Estado, mereceu uma distinção qualquer. O governo não os conhece; e por que os não conhece? Porque os não pode corromper; eles receberiam a graça com a altivez de cidadãos que só têm um caminho, o da honra. E (*di-lo-á bem alto*) a honra destes tempos calamitosos está onde não estiverem o governo e os seus amigos!"

MINISTERIAL:

"Sr. presidente. Não venho trazer ao governo senão o apoio que dá o patriotismo; venho repetir-lhe o que a nação inteira brada pela voz dos seus melhores filhos: avante!

"Não sou dos que freqüentam a tribuna; conheço que me faltam os méritos necessários; pouco tempo aqui estarei. Vou cedê-la aos grandes luminares desta casa, às vozes sublimes daqueles que (*aqui mais grosso*), como o profeta Isaías, contam as visões que tiveram aos homens que os escutam.

"Entendo, sr. presidente, que a oposição segue caminho errado; o tempo não é de recriminações, o tempo é de salvar a pátria. A oposição não saiu ainda das generalidades; fatos, provas, não apresenta, nem apresentará nunca; pelo menos enquanto os nobres ministros merecerem o apoio do país.

"É vezo antigo tudo esperar do governo; e daí vem acusá-lo quando ele não nos dá o sol e a chuva; mas os tempos vão passando, e a justiça se irá fazendo. Senhores, a história é a mestra da vida, dizia Cícero, se me não engano;[2] ele nos mostra que nenhum governo deixou de ser acusado. Dou o meu apoio ao atual, enquanto marchar nas veredas da justiça e do patriotismo. Será fraco apoio, mas sincero e puro. Tenho concluído".

Não são dos melhores do livro, mas são bons. Há também para as discussões do orçamento, em que o orador pode tratar da farmácia e da astronomia. Fiz até uma inovação. Até aqui a rolha era um simples pedido de encerramento. Eu enfeitei a rolha:

"Sr. presidente. Os ilustres oradores tanto do governo como da nobre oposição já esclareceram bastante a matéria; peço à Câmara um sacrifício à pátria: o encerramento."

O livro será exposto amanhã. Um só volume, in 8º, de IX-284 páginas, VI de índice, preço 2$400.

Boas Noites.

Notas

1. Isso parece ser uma referência à crônica anterior, em que "somos chegados ao fim dos tempos". Também explica a ausência relativamente longa do cronista.
2. Essa citação, que pode parecer pura invenção do orador, vem do *De oratore* (cap. II, linha 36) de Cícero: "Historia vero testis temporum, lux veritatis, vita memoriae, *magistra vitae...*".

Crônica 29

27 dezembro de 1888

BONS DIAS!

Cuidava eu que era o mais precavido dos meus contemporâneos. A razão é que saio sempre de casa com o *Credo* na boca, e disposição feita de não contrariar as opiniões dos outros. Quem talvez me vence nisto era o Visconde de Abaeté,[1] de quem se conta que, nos últimos anos, quando alguém lhe dizia que o achava abatido:

— Estou, tenho passado mal, respondia ele.

Mas se, vinte passos adiante, encontrava outra pessoa que se alegrava com vê-lo tão rijo e robusto, concordava também:

— Oh! agora passo perfeitamente.

Não se opunha às opiniões dos outros; e ganhava com isto duas vantagens. A primeira era satisfazer a todos, a segunda era não perder tempo.

Pois, senhores, nem o ilustre brasileiro, nem este criado do leitor, éramos os mais precavidos dos homens. Há dias, a gente que saía de uma conferência republicana,[2] foi atacada por alguns indivíduos; naturalmente, houve pancadas, pedradas, ferimentos, recorrendo os atacados aos apitos, para chamar a polícia, que acudiu prestes. Pouco antes, dois soldados brigaram com o cocheiro ou condutor de um bonde, atracaram-se com ele, os passageiros intervieram, e, não conseguindo nada, recorreram aos apitos, e a polícia acudiu.

Estes apitos retinem-me ainda agora no cérebro. Por Ulisses! Pelo artificioso e prudente Ulisses![3] Nunca imaginei que toda a gente andasse aparelhada desse instrumento, na verdade útil. Os casos acima apontados são diferentes, as circunstâncias diferentes, e diferentes os sentimentos das pessoas; não há uma só analogia entre os dois tumultos, exceto esta: que cada cidadão trazia um apito no bolso. É o que eu não sabia. Afigura-se-me ver um pacato dono da casa, prestes a sair, gritar para a mulher:

— Florência, esqueci-me da carteira, está em cima da secretária.

Ou então:

— Florência, vê se há charutos na caixa, e atira-me alguns.

Ou ainda:

Dá-me um lenço, Florência?

Mas nunca imaginei esta frase:

Florência, depressa, dá cá o apito!

Não há negá-lo, o apito é de uso geral e comum. Uso louvável, porque a polícia não há de adivinhar os tumultos, e este modo de a chamar é excelente, em vez das pernas, que podem levar o dono não ao corpo da guarda, mas a um escuro e modesto corredor. Vou comprar um apito.

Creiam que é por medo dele, que não escrevo aqui duas linhas em defesa de um defunto dos últimos dias, o carrasco de Minas Gerais, pobre-diabo, que ninguém defendeu, e que uma carta de Ouro Preto disse haver exercido o seu *desprezível* ofício desde 1835 até 1858.[4]

Fiquei embatucado com o *desprezível* ofício do homem. Por que carga d'água há de ser *desprezível* um ofício criado por lei? Foi a lei que decretou a pena de morte; e, desde Caim até hoje, para matar alguém é preciso alguém que mate. A bela sociedade estabeleceu a pena de morte para o assassino, em vez de uma razoável compensação pecuniária aos parentes do morto, como queria Maomé.[5] Para executar a pena não se há de ir buscar o escrivão, cujos dedos só se devem tingir no sangue do tinteiro. Usamos empregar outro criminoso.

Disse então a bela sociedade ao carrasco de Minas, com aquela bonomia, que só possuem os entes coletivos: — "Você fez já um bom ensaio matando sua mulher; agora assente a mão em outras execuções, e acabará fazendo obra perfeita. Não se importe com mesa e cama; dou-lhe tudo isso, e roupa lavada: é um funcionário do Estado".

Deus meu, não digo que o ofício seja dos mais honrosos; é muito inferior ao do meu engraxador de botas, que por nenhum caso chega a matar as próprias pulgas; mas se o carrasco sai a matar um homem, é porque o mandam. Se a comparação se não prestasse a interpretações sublimes, que estão longe da minha alma, eu diria que ele (carrasco) é a última palavra do código. Não neguem isto, ao menos, ao patife Januário, — ou Fortunato, como outros dizem.

Em todo caso, não apitem, porque eu ainda não comprei apito, e posso responder que tudo isto é brincadeira, para passar os tempos duros do verão.

Boas Noites.

Notas

1   Antônio Paulino Limpo de Abreu, visconde de Abaeté (1798-1883), senador de 1847 a 1883, e presidente do Senado em 1860, época que Machado lembra em "O velho Senado".
2   *O País*, jornal republicano, na sua reportagem sobre esses "distúrbios", no dia 24 de dezembro (p. 1, col. 5), diz: "por todos os lados ouvia o trilar de apitos, que ainda assim não arrefecia o desânimo dos que promoviam a desordem".
3   São os adjetivos convencionais com que Homero se refere a Ulisses na *Odisséia*.
4   A carta de Ouro Preto que comentava esse caso apareceu na "Gazetilha" do *JC* de 21 de dezembro (p. 2, col. 1), e diz que "o carrasco Januário [...] exercia o seu desprezível ofício desde 1835". Como nota MJ, o defunto não era dos "últimos dias", e sim a referência a ele — morrera em 1884. Tinha sido condenado à morte, e, em troca de sua vida, executava a sentença noutros condenados, vivendo preso 50 anos. Houve confusão sobre seu nome, que a carta se esforça por desfazer, dizendo que "houve engano no nome, e que Januário e Fortunato são a mesma pessoa. Fortunato era de cor preta, tinha os cabelos carapinhados, olhos pretos e vivos, semblante risonho, sessenta e duas polegadas de altura, um aleijão na mão esquerda, e duas grandes cicatrizes, uma no estômago e outra nas costas". Interessante cotejar essa passagem com o episódio do enforcamento em *Quincas Borba* (cap. 47), em que o carrasco é bem caracterizado nesta frase: "Sustentava com galhardia a curiosidade pública".
5   Parece referir-se aqui ao *Alcorão* (Sura 4, v. 92), onde se diz que "quem matou um crente por erro, deve libertar um escravo crente, e pagar dinheiro à família do crente, se eles não o remitirem por caridade". A lei muçulmana nesses assuntos não é tão simples como Machado parece, ou finge, crer. Noutros passos (p. ex., Sura 5, v. 45) aprova-se com restrições a lei de talião.

Crônica 30

13 de janeiro de 1889

BONS DIAS!

Eu, se fosse gatuno, recolhia-me à casa, abria mão de vício tão hediondo, e ia estudar o hipnotismo.[1] Uma vez amaestrado, saía à rua com um ofício honesto, e passava o resto dos meus dias comendo tranqüilamente sem remorsos nem cadeia.

Foi o que fiz agora sem ser gatuno; gastei onze dias metido no estudo desta ciência nova. Tivesse a menor inclinação a ratoneiro, e nunca mais iria às algibeiras dos outros, aos quintais, às *vitrines*, nem ao famoso *conto-do-vigário*. Faria estudos práticos da ciência.

Dava, por exemplo, com um homem gordo, suíças longas, barba e queixo rapados, olhos vivos, e lesto, e dizia comigo: — Este é o Visconde de Figueiredo.[2] Metia-o por sugestão no primeiro corredor, ele mesmo fechava a porta, por sugestão, e eu dizia-lhe, como Gassner,[3] que empregava o latim nas suas aplicações hipnóticas:

— *Veniat agitatio brachiorum.*

O visconde agitava os braços. Eu em seguida bradava-lhe:

— Dê-me V. Exa. as notas que tiver no bolso, o relógio, os botões de ouro e qualquer outra prenda de estimação.

S. Exa. desfazia-se de tudo paulatinamente; eu ia recebendo devagar; guardado tudo, dizia-lhe com persuasão e força:

— Agora mando que se esqueça de tudo, que passe alguns minutos sem saber onde está, que confunda esta rua com outra; e só daqui a uma hora vá almoçar no *restaurant* de costume, à cabeceira da mesa, com seus habituais amigos.

Depois, à maneira do mesmo velho Gassner, fechava a experiência em latim:

— *Redeat ad se!*

S. Exa. tornava a si; mas já eu ia na rua, tranqüilo, enquanto ele tinha de gastar algum tempo, explicando-se, sem consegui-lo.

Seriam os meus primeiros estudos práticos; mas imagine-se o que poderia sair de tais estréias. Casas de penhores, ourives, joalharias. Subia ainda; ia aos tribunais ganhar causas, ia às câmaras legislativas obter votos, ia ao governo, ia a toda parte. De cada negócio (e nisto poria o maior apuro científico), compunha uma longa e minuciosa memória, expondo as observações feitas em cada paciente, a maior ou menor docilidade, o tempo, os fenômenos de toda a espécie; e por minha morte deixaria esses escritos ao Estado.

Por exemplo, este caso das meninas envenenadas de Niterói[4] — ... Estudaria aquilo com amor; primeiro o menino que aviou a receita. Indagaria bem dele se era menino ou boticário. Ao saber se era só menino, mas com cinco anos e a graça de Deus, esperava chegar a boticário, e, talvez, a médico da roça, — mostrar-lhe-ia que a fortuna protege sempre os nobres esforços do homem; e assim também que, para salvar mil criaturas, é preciso ter matado cinqüenta, pelo menos. Em seguida, tendo lido que o vidro do remédio fora mandado esconder por um facultativo, achá-lo-ia, antes da polícia, por meio hipnótico; e este era o meu negócio. Exposto o vidro, na Rua do Ouvidor, a dois tostões por pessoa... É verdade que tudo poderia já estar esquecido, ou por causa do assassinato do Catete, ou até por nada.

Tudo feito, chegaria a morrer um dia, e mui provavelmente S. Pedro, chaveiro do céu, não me abriria as portas por mais que lhe dissesse que os meus atos eram puras experiências científicas. Contar-lhe-ia as minhas virtudes; ele abanaria a cabeça. Pois aí mesmo aplicaria o novo processo.

— *Veniat agitatio brachiorum.**

---

* No jornal, parece haver aqui dois pontos, que MJ interpreta como ponto de exclamação. Como essa frase leva um ponto no seu primeiro aparecimento, creio mais lógica essa solução.

S. Pedro, mestre dos mestres na língua eclesiástica, obedeceria prontamente à minha intimação hipnótica, e agitaria os braços. Mas como, então, não via nada, eu passaria para o lado de dentro; e logo que lhe bradasse de dentro: — *Redeat ad se*, ele acordaria e me perdoaria em nome do Senhor, desde que transpusera o limiar do céu. Esta é a diferença dos dois mistérios póstumos: quem entra no inferno perde as esperanças, quem entra no céu conserva-as integralmente.

Servate* ogni speranza, o voi ch'entrate![5]

Boas Noites.

Notas

1 O hipnotismo (a palavra foi inventada por James Braid em 1843) tornara-se mais respeitável — e mais polêmico — a partir do começo da década de 1880, quando Charcot descobriu sua utilidade no tratamento da histeria.

2 Francisco de Figueiredo, conde de Figueiredo (1843-1917). Banqueiro e financista, muito influente nessa época e associado com as tentativas de ampliar a economia em 1888-1890. Utilizado aqui como o tipo do ricaço.

3 Johann Joseph Gassner (1727-1779): padre alemão que curou várias doenças por meio do exorcismo e suscitou muito interesse entre psicólogos e médicos.

4 Novo furo, dessa vez com base nos fatos, da *GN*. Em 9 de janeiro, noticiou, na primeira página (col. 2), que duas "infelizes", Orminda e Maria Nunes, gêmeas de menos de um mês de idade, tinham falecido "após a ingestão de medicamentos cuja dosagem exagerada ou mal combinada foi causa do envenenamento". Acrescenta: "consta-nos que foi a receita aviada por um menino, caixeiro da farmácia", e que o vidro de onde foi tirada a receita foi depois escondido pelo farmacêutico. No dia seguinte, informa que "O Dr. Davi, médico em Niterói, veio ontem ao nosso escritório dizer que são suas as receitas de que se trata". Furo mínimo: já no dia 11, vai para a segunda página, justamente debaixo da "Tentativa de assassinato" do Catete, outro *crime passionel*, cuja vítima era uma espanhola, e desaparece inteiramente depois do dia 12.

5 Adaptação do famoso verso "Lasciate ogni speranza, voi ch'entrate!", do canto 3 do "Inferno" de Dante. Significa: "Conservai toda a esperança, vós que entrais!".

---

* "*Servati*", no jornal.

Crônica 31

21 de janeiro de 1889

BONS DIAS!

Vi, não me lembra onde...

É meu costume, quando não tenho que fazer em casa, ir por esse mundo de Cristo, se assim se pode chamar à Cidade de São Sebastião, matar o tempo. Não conheço melhor ofício, mormente se a gente se mete por bairros excêntricos; um homem, uma tabuleta, qualquer coisa basta a entreter o espírito, e a gente volta para casa "lesta e aguda", como se dizia em não sei que comédia antiga.

Naturalmente, cansadas as pernas, meto-me no primeiro *bonde*, que pode trazer-me à casa ou à Rua do Ouvidor, que é onde todos moramos. Se o *bonde* é dos que têm de ir por vias estreitas e atravancadas, torna-se um verdadeiro obséquio do céu. De quando em quando, pára diante de uma carroça que despeja ou recolhe fardos. O cocheiro trava o carro, ata as rédeas, desce e acende um cigarro; o condutor desce também e vai dar uma vista de olhos no obstáculo. Eu, e todos os veneráveis camelos da Arábia, vulgo passageiros, se estamos dizendo alguma coisa, calamo-nos para ruminar e esperar.

Ninguém sabe o que sou quando rumino. Posso dizer, sem medo de errar, que rumino muito melhor do que falo. A palestra é uma espécie de peneira, por onde a idéia sai com dificuldade, creio que mais fina, mas muito menos sincera. Ruminando, a idéia fica íntegra e livre. Sou mais profundo ruminando; e mais elevado também.

Ainda anteontem, aproveitando uma meia hora de *bonde* parado, lembrou-me não sei como o incêndio do clube dos Tenentes do Diabo.[1] Ruminei os episódios todos, entre eles os atos de generosidade da parte das sociedades congêneres; e fiquei triste de não estar naquela primeira juventude, em que a alma se mostra capaz de sacrifícios e de bravura. Todas essas dedicações dão prova de uma solidariedade rara, grata ao coração.

Dois episódios, porém, me deram a medida do que valho, quando rumino. Toda a gente os leu separadamente; o leitor e eu fomos os únicos que os comparamos.

Refiro-me, primeiramente, à ação daqueles sócios de outro clube, que correram à casa que ardia, e, acudindo-lhes à lembrança os estandartes, bradaram que era preciso salvá-los. "Salvemos os estandartes!" e tê-lo-iam feito, a troco da vida de alguns, se não fossem impedidos a tempo. Era loucura, mas loucura sublime. Os estandartes são para eles o símbolo da associação, representam a honra comum, as glórias comuns, o espírito que os liga e perpetua.

Esse foi o primeiro episódio. Ao pé dele temos o do empregado que dormia, na sala. Acordou este, cercado de fumo, que o ia sufocando e matando. Ergueu-se, compreendeu tudo, estava perdido, era preciso fugir. Pegou em si e no livro da escrituração e correu pela escada abaixo.

Comparai esses dois atos, a salvação dos estandartes e a salvação do livro, e tereis uma imagem completa do homem. Vós mesmos que me ledes sois outros tantos exemplos da* conclusão. Uns dirão que o empregado, salvando o livro, salvou o sólido; o resto é obra de sirgueiro. Outros replicarão que a contabilidade pode ser reconstituída, mas que o estandarte, símbolo da associação, é também a sua alma; velho e chamuscado, valeria muito mais que o que possa sair agora, novo, de uma loja. Compará-lo-ão à bandeira de uma nação, que os soldados perdem no combate, ou trazem esfarrapada e gloriosa.

---

* No jornal, lê-se "de".

E todos vós tereis razão; sois as duas metades do homem, formais o homem todo... Entretanto, isso que aí fica dito está longe da sublimidade com que o ruminei. Oh! se todos ficássemos calados! Que imensidade de belas e grandes idéias! Que saraus excelentes! Que sessões de câmaras! Que magníficas viagens de *bondes*!

Mas por onde é que eu tinha principiado? Ah! uma coisa que vi, sem saber onde...

Não me lembra se foi andando de *bonde*; creio que não. Fosse onde fosse, no centro da cidade ou fora dela. Vi à porta de algumas casas, esqueletos de gente, postos em atitudes joviais. Sabem que o meu único defeito é ser piegas; venero os esqueletos, já porque o são, já porque o não sou. Não sei se me explico. Tiro o chapéu às caveiras; gosto da respeitosa liberdade com que Hamlet fala à do bobo Yorick.[2] Esqueletos de mostrador, fazendo gaifonas, sejam eles de verdade ou não, é coisa que me aflige. Há tanta coisa gaiata por esse mundo, que não vale a pena ir ao outro arrancar de lá os que dormem. Não desconheço que esta minha pieguice ia melhor em verso, com toada de recitativo ao piano: Mas é que eu não faço versos; isto não é verso:

Venha o esqueleto, mais tristonho e grave,
Bem como a ave, que fugiu do além...

Sim, ponhamos o esqueleto nos mostradores, mas sério, tão sério como se fosse o próprio esqueleto do nosso avô, por exemplo... Obrigá-lo a uma polca, habanera, lundu ou cracoviana... Cracoviana?[3] Sim, leitora amiga, é uma dança muito antiga, que o nosso amigo João, cá de casa, executa maravilhosamente, no intervalo dos seus trabalhos. Quando acaba, diz-nos sempre, parodiando um trecho de Shakespeare: "Há entre a vossa e a minha idade, muitas mais coisas do que sonha a vossa vã filosofia."[4]

Boas Noites.

Notas

1 Os Tenentes do Diabo e os Fenianos eram clubes carnavalescos, que nessa época estariam em plena fase de preparação. Da longa reportagem sobre esse incêndio, do *JC* de 14 de janeiro (p. 1, col. 3), o seguinte trecho ganhou a atenção de Machado: "Iam os bombeiros começar o trabalho de extinção quando os Fenianos, sabendo a infelicidade dos seus co-irmãos os Tenentes do Diabo, suspenderam o seu baile, dirigiram-se para o lugar do incêndio, e animados pelo sentimento de confraternidade, começaram a gritar — 'Salvemos os estandartes! Ao menos os estandartes!' E quiseram penetrar no interior do salão dos Tenentes do Diabo, que já era preso em chamas. Mas a polícia não consentiu que cometessem tal imprudência. Um empregado da sociedade, que dormia no dito salão, acordando sufocado pela fumaça, tentou salvar-se carregando apenas os livros da sociedade, os quais ficaram inteiros, e foram guardados em estabelecimento próximo".
2 *Hamlet*, ato 5, cena 1.
3 A cracoviana é uma dança antiga polonesa, popularizada pela dançarina Fanny Esher em meados do século XIX.
4 Ver crônica 5, nota 4.

Crônica 32

26 de janeiro de 1889

BONS DIAS!

*Sanitas sanitatum et omnia sanitas.*¹ Gracioso, não? É meu; quero dizer, é meu no sentido de ser de outro. Achei esta paródia de *Eclesiastes* em artigo de crítica de uma folha londrina. Já vêem que não são só os queijos daquela naturalidade que merecem os nossos amores; também as folhas, e principalmente as que escrevem com sabor* e graça.

A parte minha neste negócio é aplicar melhor a frase, porque lá só trata de um livro, e cá tratamos da cidade inteira. Creio que saiu-me um verso decassílabo: "e cá tratamos da cidade inteira". Não me sobra tempo para transpô-la a prosa. Repito o que disse, e acrescento que já alguém afirmou que citar a propósito um texto alheio equivale a tê-lo inventado. Creio que é tolice; mas, fiado nela, é que ousei dizer no princípio que a paródia era minha: *Sanitas sanitatum*** et omnia sanitas*.

Com efeito, não se fala de outra coisa. Tudo quer, tudo pede, tudo deseja a saúde, ou pelo menos, a ausência da febre amarela. Esta velha dama, que estabeleceu aqui um *pied-à-terre*, não se esquece de nós inteiramente; há anos em que traz toda a criadagem, e estabelece-se por uma estação e mais. Não é bonita, nem graciosa, nem se sabe quem seja, conforme dizem os abalizados. Eu creio, no tocante à genealogia,

---

* "saber", no jornal.

** "*sanitum*", no jornal.

que é neta em quadragésimo grau do famoso Gargantuá.² Come que é o diabo, e dá muito de comer à empresa funerária, a qual, devendo detestá-la, pelo lado humano, não pode desadorá-la por outro lado, não menos humano.

Há dessas lutas terríveis na alma do homem. Não; ninguém sabe o que se passa no interior de um sobrinho, tendo de chorar a morte de um tio e receber-lhe a herança. Oh! contraste maldito! oh! dilaceração moral! Aparentemente, tudo se recomporia, desistindo o sobrinho do dinheiro herdado; ah!! mas então seria chorar duas coisas: o tio e o dinheiro.

Seja ela (a febre) o que for, é certo que, assim como em França *tout finit par des chansons*,³ cá em nossa* terra *tout finit par des polcas*. Os bailes não se adiam, e fazem bem. Na pior hipótese, morre-se; mas antes ir para a cova ao som de um *tango*,⁴ como os vizinhos da matriz de São José,⁵ que sem música nenhuma. *Ergo bibamus!*

O pior é a formalidade do registro civil.⁶ Lá pelo interior parece que não o querem, pois que centenas de homens e mulheres, em várias localidades, têm pegado no pau, avançado para os escrivães, arrancado os livros do registro que são rasgados depois na praça pública. O ato é condenável, por ser motim e por opor-se à execução da lei; mas há quem receie que, ainda sem bulha nem matinada a lei caia em desuso, não por injusta, mas por não ajustada. Também o sorteio militar⁷ é lei justíssima, e não pode ser cumprida. Não sei se este caso é como o da febre amarela, cuja origem se ignora. Opinião de chapeleiro não há de deixar de ser modesta; afirma-me um, que nunca vendeu chapéu senão bem ajustado à cabeça do freguês. Pode ser gabolice; pode até não ser opinião.

Outros quebram-me a cabeça com legislação científica, e misturam tudo com expressões arrepiadas. Para um homem que só está bem no meio de torrões de açúcar, é o mesmo que mandá-lo embora. Vou-me embora.

Boas Noites.

---

* "nosso", no jornal.

Notas

1 Paródia a *Vanitas vanitatum et omnia vanitas* (*Eclesiastes* 1:2).
2 Gigante voraz da obra do mesmo nome de Rabelais (1494?-1553).
3 Frase do final de *O casamento de Fígaro*, de Beaumarchais (1732-1799).
4 Nessa época, o tango ou tango brasileiro era o nome dado a uma adaptação local da habanera — o tango argentino só se popularizou nas vésperas da Primeira Guerra Mundial. A partir da segunda metade da década de 1880, o título foi dado tanto a canções como a danças. Na época, porém, as grandes camadas urbanas identificavam-se muito mais com a polca e com as modinhas (v. José Ramos Tinhorão, *Pequena história da música popular*, p. 88).
5 Parece que havia carrilhão nessa igreja — novidade pela qual Machado tinha aversão, a julgar pela crônica de 3 de julho de 1892, onde também menciona o fato de se tocarem neles músicas profanas.
6 A secularização da vida brasileira, da qual a lei do registro civil fazia parte, provocava resistência em algumas vilas do interior e, por sua vez, comentários nos jornais. Ver, por exemplo, esta reportagem da *GN* de 24 de janeiro: "Já começou a resistência da população à organização do Registro Civil. Na freguesia de Santo Antônio dos Coqueiros, município de Guanhães, Minas, tendo a povoação notícia de que foram entregues ao escrivão interino do subdelegado os livros para o registro dos nascimentos, casamentos e óbitos, amotinou-se e com um grupo de mulheres à frente assaltou a casa do escrivão e apesar de sua resistência arrebataram e rasgaram os livros. Julgue-se por esse fato o estado de adiantamento do interior do país". Havia muitas notícias desse tipo e teor nos jornais dessa época.
7 Havia no Império um sorteio para o serviço militar, que era notoriamente corrupto; a escolha caía sempre, por milagre, em gente da oposição. Em qualquer caso, era sempre possível para pessoas de recursos achar um substituto, o que era perfeitamente legal.

Crônica 33

31 de janeiro de 1889

BONS DIAS!

Toda a gente além da febre amarela, fala da vitória Boulanger.¹ Esta vitória lembra-me o que ouvi a um parlamentar nosso, parece que até senador — mas suponhamos simples deputado — no dia em que aqui se soube que Boulanger apresentara e vira cair na câmara um projeto de revisão: "lá morreu o Boulanger!" disse ele; e nunca proferiu coisa tão profunda.

Com efeito, de um só lance pintou bem esse parlamentar o nosso critério político. Para nós toda a opinião está nas câmaras; o que caiu nas câmaras, é o mesmo que se caísse no país, e é verdade. Não, nunca esse parlamentar disse coisa tão profunda, e aliás é homem de talento e tem feito bons discursos; mas, enfim, a respeito de discursos, eu estou com aquele ateniense a quem convidaram para ouvir um homem que imitava bem o rouxinol. "Eu já ouvi o próprio rouxinol", respondeu ele.²

Não se desconsole, porém, o digno parlamentar. Cá e lá más fadas há. Floquet,³ que lhe não é inferior, pensa agora, segundo dizem os telegramas de ontem,⁴ em acudir ao mal da vitória Boulanger, com uns papelinhos escritos, projetos de lei ou coisa que o valha, fazendo as eleições por distritos. A Câmara, que não é inferior a Floquet, cuida em modificar a lei de imprensa. Legislação de pânico, legislação de safa rascada.⁵

É verdade que o dito Floquet, segundo os referidos telegramas, pretende também expor na tribuna a política do ministério no interior e no exterior. Não quero antecipar o seu discurso; mas que diabo tem o discurso com as calças? Quem lhe pede programas a esta hora? Outro telegrama anterior havia noticiado o exílio do general, caso saísse vencedor; era asneira, filha do eterno pânico; mas, enfim, era um ato. Discursos! Programas!

Eu, se fosse ele, em vez de imitar o rouxinol, imitava o cisne, soltava o último canto, e recolhia-me a bastidores.

Os que as armaram que as desarmem. Sim, Floquet do meu coração, isto de ver um governo e um partido de radical, arrolhando a imprensa (que é o que parece dizer o eufemismo telegráfico), não é coisa nova, mas há de ser sempre coisa ridícula. Eia, entrega o penacho ao Clemenceau,[6] que é* um grande homem sem emprego, salvo o de não gostar de papoulas crescidas (Gambetta,[7] Boulanger, etc.); entrega-lhe o penacho, e verás como ele recompõe tudo em cinco minutos.

Assim pudesse eu recompor os espíritos cá da terra, acerca da febre amarela, que é o segundo assunto da conversação do dia. Há quem afirme que morrem mais de cem pessoas diariamente; que o obituário é desbastado para não assustar à população, e que a epidemia é dividida por outras verbas patológicas, com o mesmo intuito.**[8] Em verdade, parece que o mistério e o terror dão certo pico às coisas, ainda as mais graves e tristes. Feliz tu, se podes rir disto; se, no meio do burburinho que nos*** rodeia, não ouves o gemido de uma filhinha querida, presa na garra da terrível visita, como agora acontece a um bom pai, que não sei se tem olhos para ler estas linhas...

Daqui para falar de outras coisas é mui difícil. Nada aparecerá assaz sério, nem os revólveres que tanta gente traz agora no bolso,[9] para defesa própria. Não há muitos dias, uma linda moça apontou-me um ao peito. Eu abri o paletó, e esperei; ela desfechou o tiro: era um jorro de essência pura... Ah! mas nem todos usam destes; os outros revólve-

---

* Falta este "é" no jornal.
** Desse ponto em diante, o texto falta no jornal, que está rasgado. Sigo o texto de MJ.
*** MJ diz que no jornal está "vos", e propõe "te". Provavelmente ocorreu um erro tipográfico que resultou na troca de "nos" por "vos".

res são de verdade; levam bala dentro, e basta pouco para arriscar um homem honesto a ir da rua para a cadeia. Eu não sei ainda se o uso é mau ou bom; tem utilidade e perigos: é crime e defesa... Vou pensar no negócio.

Por ora, assalta-me a idéia de que, ainda sem revólver, a morte aí vem, por seu pé, tranqüila, nojenta, dolorosa, com um outro nome, agitando as asas da liberdade, e as unhas de grã besta. Madre implacável.

Boas Noites.

Notas

1 O general Boulanger (1837-1891), ministro da Guerra da República Francesa em 1886, aproveitou-se do descontentamento com a República, e quis apresentar-se como salvador nacional — pregava, entre outras coisas, a "revanche" contra a Alemanha, vitoriosa na Guerra Franco-Prussiana de 1870. Apoiado por vários grupos de esquerda e pela direita (inclusive os bonapartistas — havia paralelos óbvios entre a sua atuação e a de Luís Napoleão em 1851), foi candidato em várias eleições parciais, e eleito em todas, o que a lei francesa permitia. Esse processo culminou em 27 de janeiro de 1889, quando foi eleito em Paris, por 245.236 votos contra 162.875. É a essa última vitória que Machado se refere. Nesse momento, havia a possibilidade real de um golpe de Estado contra a República — eventualidade só evitada pela hesitação do próprio Boulanger, e pelas decisões do governo no sentido de modificar o sistema eleitoral, de que Machado zomba nesta crônica.
2 Não conheço a origem dessa anedota, que Machado usa noutras crônicas.
3 Charles Floquet (1828-1896), nessa altura presidente da Câmara dos Deputados e inimigo de Boulanger, com quem se batera em duelo em 1888.
4 Cito o telegrama da *GN* de 30 de janeiro (p. 2, col. 3): "França, Paris, 29 à noite: O presidente do Conselho de Ministros anunciou que apresentará quinta-feira, 31 do corrente, à câmara dos deputados um projeto de lei restabelecendo o escrutínio por círculos. Ao mesmo tempo exporá o Sr. Floquet qual a política que conta seguir o ministério, tanto no interior como no exterior. Consta que a câmara vai também pronunciar-se sobre um projeto de modificações a introduzir na lei sobre a imprensa. (Agência Havas)".
5 Na primeira edição desta obra, confessei-me incapaz de entender esta frase, e inventei uma alternativa espúria ("safra rascada"). Descobri, graças ao entusiasmo de Lúcia Helena Lahoz Morelli, da editora da UNICAMP, que a frase aparece na *Guerra dos mascates*, de José de Alencar, capítulo IV, com o significado de "que enrascada!", "que chateação!" — uma interjeição, portanto. Mas é sem dúvida o significado que Machado quer dar à frase, que está correta no texto do jornal.
6 Georges Clemenceau (1841-1929), político e jornalista republicano francês, que, depois de apoiar Boulanger, passara a combatê-lo. Não compreendo inteiramente o entusiasmo machadiano por ele nesse momento. O "não gostar de papoulas crescidas" re-

fere-se, ao que parece, à sua oposição a Gambetta em 1881, quando este tentou formar um ministério, e à sua formação de uma liga para defender os direitos do homem, em 1888. Pode ser que Machado visse nele o ideal do político forte, mas democrático.

7 Léon Gambetta (1838-1882 — já morto, portanto). Um dos políticos mais importantes e carismáticos do período depois da guerra de 1870, e um dos fundadores da Terceira República, em 1875. Exerceu muito poder nesse período, mas, em parte por causa da oposição do presidente da República, Jules Ferry, só chegou a formar um ministério um ano antes da sua morte.

8 Publicava-se periodicamente nos jornais uma lista dos óbitos segundo as causas de morte: era muito natural haver esse tipo de suspeita.

9 Não encontrei referência a esse assunto: evidentemente, essa arma se popularizava, mas não sei se por temores da população, pelo seu baixo preço e tamanho, ou por ambas as razões. Uma nota da "Gazetilha" do *JC* de 11 de janeiro (p. 1, col. 3) diz que tinham sido apreendidos 119 revólveres, de procedência norte-americana.

Crônica 34

6 de fevereiro de 1889

BONS DIAS!

Deus seja louvado! Choveu... Mas não é pela chuva em si mesma que o leitor me vê aqui cantando e bailando; é por outra coisa. A chuva podia ter melhorado o estado sanitário da cidade, sem que me fizesse nenhum particular obséquio. Fez-me um; é o que eu agradeço à Providência Divina.

Já se pode entrar num bonde, numa loja ou numa casa, bradar contra o calor e suspirar pela chuva, sem ouvir este badalo:

— A folhinha de Ayer dá chuva lá para 20 de fevereiro.[1]

Pelo lado moral, era isto um resto das torturas judiciárias de outro tempo. Pelo lado estético, era a mais amofinadora de todas as cega-regas deste mundo:

— Oh! não pude dormir esta noite! Onde irá isto parar? Nem sinais de chuva, um céu azul, limpo, feroz, eternamente feroz.

— A folhinha de Ayer só dá chuva lá para 20 de fevereiro, acudia logo alguém.

Às vezes, apesar de minha pacatez proverbial, tinha ímpetos de bradar, como nos romances de outro tempo: "Mentes pela gorja, vilão!"

E é o que mereciam todos os alvissareiros de Ayer; era agarrá-los pelo pescoço, derrubá-los, joelho no peito e sufocá-los até botarem fora a língua e a alma. Pedaços de asnos!

Nem ao menos tiveram o mérito de acertar. Afligiam sem graça nem verdade.

Habent sua fata libelli![2] As folhinhas de Ayer, como anúncios meteorológicos, estão a expirar.* Só este golpe recente é de levar couro e cabelo. Agora podem prever as maiores tempestades do mundo que não deixarei de sair a pé com sapatos rasos e meias de seda, se tanto for preciso para mostrar o meu desprezo.

Ayer é um dos velhos da minha infância. Oh! bons tempos da salsaparrilha de Ayer e de Sands,[3] dois nomes imortais, que eu cuidei ver mortos no fim de uma década. Não seriam amigos, provavelmente, pois que cada um deles** apregoava os seus frascos, com exclusão dos frascos do outro. A matéria-prima é que era a mesma.

Sim, meus amigos, eu não sou tão jovem como o apregoam alguns. Eu assisti a todo o ciclo do xarope do Bosque.[4] Conheci-o no tempo em que começou a curar; era um bonito xarope significado nos anúncios por meio de uma árvore e uma deusa — ou outra coisa, não sei bem como era.

Curava tudo: à proporção que os curados iam espalhando que as folhinhas de Ayer só davam chuvas... Perdão, enganei-me; iam espalhando que estavam curados, a fama do xarope ia crescendo e as suas obras eram o objeto das palestras nos ônibus. A fama cresceu, a celebridade acendeu todas as suas luminárias. Jurava-se pelo xarope do Bosque como um cristão jura por Nosso Senhor. Contavam-se maravilhas; pessoas mortas voltavam à vida, com uma garrafa debaixo do braço, vazia.

Chegou ao apogeu. Como todos os impérios e repúblicas deste mundo principiou a decair; era menos buscado, menos nomeado. O rei dos xaropes desceu ao ponto de ser o lacaio dos xaropes, e lacaio mal pago; as belas curas, suas nobres aliadas, quando o viram no tão baixo estado, foram levar os seus encantos a outros príncipes. Ele ainda resistiu; reproduzia nos jornais a árvore e a moça, e repetia todos os seus méritos, aqui e fora daqui; mas a queda ia continuando. Pessoas que lhe deviam a vida, não sei por que singular ingratidão, preferiam agora o arsêni-

---

* No jornal está "espiar".
** Falta esta palavra no jornal.

co, os calomelanos e outras drogas de préstimo limitado. O xarope foi caindo, caindo, caindo até morrer. Não falo nisto sem lágrimas. Se por esse tempo, aproveitando a morte do xarope do Bosque, tivesse inventado um xarope de Cidade, estava agora com a bolsa repleta. Teria palácio em Petrópolis, coches, alazões, um teatro, e o resto. A antítese dos nomes era a primeira recomendação. Se o do Bosque já não cura, diriam os fregueses, busquemos o da Cidade. E curaria, podem crer, tanto como o outro, ou um pouco menos. Há sempre fregueses... Ora, eu, que não alimentei jamais grandes ambições, nem de que juntasse uns três mil contos, dava o xarope aos sobrinhos. Pode ser que já agora estivesse com o outro (Deus lhe fale n'alma). Paciência; Babilônia caiu; caiu Roma, caiu Nínive, caiu Cartago. Ninguém mais repete este abominável *scie*:[5]

— A folhinha de Ayer só dá chuva lá para 20 de fevereiro.

Boas Noites.

Notas

1 Ver crônica 19, nota 3.
2 Citação de Terentianus Maurus (fl. 200 d.C.), freqüentemente atribuída a Horácio: "Pro captu lectoris habent sua fata libelli": "A sorte dos livros depende da capacidade do seu leitor". A parte citada significa: "Os livros têm seu destino".
3 Na crônica de 22 de dezembro de 1895, Machado trata novamente desse assunto, chegando a citar o *Manual da saúde* — propaganda do dr. Ayer — de 1869.
4 Nas crônicas de 6 de abril de 1887 e 19 de novembro de 1893 — esta das mais fascinantes, bem documentada em jornais antigos —, Machado se refere também a esse xarope.
5 Literalmente, "serra", em francês — lugar-comum gasto, e que portanto incomoda.

Crônica 35

13 de fevereiro de 1889

BONS DIAS!

O diabo que entenda os políticos! Toda a gente aqui me diz, que o meio de obter câmaras razoáveis é acabar com as eleições por distritos, nas quais, à força de meia dúzia de votos, um paspalhão ou um perverso fica deputado. Dizem agora telegramas franceses, que o governo e a maioria da câmara dos deputados, para evitar o mesmo mal, vão adotar justamente a eleição por distritos.[1] Entenderam? Eu estou na mesma.

Felizmente, dei com uma dessas criaturas que o céu costuma enviar para esclarecer os homens, a qual me disse que Pascal era um sonhador. Não gosto de *calembour*, mas não pude evitar este: "Há de me perdoar, o Pascoal é confeiteiro".[2] A pessoa não fez caso; continuou dizendo que Pascal era um sonhador, porque o que ele achava extravagante, é que é natural; *verdade aqui, erro além*.[3] Também se podem trocar as bolas: *verdade além, erro aqui*. Sabia eu porque é que lá adotaram o que para nós é ruim? Era para escapar ao cesarismo. Sabia eu o que era cesarismo?[4]

— Não, senhor.

— Cesarismo vem de César.

— Farani?[5] perguntei eu, e confesso que sem o menor desejo de trocadilho.

— Zama? Conheço um César Zama.[6]

— Cale-se homem, ou ponha-se fora. Não estou para aturar cérebros fracos, nem pessoas malcriadas, porque, se é grande impolidez interromper a gente para dizer uma verdade, quanto mais uma asneira. César Zama! César Farani!

— Já sei: César Cantù...[7]

Vá para o diabo, que o ature. Quando quiser saber as coisas ouça calado, entendeu? Ora essa! Cantù, Farani, Zama... já viu o cometa?

— Há algum cometa?

— Há, sim, senhor, vá ver o cometa; aparece às 3 horas da manhã, e de onde se vê melhor é do morro do Nheco, à esquerda.[8] Tem um grande rabo luminoso. Vá, meu amigo; quem não entende das coisas não se mete nelas. Vá ver o cometa.

Fiquei meio jururu, porque o principal motivo que me levara a procurar a dita pessoa, não era aquele, mas outro. Era saber se existia a Sociedade Protetora dos Animais.

Afinal prestes a ir ver o cometa, tornei atrás e fiz a pergunta. Respondeu-me que sim, que a Sociedade Protetora dos Animais existia, mas que tinha eu com isso? Expliquei-lhe que era para mim uma das sociedades mais simpáticas. Logo que ela se organizou, fiquei contente, dizendo comigo que, se Inglaterra e outros países possuíam sociedades tais, por que não a teríamos nós? Prova de sentimentos finos, justos, elevados; o homem estende a caridade aos brutos...

Parece que ia falando bem, porque a pessoa não gostou, e interrompeu-me, bradando que tinha pressa; mas eu ainda emiti algumas frases asseadas, e citei alguns trechos literários, para mostrar que também sabia cavalgar livros. Afinal, confiei-lhe o motivo da pergunta; era para saber se, havendo na Câmara Municipal nada menos que três projetos para a extinção dos cães,[9] a Sociedade Protetora tinha opinado sobre algum deles, ou sobre todos.

A pessoa não sabia, nem quis meter a sua alma no inferno asseverando fatos que ignorava. Saberia eu o que se passava em Quebec? Respondi que não. Pois era a mesma coisa. A Sociedade e Quebec eram idênticas para os fins da minha curiosidade. Podia ser que dos três projetos já a Sociedade houvesse examinado quatro ou mesmo nenhum; mas, como sabê-lo?

Conversamos ainda um pouco. Fiz-lhe notar que os burros, principalmente os das carroças e *bondes*, declaram a quem os quer ouvir, que ninguém os protege, a não ser o pau (nas carroças) e as rédeas (nos *bondes*). Respondeu-me que o burro não era propriamente um animal, mas a imagem quadrúpede do homem. A prova é que, se encontramos a amizade no cão, o orgulho no cavalo, etc., só no burro achamos filosofia. Não pude conter-me e soltei uma risada. Antes soltasse um espirro! A pessoa veio para mim, com os punhos fechados, e quase me mata. Quando voltei a mim, perguntei humildemente:

— Bem; se a Sociedade Protetora dos Animais não protege o cão nem o burro, o que é que protege?

— Então não há outros animais? A girafa não é animal? A girafa, o elefante, o hipopótamo, o camelo, o crocodilo, a águia. O próprio cavalo de Tróia, apesar de ser feito de madeira, como levava gente na barriga, podemos considerá-lo bicho. A Sociedade não há de fazer tudo ao mesmo tempo. Por ora o hipopótamo, depois virá o cão.

— Mas é que o...

— Homem, vá ver o cometa; morro do Nheco, à esquerda.

— Às três horas?

— Da madrugada; boas noites.*

Boas Noites.

Notas

1   A Lei Saraiva, de 1881, dividira as províncias em círculos (ou distritos) para fins eleitorais; como ao mesmo tempo restringiu o eleitorado, muitas vezes deu no resultado aqui apontado. Na França da Terceira República, o método adotado era o chamado "*scrutin de liste*", em que a unidade básica era o *département*, maior que o *arrondissement*, e equivalente à província brasileira. A diferença fundamental, que Machado finge ignorar, era que na França se permitiam candidaturas múltiplas, coisa de que Boulanger se aproveitou, fazendo-se eleger por vários *départements*, numa espécie de plebiscito. Era essa lei que os políticos da República queriam reformar. Cito um dos telegramas franceses, do *JC* de 11 de fevereiro (p. 1, col. 3): "Por proposta do governo, a câmara decidiu por 308 votos contra 243 discutir amanhã o projeto que restabelece o escrutínio por quarteirões [isto é, *arrondissements*], criando um colégio eleitoral para cada deputado".

---

*   No jornal, está "noites noites".

2   A Confeitaria Pascoal ficava na Rua do Ouvidor, perto da Rua Gonçalves Dias (v. cr. de 25 de março de 1894).
3   Citação favorita de Machado: MJ, em *Machado de Assis desconhecido*, p. 208, dá outros casos, o primeiro de 1864. No original das *Pensées*, é "Plaisante justice qu'une rivière borne: vérité au-deçà des Pyrénées, erreur au-delà!": "Curiosa justiça esta, limitada por um rio: verdade deste lado do Pireneus, erro do outro!".
4   Os paralelos de Boulanger, Napoleão III (biógrafo de Júlio César), Napoleão I e, por último, o próprio César, eram lugar-comum. Ninguém ignoraria o sentido dessa palavra.
5   No mesmo parágrafo da mesma crônica da nota 2, de 25 de março de 1894, esta citação: "A casa da mesma rua [a do Ouvidor], esquina da dos Ourives, onde ainda ontem (perdoem o guloso) comprei um excelente paio, era uma casa de jóias, pertencente a um italiano, um Farani, César Farani, creio, na qual passei horas excelentes". Curiosa essa ligação das duas lojas em duas crônicas, e talvez significativo no contexto desta — Machado está falando, "a sério", da superficialidade, e por isso não há "o menor desejo de trocadilho".
6   Ver crônica 3, nota 9.
7   Cesare Cantù (1804-1895), autor de uma célebre história do mundo: *Storia universale*, em vários volumes.
8   O morro do Nheco fica ao norte do centro da cidade, além do morro do Pinto. Sem dúvida trata-se de uma despedida mal-educada e deliberadamente sem sentido, do tipo "vá plantar batatas!". A "prova" encontra-se em "Teoria do medalhão" (*Obra completa*, 1959, ed. Aguilar, vol. II, p. 291), em que se fala do "boato do dia, da anedota da semana, de um contrabando, de uma calúnia, *de um cometa*, de qualquer coisa [...]" (grifo meu).
9   Não encontrei referência a esse assunto em particular: deve ter feito parte da campanha higiênica que nesse momento mobilizava a cidade, e a Câmara Municipal em especial (v., p. ex., a reportagem sobre a sessão do dia anterior no *JC* de 7 de fevereiro (p. 2, cols. 6-7).

Crônica 36

23 de fevereiro de 1889

BONS DIAS!

Mea culpa, mea culpa, mea maxima culpa. Confesso o meu pecado; estou pronto a purgá-lo esbofeteando-me em público. Só assim mostra um homem que realmente se arrependeu, e se acha contrito. Certo é que o meu erro não era da vontade, mas de inteligência; não menos certo, porém, é que tranquei sempre os ouvidos a qualquer demonstração que me quisessem opor, e esta inclinação a recusar a verdade é que define bem a pertinácia do ânimo ruim.

Vamos ao pecado. Os meus amigos sabem que nunca admiti o acionista, senão como um ente imaginário e convencional. O raciocínio que me levara a negá-lo, posto que de aparência lógica, era radicalmente vicioso. Dizia eu que, devendo ser o acionista um interessado no meneio dos capitais e na boa marcha da administração de uma casa ou de uma obra, não se podia combinar esta noção com a ausência dele no dia em que os encarregados da obra lhe queriam prestar contas. Vi caras de diretores vexados e tristes. Um deles, misturando a troça com as lágrimas, virava pelo avesso um adágio popular, e dizia-me em segredo:

— Não se pode ser mordomo com tais juízes.[1]

Diziam-me depois, que o acionista aparecia, ao fim de três chamadas, ouvia distraído o relatório, puxava o relógio, recebia uma cédula, metia-a na urna, e punha-se a panos. Não, retorquia eu, é impossível; se ele fosse um simples fiscal, podia fazer o que faz o da minha freguesia.[2] Mas ele é o próprio capital, é o fundo, é o *super hanc petram*.[3] Sem ele não há casa nem obra... Mas então como explica? Não explico, ignoro; só sei que o acionista é uma bela concepção. Homero fazia dos sonhos simples personagens, mandados do céu para trazer recados dos deuses aos homens. O acionista há de ser a mesma coisa,* sem a beleza genial de Homero.

Tal era a minha convicção. Queriam demonstrar o contrário; alguns, mais fogosos, chamavam-me nomes feios, que não repito por serem muitos, não por vergonha. Homem contrito perde os respeitos humanos. Para isto basta dizer que me chamavam *camelo, paspalhão, lorpa*. Creio que quem confessa estes três apodos, pode calar o resto.

Pois bem, achei o acionista, confesso o acionista, juro pelas tripas do acionista, pelas barbas do acionista, por todas as ações do acionista. Não grito: *eureka!* porque deixei esta palavra estrompada e quase morta nos debates políticos de 1860;[4] e demais podia dar idéia de presunção que não tenho.

Como e onde o achei? Nada mais simples. Desde alguns dias que não pergunto aos amigos senão estas duas coisas: Já teve a febre amarela? Quem substituirá o Barão de Cotejipe no Banco do Brasil?[5]

A esta segunda pergunta não me respondiam nada, porque nenhum dos meus amigos possui outras ações, além das que pratica. Abri de mão o interesse puramente gratuito que tenho no negócio, mas abri também os jornais, e foi isto que me trouxe a luz.

Não gosto de fazer grandes comparações comigo; lá vai uma, e é a última. Achei-me na estrada de Damasco, tal qual S. Paulo, e ouvi, à semelhança daquele divino apóstolo, estas palavras, iguais às do Senhor: "Por que me persegue?"[6] A diferença é que S. Paulo — tamanho foi o seu deslumbramento — perdeu a vista, não podendo mais que ouvir a voz misteriosa. Eu, ao contrário, vi tudo: a resposta que eu pedia sobre a presidência do Banco do Brasil, é dada por diferentes modos, mas sempre por um acionista na assinatura.[7] Se fosse o nome da pessoa, não me convencia, porque eu podia muito bem assinar uma opinião, sem ter nada com o banco; mas é sempre um acionista, só, sem nada. Recordações de Mendes Leal. "Como te chamas? — Pedro. — Pedro de

---

* Falta essa palavra no jornal: a solução é de MJ.

quê? — Pedro sem mais nada."⁸ No presente caso, não há Pedro, não há iniciais; são os próprios acionistas que, vendo que se trata do primeiro lugar, correm a dar a sua opinião.

E tudo se explica. Não correm às assembléias, pela confiança que lhes merecem, não digo os dividendos, mas os divisores. Agora, porém, trata-se justamente de completar os divisores, por acordo prévio, e eita que metem a mão nos dividendos.

Verdade é que um dos artigos, que não é de acionista, dá por escusada qualquer competência, porque há um candidato do *dono da casa*.⁹ Imaginei que esse candidato era eu, e corri a procurar o dono da casa, isto é, do prédio em que está o banco, e disseram-me que o prédio é do próprio banco.

— Mas quem é então o dono da casa?

— Não há; o dono é o próprio acionista.

Aqui é que senti um pouco da turvação de S. Paulo; mas era tarde, a conversão estava feita.

Boas Noites.

Notas

1. Difícil interpretar essa frase, porque não sei de adágio popular que seja o seu revés. "Não se pode ser juiz em causa própria" talvez nos proporcione a solução: é certamente um adágio que os diretores viram pelo avesso, pois, na falta de acionistas responsáveis ou interessados, são justamente seus próprios juízes. Também são, teoricamente, os mordomos, isto é, os que administram a casa para os donos, ou, no caso, os "juízes", ausentes. Resumindo, a frase é duplamente irônica, porque não são mordomos, são juízes, e juízes em causa própria, apesar da sabedoria popular.
2. Isto é, não cumprir com o seu dever com excessivo entusiasmo.
3. Os alicerces: S. Mateus 16:18; "Tu és Pedro, e sobre esta pedra edificarei minha igreja".
4. Aqui, Machado lembra a campanha política de Teófilo Ottoni desse ano, com que na época simpatizara. Na sua Circular, Ottoni atacava o regime corrupto resultante da "Conciliação", pregava eleições mais democráticas, a redução dos poderes do imperador, etc. A eleição foi renhida, e ganha no Rio. O que não impediu que a Câmara, com uma minoria significativa de liberais, e uma conseqüente dificuldade em formar um governo conservador forte, fosse dissolvida em 1863, sem que as idéias pregadas por Ottoni tivessem qualquer resultado prático. Sem dúvida, foi um golpe importante no idealismo do jovem Machado, como para muitos outros da sua geração.

5   O barão de Cotejipe (v. cr. 8, n. 2) morrera em 13 de fevereiro: ao sair do governo em março de 1888, fora eleito presidente do Banco do Brasil.
6   Atos 9 1-9.
7   Desde o dia 17 de fevereiro, quatro dias após a morte de Cotejipe, apareciam cartas nos "A pedidos" propondo (ou rejeitando) candidatos à presidência, muitos deles altas figuras políticas — Domingos de Andrade Figueira, Lafayette Rodrigues Pereira, Paulino José Soares de Sousa etc. Vinham assinadas, "Um acionista", "Acionista de 200 ações" etc.
8   Outra lembrança de 1860, e da mocidade liberal de Machado. Como nos lembra MJ em sua nota, em 1º de janeiro desse ano, publicou uma resenha da peça a que se refere aqui. Esse trecho explica o significado da citação: "Acabo de assistir, há meia hora, à estréia do Sr. Furtado Coelho no Teatro de São Januário. O drama escolhido foi o *Pedro*, de Mendes Leal Júnior. É muito conhecido esse drama para que me ocupe em uma narração estéril do entrecho. Casa-se perfeitamente ao meu espírito a idéia vigorosa dessa bela composição. Separo-me talvez em alguns pontos na maneira de vestir o pensamento. O que se nota sobretudo no *Pedro* é a tendência liberal que têm tomado recentemente os vultos novos da literatura. O nome ilustre de um conde que cai para dar lugar ao nome do talento obscuro que se levanta é o pensamento do drama e constitui para mim um símbolo. É a democracia do talento que reage sobre a nobreza do brasão, um elemento poderoso que procura suplantar uma força gasta".
9   Evidentemente, há aqui a sugestão de que tudo foi combinado de antemão por algum "dono" do Banco do Brasil.

Crônica 37

27 de fevereiro de 1889

BONS DIAS!

Ei-lo que chega... Carnaval à porta!... Diabo! aí vão palavras que dão idéia de um começo de recitativo ao piano; mas outras posteriores mostram claramente que estou falando em prosa; e se *prosa* quer dizer *falta de dinheiro* (em cartaginês, é claro) então é que falei como um Cícero.

Carnaval à porta. Já ouço os guizos e tambores. Aí vêm os carros das idéias...[1] Felizes idéias, que durante três dias andais de carro! No resto do ano ides a pé, ao sol e à chuva, ou ficais no tinteiro, que é ainda o melhor dos abrigos. Mas lá chegam os três dias, quero dizer os dois, porque o de meio não conta; lá vêm, e agora é a vez de alugar a berlinda, sair e passear.

Nem isso, ai de mim, amigas, nem esse gozo particular, único, cronológico, marcado, combinado, e acertado, me é dado saborear este ano. Não falo por causa da febre amarela; essa vai baixando. As outras febres são apenas companheiras... Não; não é essa a causa.

Talvez não saibam que eu tinha uma idéia e um plano. A idéia era uma cabeça de Boulanger,[2] metade coroada de louros, metade forrada de lama. O plano era metê-la em um carro, e andar. E vede bem, vós que sois idéias, vede só se o plano desta idéia era mau. Os que esperam do general alguma coisa, deviam aplaudir; os que não esperam nada, deviam patear; mas o provável é que aplaudissem todos, unicamente por este fato: porque era uma idéia.

Mas a falta de dinheiro (*prosa*, em língua púnica) não me permite pôr esta idéia na rua. Sem dinheiro, sem ânimo de o pedir a alguém, e, com certeza, sem ânimo de o pagar, estou reduzido ao papel de espectador. Vou para a turbamulta das ruas e das janelas; perco-me no mar dos incógnitos.

Já alguém me aconselhou que fosse vestido de tabelião. Redargüi que tabelião não traz idéia; e, depois, não há diferença sensível entre o tabelião e o resto do universo. Disseram-me que, tanto há diferença, que chega a havê-la entre um tabelião e outro tabelião.

— Não leu o caso do tabelião que foi agora assassinado, não sei em que vila do interior?[3] Foi assassinado diante de cinqüenta pessoas, de dia e na rua, sem perturbação da ordem pública. Veja se há de acontecer coisa igual ao Cantanheda...[4]

— Mas que é que fez o tabelião assassinado?

— É o que a notícia não diz, nem importa saber. Fez ou não fez aquela escritura. Casou com a sobrinha de um dissidente político. Chamou nariz de César à falta de nariz de alguma influência local. É a diferença dos tabeliães da roça e da cidade. Você passa pela Rua do Rosário, e contempla a gravidade de todos os notários daqui. Cada um à sua mesa, alguns de óculos, as pessoas entrando, as cadeiras rolando, as escrituras começando... Não falam de política; não sabem nunca da queda dos ministérios, senão à tarde, nos bondes; e ouvem os partidários como os outorgantes, sem paixão, nem por um, nem por outro. Não é assim na roça. Vista-se você de tabelião da roça, com um tiro de garrucha varando-lhe as costelas.

— Mas como hei de significar o tiro?

— Isso agora é que é idéia; procure uma idéia. Há de haver uma idéia qualquer que signifique um tiro. Leve à orelha uma pena, na mão uma escritura, para mostrar que é tabelião; mas como é tabelião político, tem de exprimir a sua opinião política. É outra idéia. Procure duas idéias, a da opinião e a do tiro.

Fiquei alvoroçado; o plano era melhor que o outro, mas esbarrava sempre na falta de dinheiro para a berlinda, e agora no tempo, para arranjar as idéias. Estava nisto, quando o meu interlocutor me disse que ainda havia idéia melhor.

— Melhor?

— Vai ver: comemorar a tomada da Bastilha, antes de 14 de julho.

— Trivial.

— Vai ver se é trivial. Não se trata de reproduzir a Bastilha, o povo parisiense e o resto, não senhor. Trata-se de copiar São Fidélis...

— Copiar São Fidélis?

— O povo de São Fidélis tomou agora a cadeia, destruiu-a, sem ficar porta, nem janela, nem preso, e declarou que não recebe o subdelegado que para lá mandaram.[5] Compreendo bem, que esta reprodução de 1789, em ponto pequeno, cá pelo bairro é uma boa idéia.

— Sim, senhor, é idéia... Mas então tenho de escolher entre a morte pública do tabelião e a tomada da cadeia! Se eu empregasse as duas?

— Eram duas idéias.

— Com umas brochadas de anarquia social, mental, moral, não sei mais qual?

— Isso então é que era um cacho de idéias... Falta-lhe só a berlinda.

— Falta-me *prosa*, que é como os soldados de Aníbal chamavam ao dinheiro. *Uba sacá prosa nanapacatu.* Em português: "Falta dinheiro aos heróis de Cartago para acabar com os romanos". Ao que respondia Aníbal: *Tunga loló.* Em português:

Boas Noites.

Notas

1 Para uma excelente ilustração desses carros de idéias, ver a página 168 de Luciano Trigo, *O viajante imóvel*, uma reprodução de uma litografia de Angelo Agostini, de 1880.
2 Ver crônica 33.
3 No *JC* de 21 de fevereiro (p. 1, col. 4), um telegrama de Mariana anuncia o processamento de vários soldados, acusados da morte do tabelião Faria — suponho que é desse caso que se trata.
4 O comendador A. J. Cantanheda Júnior era notário público, e suponho que importante, no Rio. A sua volta à cidade foi noticiada na "Gazetilha" do *JC* de 2 de março (p. 1, col. 2).
5 No *JC* de março esse assunto é mencionado: "Foi iniciado e terminado inquérito contra os sediciosos que a 19 de corrente expeliram [da freguesia de São Fidélis] o subdelegado Pedro Máximo de Carvalho, e atacaram o quartel do destacamento e residência desta autoridade onde inutilizaram móveis e objetos". Evidentemente, Machado leu uma notícia anterior, que não localizei.

Crônica 38

7 de março de 1889

BONS DIAS!

Pego na pena com bastante medo. Estarei falando francês ou português? O Sr. Dr. Castro Lopes, ilustre latinista brasileiro,[1] começou uma série de neologismos, que lhe parecem indispensáveis para acabar com palavras e frases francesas. Ora, eu não tenho outro desejo senão falar e escrever corretamente a minha língua; e se descubro que muita coisa que dizia até aqui, não tem foros de cidade, mando este ofício à fava, e passo a falar por gestos.

Não estou brincando. Nunca comi *croquettes*, por mais que me digam que são boas, só por causa do nome francês. Tenho comido e comerei *filet de boeuf*, é certo, mas com a restrição mental de estar comendo *lombo de vaca*. Nem tudo, porém, se presta a restrições; não poderia fazer o mesmo com as *bouchées de dames*, por exemplo, porque *bocados de senhoras* dá idéia de antropofagia, pelo equívoco da palavra. Tenho um chambre de seda, que ainda não vesti, nem vestirei, por mais que o uso haja reduzido a essa simples forma popular a *robe de chambre* dos franceses.

Entretanto há nomes que, vindo embora do francês, não tenho dúvida de empregar, pela razão de que o francês apenas serviu de veículo; são nomes de outras línguas. O próprio Dr. Castro Lopes, se padecer de *spleen*, não há de ir pedir o nome disto ao general Luculo;[2] tem de sofrê-lo em inglês. Mas é inglês. É assim que ele aprova xale, por vir do persa; conquanto, digo eu, a alguns pareça que o recebemos de Espanha. Pode ser que esta mesma o recebesse de França, que, confessa-

damente, o recebeu de Inglaterra, para onde foi do Oriente. *Shawl*,*
dizem os bretões; a França não terá feito mais que tecê-lo, adoçá-lo e
exportá-lo. Deslindem o caso, e vamos aos neologismos.

Cache-nez, é coisa que nunca mais andará comigo. Não é por me
gabar; mas confesso que há tempos a esta parte entrei a desconfiar que
este pedaço de lã não me ficava bem. Um dia procurei ver se não acharia outra coisa, e andei de loja em loja. Um dos lojistas disse-me, no
estilo próprio do ofício:

— Igual, igual não temos; mas no mesmo sentido, posso servi-lo.

E, dizendo-lhe eu que sim, o homem foi dentro, e voltou com um
livro português antigo, e ali mesmo me leu isto, sobre as mulheres persianas: "O rosto, não descobrem fora de casa, trazendo-o coberto com
um cendal ou *guarda-cara*..."[3]

Este guarda-cara é que lhe serve, disse ele. *Cache-nez* ou guarda-cara
é a mesma coisa; a diferença é que um é de seda, e o outro de lã. É livro de jesuíta, e tem dois séculos de composição (1663). Não é obra de
francelho ou tarelo, como dizia o Filinto Elísio.[4]

Sorriu-me a troca, e estive a realizá-la, quando me apareceu o *focale***
romano, proposto pelo Sr. Dr. Castro Lopes; e bastou ser romano, para
abrir mão do outro que era apenas nacional.

O mesmo se deu com *preconício*, outro neologismo. O Sr. Dr. Castro
Lopes compôs este, "porque a todos os homens de letras que falam a
língua portuguesa, foi sempre manifesta a dificuldade de achar um termo equivalente à palavra francesa *réclame*."***

Confesso que não me achei nunca em tal dificuldade, e mais sou relojoeiro. Quando exercia o ofício (que deixei por causa da vista fraca),
compunha anúncios grandes e pomposos. Não faltava quem me acusasse
de fazer *réclame* para vender os relógios. Ao que eu respondia sempre:

---

* No jornal está *"Schawl"*.
** No jornal está "focáler" — em latim, e nos artigos de Castro Lopes, a palavra é "focále".
*** No jornal está "reclame".

— Faça-me o favor de falar português. *Reclamo* é o que eu emprego, e emprego muito bem; porque é assim que se chama o instrumento com que o caçador busca atrair as aves; às vezes, é uma ave ensinada para trazer as outras ao laço. Se não quer *reclamo*, use *chamariz*, que é a mesma coisa. E olhe que isto não está em livros velhos de jesuítas, anda já nos dicionários.

Contentava-me com aquilo; mas, desde que vi o recente *preconício*, abri mão do outro termo, que era o nosso, por este alatinado.

Nem sempre, entretanto, fui severo com artes francesas. *Pince-nez* é coisa que usei por largos anos, sem desdouro. Um dia, porém, queixando-me do enfraquecimento da vista, alguém me disse que talvez o mal viesse da fábrica. Mandei logo (há uns seis meses) saber se havia em Portugal alguma *luneta-pênsil*, das que inventara Camilo Castelo Branco, há não sei quantos anos.[5] Responderam-me que não. Camilo fez uma dessas lunetas, mas a concorrência francesa não consentiu que a indústria nacional pegasse.

Fiquei com o meu *pince-nez*, que, a falar verdade, não me fazia mal, salvo o suposto de me ir comendo a vista, e um ou outro apertão que me dava no nariz. Era francês, mas, não cuidando a indústria nacional de o substituir, não havia eu de andar às apalpadelas. Vai senão quando, vejo anunciados os *nasóculos* do nosso distinto autor. Lá fui comprar um, já o cavalguei no nariz, e não me fica mal. Daqui a pouco, ver-me-ão andar pela rua, teso como um *petit-maître*... Perdão, peti-metre, que já é da nossa língua e do nosso povo.

Boas Noites.

Notas

1   O dr. Antônio de Castro Lopes (1827-1901) — latinista, filólogo, astrônomo e homeopata — foi um alvo natural da sátira machadiana, e já aparece três vezes nas "Balas de estalo"; a ocasião imediata das três crônicas (esta e as de n°s 40 e 42) de "Bons dias!" que o tomam por assunto foi uma série de pequenos artigos na *GN* propondo neologismos, na maior parte criados a partir do latim, para substituir galicismos freqüentes no Brasil. Nesse mesmo ano, publicou-os em forma de livro: *Neologismos indispensáveis e barba-*

rismos dispensáveis, com um vocabulário neológico português. Machado também pode ter pensado, ao escrever sua primeira frase, no livro *Memória escrita em francês e português, dedicada aos sábios astrônomos Faye e Schiaparelli*, também publicado em 1889, em que tentou provar que os cometas que aparecem periodicamente "não são os mesmos corpos"! Também autor de *Conferências sobre homeopatia* (1882), fato interessante no contexto da crônica 42.

Até a data em que Machado publicou sua crônica, tinham aparecido três artigos, sobre *réclame/preconício* (27 de fevereiro), *pince-nez/nasóculos* (3 de março) e *cache-nez/focale* (4 de março). Para dar uma idéia da mistura de pedantismo, de humor pesado e de nacionalismo barato de Castro Lopes, que o próprio Machado imita em tom satírico, passo a citar inteiro o artigo sobre *pince-nez*:

> "Velhos e velhas, moços e moças, e até crianças, usam de uns óculos que se fixam somente no nariz; e não obstante dizer-se que em Portugal e no Brasil se fala a língua portuguesa, no Brasil e em Portugal toda a gente chama essa espécie de óculos — Pince-nez. Isto é, emprega um termo francês, que *nem em francês nem em português* dá idéia alguma do fim, a que é destinado tal objeto.
>
> Com efeito — *pince-nez* é composta de duas palavras francesas que única e exclusivamente significam "aperta nariz". Formada com tais elementos, ninguém pode compreender que tal palavra designa um instrumento próprio para melhorar as doenças da vista.
>
> Crie-se, pois, um neologismo, porque assim é indispensável; em vez de *pince-nez que nem em francês nem em português* dá idéia alguma de óculos, mas apenas e somente significa *coisa que aperta o nariz*, diga-se Nasóculos, do ablativo latino *naso*, nariz, precedendo o vocábulo português *óculos*.
>
> Ninguém, ao ouvir a nova palavra, deixará de perceber que se fala de óculos fixados no nariz; mas vingará o termo expressivo *Nasóculos*? A palavra é eufônica, curta, de ascendência legítima e nobre; em suma, indica exata e perfeitamente o fim e emprego do objeto.
>
> Nada portanto de hesitações: quebre cada qual o seu *pince-nez*, por ser de *pechisbeque*; que eu de graça ofereço *Nasóculos* de ouro de lei, produtos da indústria nacional filológica".

2   Não entendo essa frase totalmente: Luculo (106-57 a.C.) era general romano, e portanto falava latim, a língua a que Castro Lopes recorre. Até aí faz sentido, e pode ser que baste para explicar a frase. O que não entendo é por que se usa o nome desse general, sinônimo da gula e do luxo, a ponto de existir o adjetivo "luculiano" em português. *Spleen*, porém, é outra coisa, como Machado devia bem saber: é o tédio da vida, importado da Inglaterra pelos franceses, e que tem um papel importante na literatura, sobretudo, talvez, na obra de Baudelaire, cujo livro de poemas em prosa, de 1869, se intitula *Le spleen de Paris*.

3   Trata-se de Manuel Godinho (1630-1712), jesuíta encarregado pelo governo português de missão secreta que o levou em viagem através da Pérsia em 1663. Publicou depois (em 1665) o relato da viagem em *Relação do novo caminho que fez por terra e mar vindo da Índia para Portugal*. Segundo o *Dicionário das literaturas portuguesa, galega e brasileira*, é "livro de impressiva reportagem, cheio de pitoresco e de descrição de tipos, costumes e crenças de povos exóticos; revela um homem irônico, astucioso, de tino prático, mas desassombrado ao reconhecer as malfeitorias dos portugueses e certas virtudes dos gentios". Na edição consultada, de A. Machado Guerreiro (Lisboa: Imprensa Nacional, Casa da Moeda, 1974), a frase encontra-se na página 116.

4   Nome arcádico do poeta português padre Francisco Manuel do Nascimento (1734-1819). Perseguido pela Inquisição, ficou exilado em Paris depois de 1778. Foi grande defensor da pureza da língua portuguesa, e são freqüentes os ataques aos "francelhos" (afrancesados) — "Ouvi francelhos em Portugal e li os livros em que eles bastardeavam a língua portuguesa [...]", e mais adiante, nesse mesmo trecho, diz: "Daqui, dalém, ouve tarelos e tarelas [...] Põe o ouvido à escuta para colher a língua lusa que aprendera e não a encontra!" (Filinto Elísio, *Poesias*, ed. José Pereira Tavares. Lisboa: Sá da Costa, 1941, pp. xxvii e xxviii). "Tarelo" é o mesmo que "tagarelo": pode ser que aqui Machado esteja corrigindo o pedantismo, pois, no artigo de 27 de fevereiro, Castro Lopes diz que "os francelhos e os tarecos (*sic*) hão de torcer o nariz".

5   Graças à Internet, descobri essa luneta no conto "O filho natural" de Camilo, de 1876: "Parecia vesgo por causa da luneta pênsil de um só vidro sem aro que o obrigava a convergir estrabicamente o olho esquerdo". Também descobri que o próprio Machado usa a palavra no conto "Tempo de crise", de 1873: "Vimos ao longe um homem de 35 anos, meão de altura, suíças, luneta pênsil, olhar profundo [...]".

Crônica 39

19 de março de 1889

BONS DIAS!

Faleceu em Portugal o Sr. Jacome de Bruges Ornellas Ávila Paim da Câmara Ponce de Leão Homem da Costa Noronha Borges de Sousa e Saavedra, 2º Conde da Praia da Vitória, 2º Visconde de Bruges.

Quarta-feira, na igreja do Carmo, diz-se uma missa por alma do ilustre finado, e quem a manda dizer é seu amigo — nada mais que amigo gratíssimo à memória do finado. Nenhum nome, nada, um amigo; é o que leio nos anúncios.[1]

Quem quer que sejas tu, homem raro, deixa-me apertar-te as mãos de longe, e não te faço um discurso, para não te molestar; mas é o que tu merecias, e mereces. Singular anônimo, tu perdes um amigo daquele tamanho, e não lhe aproveitas a memória para cavalgá-lo. Não fazes daqueles títulos e nomes a tua própria condecoração. Não chocalhas o finado à tua porta, como um reclamo, para atrair, e dizer depois à gente reunida: — Eu, Fulano de Tal, mando dizer uma missa por alma do meu grande amigo Jacome de Bruges Ornellas Ávila Paim da Câmara Ponce de Leão Homem da Costa Noronha Borges de Sousa e Saavedra, 2º Conde da Praia da Vitória, 2º Visconde de Bruges.

Mas em que beco vives tu, varão modesto? Onde te metes? Com quem falas? Qual é o teu meio? Com muito menos grandeza, não escapava nem escapa um morto daqueles às grandezas póstumas. Ah! (dizia-me um fino repórter, quando faleceu o Barão de Cotejipe) se eu fosse a tomar nota dos mais íntimos amigos do barão, concluiria que ele nunca os teve de outra qualidade. E é assim, nobre anônimo; um morto ilustre é um naco de glória que não se perde; e além disso uma ocasião rara, e, às vezes única, de superar os contemporâneos.

Podia ir quarta-feira à missa, com o fim único de perguntar quem a manda dizer; o sacristão mostrava-te de longe, e eu via-te, conhecia-te; mas não vou, não quero. Prefiro crer que é tudo uma ilusão, uma fantasmagoria, que não existes, que és uma hipótese. Dado que não, ainda assim não quero conhecer-te; a vista da pessoa seria a maior das amarguras. Deixa-me a idealidade; posso imaginar-te a meu gosto, um asceta, um ingênuo, um desenganado, um filósofo.

Não sei se tens pecados. Se os tens, por mortais que sejam, crê que esta só ação te será contada no céu, por todos eles, e ainda ficas* com um saldo. Lá estarei, antes de ti, provavelmente, e direi tudo a S. Pedro, e ele te abrirá largas as portas da glória eterna. Caso não esteja, fala-lhe desta maneira:

— Pequei, meu amado Santo, e pequei muito, reincidi no pecado, como todas as criaturas que lá estão embaixo, porque as tentações são grandes e freqüentes, e a vida parece mais curta para o bem que para o mal. Aqui estou arrependido...

— Foste absolvido?

— Não, não cheguei a confessar-me, por ter morrido de um *acesso pernicioso fulminante*, que o Barão do Lavradio diz não saber o que é.[2]

— Bem, praticaste algum grande ato de virtude?

— Não me lembra...

— Vê bem, o momento é decisivo. A modéstia é bela, mas não deve ir ao ponto de ocultar a verdade, quando se trata de salvar a alma. Estais entre duas eternidades. Deste algumas esmolas?

— Saberá Vossa Santidade que sim.

— Que mais?

— Mais nada.

---

*   No jornal, está "fica".

— Foste grato aos amigos?

— Fui, a um principalmente, meu amigo e grande amigo. Mandei-lhe dizer uma missa, no Rio de Janeiro, onde então me achava, quando ele morreu no Funchal.

— Chamava-se na terra...

— Jacome de Bruges Ornellas Ávila Paim da Câmara Ponce de Leão Homem da Costa Noronha Borges de Sousa e Saavedra, 2º Conde da Praia da Vitória, 2º Visconde de Bruges.

Aqui o príncipe dos apóstolos sorrirá para si, e dirá provavelmente:

— Já sei; convidaste os outros com o teu nome por inteiro.

— Não, não fiz isso.

S. Pedro incrédulo:

— Como...?... Não...?... Só as iniciais...

— Nem as iniciais; disse só que era um amigo grato ao finado.

— Entra, entra... Como te chamas tu?

— Deixe-me Vossa Santidade guardar ainda uma vez o incógnito.

Boas Noites.

Notas

1 Esse anúncio se encontra no *JC* de 18 de março (p. 3, col. 7), isto é, no dia anterior à publicação da crônica.
2 José Pereira Rego, barão do Lavradio (1816-1892); um dos médicos mais famosos do Segundo Reinado, médico da família imperial. Presidente perpétuo da Academia Imperial de Medicina e autor de várias obras sobre a febre amarela. O "acesso pernicioso fulminante" foi uma das classificações de causas de morte que apareciam nos jornais do momento: sem dúvida, suspeitava-se que fosse mais um pseudônimo da febre amarela.

Crônica 40

22 de março de 1889

BONS DIAS!

Antes do último neologismo do Sr. Dr. Castro Lopes, tinha eu suspeita, nunca revelada, de que o fim secreto do nosso eminente latinista, era pôr-nos a falar volapuque.¹ Não vai nisto o menor desrespeito à memória de Cícero nem de Horácio, menos ainda ao seu competente intérprete neste país. A suspeita vinha da obstinação com que o digno professor ia bater à porta latina, antes de saber se tínhamos em nossa própria casa a colher ou o garfo necessário às refeições. Essa teima podia explicar-se de dois modos: ou desdém (não merecido) da língua portuguesa, ou então o fim secreto a que me referi, e que muito bem se pode defender.

Com efeito, no dia em que eu, pondo os meus *nasóculos*, comprar um *focale** e um *lucivelo*, para fazer *preconício* no *Concião*,² se não falar volapuque, é que estou falando cartaginês. E contudo é puro latim. Era assim até aqui; confesso, porém, que o último neologismo — digo mal, — por ocasião do último galicismo, perdi a suspeita do fim secreto. Dessa vez o autor veio à nossa prata de casa; não lhe tenho pedido outra coisa.

Não há neologismo propriamente, já porque a palavra *desempeno* existia na língua, bastando apenas aplicá-la, já porque no sentido de *à-plomb* lá o pôs no seu dicionário o nosso velho patrício Morais.³ Contudo, foi

---

* Como na crônica 38, aqui o jornal tem "focáler".

bom serviço lembrá-la. Às vezes, uma senhora* não sai bem vestida de casa por esquecimento de certa manta de rendas, que estava para um canto. Acha-se a manta, põe-se, a pessoa nada pediu emprestado e sai catita.

Contudo, surge uma dúvida. Hão de ter notado que eu sou o homem mais cheio de dúvidas que há no mundo. A minha dúvida é se, tendo já em casa o *desempeno*, para substituir o *à-plomb*, não será difícil arrancar este galicismo do uso, — quando menos do parlamento, — onde ele é empregado em frases como estas: "Mas o *à-plomb* do nobre ministro..." — "Não é com esse *à-plomb* insolente de S. Exa., é com princípios que se governam as nações..."

Para acudir ao mal, à dificuldade de extrair pela raiz esse dente francês, não poderiam usar a mesma palavra, com a forma portuguesa? Se *à-plomb* indica a posição tesa e desempenada da pessoa, dizendo nós *aprumo*, não teremos dado a nossa fisionomia ao galicismo, para incorporá-lo no idioma, já não digo para sempre, mas temporariamente? Deste modo facilitava-se mais a cura, embora fosse mais longa. Desmamava-se o galicismo.

Note-se que não estou inventando nada. Rebelo da Silva, homem de boas letras, escreveu esse vocábulo *aprumo*, e dizem que também anda em dicionários. Lá diz o Rebelo: "Respondendo... com o *aprumo* do homem seguro de ter cumprido etc. etc."[4] Vá lá, desmamemos o galicismo, e demos-lhe depois um bom bife de *desempeno*. É verdade que podemos vir a ficar com as duas palavras, para esta mesma idéia, coisa só comparável a ter duas calças, quando uma só veste perfeitamente um homem.

Mas confiemos no futuro; a *Gazeta*, que tem intenções de chegar ao segundo centenário da Revolução Francesa, aceitará o esforço generoso de alguém que bote o intruso para fora a pontapés. Desconfio que ele já anda em livros de outros autores; mas não afirmo nada, a não ser que, há muitos anos, quando me encontrava com um saudoso amigo e bom filósofo, dizia-me sempre:

— Então, donde vem esse *aprumo*?

---

* Sobra uma vírgula aqui no jornal.

Tempos! Tempos! O século expira; começo a ouvir a alvorada do outro.

Ecco ridente in cielo
Già spunta la bella aurora...⁵

Boas Noites.

Notas

1   Ver crônica 14, nota 6.
2   A tradução para o português dessas palavras é: "(...) pondo o meu pincenê, comprar um cachenê e um abajur, para fazer reclamo na reunião". Os respectivos artigos apareceram na *GN* nos dias 4, 9, 11, 18 e 20 de março.
3   No dia 20 de março, num "diálogo" pessimamente versificado com um "francelho", Castro Lopes explicara aos leitores da *GN* que *à-plomb* (a rigor seria apenas *plomb*) se diz "prumo" em português: se é *à-plomb* no sentido figurado, deve ser "desempeno".
4   Luís Augusto Rebelo da Silva (1822-1871), romancista histórico português, autor de, entre outras obras, *A tomada de Ceuta* (1840) e *A mocidade de D. João V* (1853), que Machado tinha em sua biblioteca.
5   Palavras iniciais da primeira ária do *Barbeiro de Sevilha*, de Rossini (1792-1868).

Crônica 41

30 de março de 1889

BONS DIAS!

Quantas questões graves se debatem neste momento! Só a das farinhas de Pernambuco¹ e da moeda² bastam para escrever duas boas séries de artigos. Mas há também a das galinhas de Santos,³ — aparentemente mínima, mas realment e ponderosa, desde que a consideremos do lado dos princípios. As galinhas cresceram de preço, com a epidemia, chegando a cinco e creio que sete mil-réis. Sem isso não há dieta.

De relance, faz lembrar o caso daquele sujeito contado pelo nosso João (veja *Almanaque do velhinho*, ano 5º, 1843) que, dando com um casebre a arder, e uma velha sentada e chorando, perguntou a esta:

— Boa velha, esta casinha é sua?*

— Senhor, sim, é o triste buraco em que morava; não tenho mais nada, perdi tudo.

— Bem; deixa-me acender ali o meu cigarro?⁴

E o homem acendeu o cigarro na calamidade particular. Mas os dois casos são diferentes; no de Santos rege a lei econômica, e contra esta não há quebrar a cabeça. Diremos, por facécia, que é acender dois ou três charutos na calamidade pública; mas em alguma parte se hão de acender os charutos. Ninguém obsta a que se vendam as galinhas por preço bai-

---

* "e sua", sem ponto de interrogação, no jornal.

xo, ou até por nada, mas então é caridade, bonomia, desapego, misericórdia, — coisas alheias aos princípios e às leis que são implacáveis.

Não examinei bem o negócio das farinhas pernambucanas, mas não tenho medo que os princípios sejam sacrificados.

Quanto ao das libras esterlinas, não tenho nenhuma no bolso, não me julgo com direito de opinar. Contudo, meteu-se-me na cabeça que não nos ficava mal possuir uma moeda nossa, em vez de dar curso obrigatório à libra esterlina. Um velho amigo, sabedor destas matérias, acha este modo de ver absurdo; eu, apesar de tudo, teimo na idéia, por mais que me mostrem que daqui a pouco ou muito lá se pode ir embora o ouro, nacional ou não.

Mas, principalmente, o que vejo nisto é um pouco de estética. Tem a Inglaterra a sua libra, a França o seu franco, os Estados Unidos o seu dólar, por que não teríamos nós nossa moeda batizada? Em vez de designá-la por um número, e por um número ideal — *vinte mil-réis* — por que lhe não poremos um nome — *cruzeiro* — por exemplo?* *Cruzeiro* não é pior que outros, e tem a vantagem de ser nome e de ser nosso. Imagino até o desenho da moeda; de um lado a efígie imperial, do outro a constelação... Um cruzeiro, cinco cruzeiros, vinte cruzeiros. Os nossos maiores tinham** os dobrões, os patacões, os cruzados, etc., tudo isto era moeda tangível; mas vinte mil-réis... Que são vinte mil-réis? Enfim, isto já me vai cheirando a neologismo. Outro ofício.

Prefiro expandir a minha dor, a minha compaixão... Oh! mas compaixão grande, profunda, dessas que nos tornam melhores, que nos levantam deste mundo baixo e cruel, que nos fazem compartir das dores alheias. *J'ai mal dans ta poitrine*, escreveu um dia a boa Sévigné*** à filha adoentada,⁵ e fez muito bem, porque me ensinou assim um modo fino e pio de falar ao mais lastimável escrivão dos nossos tempos, ao escrivão Mesquita. *Mesquita, j'ai mal dans ta poitrine.*

---

* Falta o ponto de interrogação no jornal.
** "Tinha", no jornal.
*** "Sevigné", no jornal.

Não te conheço, Mesquita; não sei se és magro, ou gordo, alto ou baixo; mas para lastimar um desgraçado não preciso conhecer as suas proporções físicas. Sei que és escrivão; sei que leste o processo Bíblia, composto de mil e tantas folhas, em voz alta, perante o tribunal de jurados, durante horas e horas.⁶ Foi o que me disseram os jornais; leste e sobreviveste. Também eu sobrevivi a uma leitura, mas esta era feita por outro, numa sociedade literária, há muitos anos; um dos oradores, em vez de versos, como se esperava, sacou do bolso um relatório, e agora o *ouvirás*. Tenho ainda diante dos olhos as caras com que andávamos todos nas outras salas, espiando* pelas portas, a ver se o homem ainda lia; e ele lia. O papel crescia-lhe nas mãos. Não era relatório, era solitária; quando apareceu a cabeça, houve um *Te-Deum laudamus* nas nossas pobres almas.

O mesmo foi contigo, Mesquita; crê que ninguém te ouviu. Os poucos que começaram a ouvir-te, ao cabo de uma hora mandaram-te ao diabo, e pensaram nos seus negócios. Mil e tantas folhas! Duvido que o processo Parnell⁷ seja tão grosso como o do testamento do Bíblia. A própria *Bíblia* (ambos os testamentos) não é tão grande, embora seja grande. Não haverá meio de reduzir essa velha praxe a uma coisa útil e cômoda? Aviso aos legisladores.

Boas Noites.

Notas

1   Houvera protestos do povo do Recife contra a exportação de farinha de mandioca, que fizeram com que custasse "quatro vezes mais do que nos tempos ordinários" (telegrama da *GN* de 22 de março, p. 2, col. 1): acusavam-se os "negociantes monopolizadores" de explorar a situação. O presidente de Pernambuco resolvera afinal proibir a exportação — para o Ceará, que sofria os resultados de uma seca terrível.
2   Nesse momento, com as exportações de café aumentando e muitos bancos estrangeiros querendo investir no Brasil, a moeda brasileira estava em alta, e podia-se comprar ouro por um preço menor que o oficialmente estabelecido por lei. O Estado, portanto, que

---

*   "esguiando", no jornal.

tinha que comprar a esse preço, estava sendo prejudicado. É muito possível que Machado se baseie aqui num artigo da *GN* de 23 de março (p. 1, col. 1), em que aparece sua palavra preferida, "princípios", centro do argumento aqui. Cito: "Se houve uma lei que estabeleceu ser o Estado obrigado a receber as libras esterlinas a 8$890, e não obrigou os particulares a recebê-las ao mesmo preço, o que isto significa, é que essa lei se assenta num princípio injusto, e, mais do que isso, num princípio falso das leis econômicas, princípios estes que é preciso destruir quanto antes, por estarem ameaçando a ordem e o equilíbrio nas funções da moeda (...)".

3   Havia uma epidemia (de febre amarela?) em Santos. Não achei a referência às galinhas.
4   Essa história, sem o seu imaginário lugar de origem, e com acréscimos importantes, reaparece em *Quincas Borba*, capítulo 117, que, em sua primeira versão, apareceu em *A Estação* de 15 de janeiro de 1890. Já aparecera nas "Balas de estalo", em 28 de maio de 1885.
5   Madame de Sévigné (1626-96), célebre autora de muitas cartas, das quais a maioria para a sua filha, Mme. de Grignan, e muitas preocupando-se pela sua saúde. Parece que Machado está citando de memória, pois a forma exata da frase, supondo que seja essa mesma, da carta de 29 de dezembro de 1688, é "La bise de Grignan me fait mal à votre poitrine".
6   Ver crônica 16, nota 3. A leitura do processo fora realizada, segundo o *JC* de 24 de março (p. 2, cols. 2-3), "das 2 às 5 ¾ da tarde, e das 7 ¼ às 10 ½".
7   Charles Stewart Parnell (1846-1891), líder da campanha para autonomia ("Home Rule") na Irlanda, em 1887 fora acusado de ser simpatizante do terrorismo. Uma carta, supostamente escrita por ele, e publicada no *Times*, aprovava os assassinatos de Phoenix Park, em Dublin, em 1882. Ao fim de quase dois anos de um longo processo, em fevereiro de 1889, o verdadeiro falsificador da carta, Richard Piggot, confessara seu crime, suicidando-se pouco depois.

Crônica 42

20 de abril de 1889

BONS DIAS!

A principal vantagem dos estudos de língua, é que com eles não perdemos a pele, nem a paciência, nem, finalmente, as ilusões, como acontece aos que se empenham na polícia, essa fatal Dalila (deixem-me ser banal) a cujos pés Sansão perdeu o cabelo, e André Roswein a vida.[1]

— André, tu ainda hás de fazer com que eu acabe os dias num convento, dizia Carnioli ao infeliz Roswein. Nunca repetirei isto ao ilustre latinista, que ultimamente emprega seus lazeres em expelir barbarismos e compor novas locuções. Língua, tanto não é Dalila, que é o contrário; não sei se me explico. Podemos errar; mas, ainda errando, a gente aprende.

Agora mesmo, ao sair da cama, enfiei um *chambre*. Cuidei estar composto, sem escândalo. Não ignorava (tanto que já o disse aqui mesmo) que aquele vestido, antes de passar a fronteira, era *robe de chambre*; ficou só *chambre*. Mas como vinha de trás, os velhos que conheci não usavam outra coisa, e o próprio Nicolau Tolentino, posto que mestre-escola, já o enfiou nos seus versos,[2] pensei que não era caso de o desbatizar. Nunca mandei embora uma *caleça*, só por vir de *calèche*; o mais que faço, é não dar gorjeta ao automedonte,[3] vulgo cocheiro.

Imaginem agora o meu assombro, ao ler o artigo em que o nosso ilustre professor mostra, a todas as luzes, que *chambre* é vocábulo condenável, por ser francês.[4] Antes de acabar o artigo, atirei para longe a fatal estrangeirice, e meti-me num *paletó* velho, sem advertir que era da mesma fábrica. A ignorância é a mãe de todos os vícios.

Continuei a ler, e vi que o autor permite o uso da coisa, mas com outro nome, o nome é *rocló*, "segundo diziam (acrescenta) os nossos maiores".

Com efeito, se os nossos maiores chamavam de *rocló* ao *chambre*, melhor é empregar o termo de casa, em vez de ir pedi-lo aos vizinhos. O contrário e desmazelo.* Chamei então meu criado — que é velho e minhoto — e disse-lhe que daqui em diante, quando lhe pedisse o *rocló*, devia trazer o *chambre*. O criado pôs as mãos às ilhargas, e entrou a rir como um perdido. Perguntei-lhe porque se ria, e repeti-lhe a minha ordem.

— Mas o patrão há de me perdoar se lhe digo que não entendo. Então o *chambre* agora é *rocló*?

— Sim, que tem?

— É que lá na terra *rocló* é outra coisa; é um capote curto, estreito e de mangas. Parece-se tanto com *chambre*, como eu me pareço com o patrão, e mais não sou feio...

— Não é possível.

— Mas se lhe digo que é assim mesmo; é um capote. Eu até servi a um homem, lá em Lisboa (Deus lhe fale n'alma!) que usava as duas coisas, — o *chambre* em casa, de manhã; e, à noite, quando saía a namorar, ia com o seu *rocló* às costas, manguinhas enfiadas.

— Inácio, bradei levantando-me, juras-me, pelas cinzas de teu pai, que isso é verdade?

— Juro, sim, senhor. O patrão até ofende com isso ao seu velho criado. Pois então é preciso que jure? Ouviu nunca de mim alguma mentira... Tudo por causa de um *rocló* e de um *chambre*... Isto no fim da vida... Adeus! Faça as minhas contas. Vou-me embora...

Deixei-o ir chorando, e fiquei a cogitar, no modo de emendar a mão ao nome, a fim de que a gente menos advertida não pegasse logo no *rocló*, que não é *chambre*. É coisa certa que a ignorância da língua e o amor da novidade dão certo sabor a vocábulos inventados ou descabi-

---

* "desmazel-o", no jornal (como se fosse infinitivo de um verbo).

dos. Mas como fazê-los, sem citar o depoimento do meu velho minhoto, que não tem autoridade? Estava nisso, quando dei um grito, assim:

— Ah!

Dei o grito. Tinha achado o segredo da substituição do nome. Com efeito, *rocló* vem do francês *roquelaure*, designação de um capote. Portugal recebeu de França o capote e o nome, e ficou com ambos, mas foi modificando o nome. Tal qual aconteceu com o *robe de chambre*. A mudança proposta agora no artigo a que me refiro, ficaria sem sentido, se não fosse a intenção do autor, suponho eu, curar a dentada do cão com o pêlo do mesmo cão. *Similia similibus curantur*.[5]

Boas Noites.

Notas

1   Machado lembra aqui um drama romântico de Octave Feuillet, *Dalila*, que ele mesmo comentara no *Diário do Rio de Janeiro*, em 13 de abril de 1860 (v. *Crítica teatral*, vol. 30, ed. da Jackson, pp. 153-60). Ali, resume sem sombra de ironia seu enredo melodramático e sentimental. Carnioli é "o nobre opulento que se compraz em proteger as vocações", mas que acaba por arruinar seu protegido, o pastor-artista Roswein, provocando sua sedução por "Dalila", a princesa Falconieri. Machado lembra a peça novamente no poema "Prelúdio" de *Falenas* (1870).
2   Ver crônica 27, nota 5.
3   Essa palavra é erudita e clássica, mas não é invenção de Castro Lopes: é o nome do cocheiro de Aquiles, na *Ilíada*, e está dicionarizada com o sentido de "cocheiro hábil".
4   A palavra *chambre* não está entre as criticadas por Castro Lopes na *GN*: aparece, sim, no livro publicado por ele e mencionado na crônica 38. Cito seu comentário, à página 103 do livro: "E por que não se há de dizer, como outrora em português, que é expressão clássica — *rocló*? — Ora, rocló... talvez digam lá consigo os francelhos, isso é um *fóssil*. *Fóssil* ou não, *rocló* é termo português que traduz *robe de chambre*. Gastão João Batista, duque de *Roquelaure*, muito conhecido na corte de Luís XIV, foi quem deu nome a uma espécie de capote, fechado adiante por botões, desde cima até a baixo (vede Bascherelle, e *Dicionário das Academias*, suplemento). Os portugueses fizeram de Roquelaure Rocloró, que por lei de menor esforço ficou *Rocló*".
5   Esta parece ser uma referência maliciosa às conhecidas opiniões homeopáticas de Castro Lopes.

Crônica 43

7 de junho de 1889

BONS DIAS!

Não gosto que me chamem profeta de fatos consumados; pelo que, apresso-me em publicar o que vai suceder, enquanto o Conselho de Estado se acha reunido no paço da cidade.[1]

Verdade seja, que o meu mérito é escasso e duvidoso; devo o principal dos prognósticos ao espírito de Nostradamus,[2] enviado pelo meu amigo José Basílio Moreira Lapa, cambista, proprietário, pai de um dos melhores filhos deste mundo, vítima do Monte-Pio e de um reumatismo periódico.[3]

Lapa está naquele período do espiritismo em que o homem, já inclinado ao obscuro, dispõe de razão ainda clara e penetrante, e pode entreter conversações com os espíritos. Há, entretanto, uma lacuna nessa primeira fase; é que os espíritos acodem menos prontamente, e a prova é que, desejando eu consultar Vasconcelos, Vergueiro ou o Padre Feijó,[4] como pessoas de casa, não foi possível ao meu amigo Lapa fazê-las chegar à fala; só consegui Nostradamus. Não é pouco; há mestres que não o alcançariam nunca.

A segunda fase do espiritismo é muito melhor. Depois de quatro ou cinco anos (prazo da primeira), começa a pura demência. Não é vagarosa nem súbita, um meio-termo, com este característico: o espírita, à medida que a demência vai crescendo, atira-se-lhe mais rápido. O último salto nas trevas dura minuto e meio a dois minutos. Há casos excepcionais de cinco e dez minutos, mas só em climas frios e muito frios, ou então nas estações invernosas. Nos climas quentes e durante o verão, o mais que terá visto, é cair em três minutos.

Não se entenda, porém, que esta queda é apreciável por qualquer pessoa; só o pode ser por alienista e de grande observação. Com efeito, para o vulgo não há diferença; desde o princípio da alienação mental (isto é, começando o segundo prazo do espiritismo, que é depois de quatro ou cinco anos, como ficou dito), o espírita está perdido a olhos vistos; os atos e palavras indicam o desequilíbrio mental; não há ilusão a tal respeito. Conversa-se com eles; raros compreendem logo em princípio o sol e a lua; mostram-se todos afetuosos, leais e atentos. Mas o transtorno cerebral é claro. Toda a gente vê que fala a doentes.

Entretanto (mistério dos mistérios!) é justamente assim e principalmente depois do último salto nas trevas, que os espíritos vagabundos ou penantes acodem ao menor aceno, não menos que os de pessoas célebres, batizadas ou não.

Tem-se calculado que, dos espíritos evocados durante um ano, 28 por cento o foram por espíritas ainda meio sãos (primeira fase); 72 por cento pertencem aos mentecaptos. Alguns estatísticos chegam a conceder aos últimos 79 por cento; mas parece excessivo.

Não importa ao nosso caso a porcentagem exata; basta saber que, para a melhor evocação e mais fácil troca de idéias, é preferível o maníaco ao são, e o doido varrido ao maníaco. Nem pareça isto maravilha; maravilha será, mas de legítima estirpe. Montaigne, mui apreciado por um dos nossos primeiros senadores,[5] e por este seu criado, dizia com aquela agudeza que Deus lhe deu: *C'est un grand ouvrier de miracles que l'esprit humain!* Os milagres do espiritismo são tais; a rigor, é o espírito humano que faz o seu ofício.

Eu chegaria a propor, se tivesse autoridade científica, um meio de desenvolver esta planta essencialmente espiritual. Estabeleceria por lei os casamentos espíritas, isto é, em que ambos os cônjuges fossem examinados e reconhecidos como inteiramente entrados na segunda fase. Os filhos desses casais trariam do berço o dom especial, em virtude da transmissão. Quando algum, escapando das malhas dessa lei natural (todos as têm) chegasse a simples mediocridade, paciência; os restantes, na idiotia e no cretinismo (com perdão de quem me ouve), prepapariam as bases de um excelente século futuro.

Venhamos ao nosso Lapa.⁶ Evocado Nostradamus, vi claramente o que ele referiu ao evocador. Em primeiro lugar, a maioria do Conselho de Estado é contrária à dissolução da Câmara dos Deputados, que alguns dizem incorretamente (explicou ele) "dissolução das câmaras". Sairá o gabinete de 10 de março. É convidado o Sr. Correia, depois o Sr. Visconde do Cruzeiro, depois novamente o Sr. Correia, e o Sr. Visconde de Vieira da Silva. Este, apesar de enfermo, tentará organizar um gabinete que concilie as duas partes do Partido Conservador; não o conseguirá; será chamado o Sr. Saraiva, que não aceita; sobe o Sr. Visconde de Ouro Preto e estão os liberais de cima.

Boas Noites.

(*) Este artigo está em nosso poder desde o dia 23; não pôde sair por falta de espaço.

(N. da R.)*

Notas

1   Já se sabia, desde o dia 23 de maio (data em que Machado finge escrever a crônica), que o ministério de João Alfredo tinha os dias contados. A maioria conservadora estava dividida, e era cada vez mais difícil conciliar as partes. Como era normal em tais casos, o Conselho de Estado reuniu-se para aconselhar o imperador sobre a formação do próximo gabinete. Era o momento clássico dos boatos sobre o que ia acontecer — quem ia ser chamado, quem ia ser posto de lado; a curiosidade era dobrada agora, porque se sabia (como fica claro em um comentário no último parágrafo desta crônica) que estava em jogo a existência do regime. Com evidentes fins humorísticos, pois, Machado finge escrever a crônica no dia dessa reunião: é provável que tivesse tudo escrito, menos as palavras finais, pois foi só no dia 7 de junho que o visconde de Ouro Preto aceitou formar o que veio a ser o último gabinete do Império. A idéia de que o imperador não estava no seu perfeito juízo, e que isso se refletia nas dúvidas do processo, era comum, e expressa, por exemplo, por Ferreira de Araújo em "Coisas políticas", do dia 10 de junho (p. 1, cols. 1-3), que começava assim:

---

*   Esta nota vem, em letras menores, ao pé da crônica: é evidente, porém, que é parte integrante dela, e da sua ironia.

"Nós também temos um preliminar: a saúde do imperador. Os partidos monárquicos, ambos dilacerados entre si, chegaram a acordo unânime (!) neste ponto único: não convém que a nação saiba se o imperador está ou não em estado de deliberar.
Livre pois, a quem tem que julgar os fatos, o direito de inquinar de suspeito tudo o que faz a coroa, de irregular tudo o que se faz em seu nome.
O que se passou, desde a convocação do Conselho de Estado até a organização do atual ministério seria capaz de desnortear os espíritos mais reflectidos, se não houvesse a preliminar acima anunciada".
O artigo todo, que é longo, é muito interessante, refletindo bem a atitude "neutra" de Ferreira de Araújo e da *GN*, que nesse momento se distancia do império como regime.

2   Michel de Notredame (1503-1566): famoso astrólogo, empregado de Catarina de Médicis, entre outros, cujas profecias, escritas numa estranha mistura de línguas, causaram muita controvérsia mesmo depois da sua morte e foram condenadas pela Igreja Católica em 1781.

3   Esse personagem é sem dúvida invenção machadiana, embora seja possível que haja aqui uma alusão velada, no nome Basílio, ao imperador (*basileios* significa rei em grego). Ver *Machado de Assis: ficção e história*, 2ª ed., p. 169.

4   São três figuras centrais na década de 1830, e que lançaram as bases do regime do Segundo Reinado. Sobretudo, são os "homens fortes" e assentadores da ordem desse período, embora por vezes inimigos entre si. Um deles é Bernardo Pereira de Vasconcelos (1795-1850), mineiro, fundador do Partido Conservador e um dos grandes mestres do parlamentarismo brasileiro. Outro, Nicolau Vergueiro (1778-1859), fazendeiro paulista e liberal, desempenhou papel importante no movimento que forçou a abdicação de Pedro I; fez parte do governo de 1832 e conspirou para a Maioridade em 1840. O terceiro, padre Diogo Antônio Feijó (1784-1843), paulista e liberal, foi ministro da Justiça, o homem forte do governo de 1831 e regente no período turbulento de 1835-1837; foi freqüentemente acusado de ser autoritário.

5   Não sei identificar esse senador: a citação de Montaigne é da "Apologie de Raymond Sebond" (vol. I, p. 644, da edição Garnier). Montaigne está falando da diversidade de costumes e de formas de governo.

6   Esse parágrafo é em grande parte um resumo dos telegramas e manchetes da *GN* dos dias finais de maio e primeiros de junho. Por exemplo, no dia 6 (p. 1, col. 1), disse da tentativa de Vieira da Silva que, "não tendo conseguido organizar um gabinete que represente as duas facções do partido conservador, [V. da S.] desistia da comissão que lhe fora confiada". As duas facções eram a abolicionista e a (ex-)escravagista. Na frase "dissolução das câmaras, Machado se refere à já provável queda do regime, pois, sendo o Senado vitalício, só se dissolveria com o Império. Os três primeiros políticos mencionados são conservadores (convocá-los, portanto, não implicaria dissolução da Câmara, e novas eleições): Manuel Francisco Correia (1831-1905), senador pelo Paraná; Jerônimo José Teixeira Júnior, visconde do Cruzeiro (1830-1892), senador desde 1873 e ministro da Agricultura em 1871, quando foi adotada a Lei do Ventre Livre; e o visconde de Vieira da Silva (v. cr. 8, n. 11). Os dois últimos são liberais: José Antônio Saraiva (v. cr. 1, n. 5) e Afonso Celso de Assis Figueiredo, visconde de Ouro Preto (1836-1912), senador desde 1879 e o último presidente do Conselho do Império.

Crônica 44

14 de junho de 1889

BONS DIAS!

Ó doce, ó longa, ó inexprimível melancolia dos jornais velhos! Conhece-se um homem diante de um deles. Pessoa que não sentir alguma coisa ao ler folhas de meio século, bem pode crer que não terá nunca uma das mais profundas sensações da vida, — igual ou quase igual à que dá a vista das ruínas de uma civilização. Não é a saudade piegas, mas a recomposição do extinto, a revivescência do passado, a maneira de Ebers,[1] a alucinação erudita da vida e do movimento que parou.

Jornal antigo é melhor que cemitério, por esta razão que no cemitério tudo está morto, enquanto que no jornal está vivo tudo. Os letreiros sepulcrais, sobre monótonos, são definitivos: *aqui jaz, aqui descansam, orai por ele!* As letras impressas na gazeta antiga são variadas, as notícias aparecem recentes; é a galera que sai, a peça que se está representando, o baile de ontem, a romaria de amanhã, uma explicação, um discurso, dois agradecimentos, muitos elogios; é a própria vida em ação.

Curandeiros, por exemplo. Há agora uma verdadeira perseguição deles.[2] Imprensa, política, particulares, todos parecem haver jurado a exterminação dessa classe interessante. O que lhes vale ainda um pouco é não terem perdido o governo da multidão. Escondem-se; vão por noite negra e vias escuras levar a droga ao enfermo, e, com ela, a consolação. São pegados, é certo; mas por um curandeiro aniquilado, escapam quatro e cinco.

Vinde agora comigo.

Temos aqui o *Jornal do Commercio* de 10 de setembro de 1841. Olhai bem: 1841; lá vão quarenta e oito anos, perto de meio século. Lede com pausa este anúncio de um remédio para os olhos: "... eficaz remédio, que já restituiu a vista a muitas pessoas que a tinham perdido, acha-se em casa de seu autor, o Sr. Antônio Gomes, Rua dos Barbonos nº 76".[3] Era assim, os curandeiros anunciavam livremente, não se iam esconder em Niterói, como o célebre caboclo, ninguém os ia buscar nem prender; punham na imprensa o nome da pessoa, o número da casa, o remédio e a aplicação.

Às vezes, o curandeiro, em vez de chamar, era chamado, como se vê nestas linhas da mesma data:

"Roga-se ao senhor que cura erisipelas, feridas, etc., de aparecer na Rua do Valongo nº 147".

Era outro senhor que esquecera de anunciar o número da casa e a rua, como o Antônio Gomes. Este Gomes fazia prodígios. Uma senhora conta ao público a cura extraordinária realizada por ele em uma escrava, que padecia de ferida incurável, ao menos para médicos do tempo. Chamado Antônio Gomes, a escrava sarou. A senhora tinha por nome D. Luísa Teresa Velasco. Também acho uma descoberta daquele benemérito para impigens, coisa admirável.

Além desses, havia outros autores não menos diplomados, nem menos anunciados. Uma loja de papel, situada na Rua do Ouvidor, esquina do Largo de São Francisco de Paula, vendia licor antifebril, que não só curava a febre intermitente e a enxaqueca, como era famoso contra cólicas, reumatismo e indigestões.

De envolta com os curandeiros e suas drogas, tínhamos uma infinidade de remédios estrangeiros, sem contar as famosas *pílulas vegetais americanas*. Que direi de um *óleo Jacoris Asseli*, eficaz para reumatismo, não menos que o *bálsamo homogêneo simpático*, sem nome de autor nem indicações de moléstias, mas não menos poderoso e buscado?

Todas essas drogas curavam, assim as legítimas como as espúrias. Se já não curam, é porque todas as coisas deste mundo têm princípio, meio e fim. Outras cessaram com os inventores. Tempo virá em que o quinino,[4] tão valente agora, envelheça e expire. Neste sentido é que se pode comparar um jornal antigo ao cemitério, mas ao cemitério de Constantinopla,⁵ onde a gente passeia, conversa e ri.

Plínio, falando da medicina em Roma, afirma que bastava alguém dizer-se médico para ser imediatamente crido e aceito; e suas drogas eram logo bebidas, "tão doce é a esperança!" conclui ele.⁶ O defunto Antônio Gomes e os seus atuais colegas bem podiam ter vivido em Roma; seriam lá como aqui (em 1841) verdadeiramente adorados. Bons curandeiros! Tudo passa com os anos, tudo, a proteção romana e a tolerância carioca; tudo passa com os anos... ó doce, ó longa, ó inexprimível melancolia dos jornais velhos!

Boas Noites.

Notas

1   Georg Moritz Ebers (1837-1898), egiptólogo e romancista histórico alemão. Machado tinha um romance dele, *Eine ägyptische königtochter* (*Uma princesa egípcia*) na sua biblioteca.

2   Com efeito, quase todos os dias havia notícia de mais uma detenção. Por exemplo, na *GN* de 7 de junho (p. 1, col. 2), com a manchete "A feiticeira", vinha notícia da curandeira Carolina Barbosa: os detalhes são interessantes e o tom muito característico: "O seu sistema era o dos feiticeiros africanos: fazia, por exemplo, cair caramujos do corpo do doente; tirava sapos, cabelos, cobras, o diabo enfim, da pele dos crédulos, e assim ia ganhando o seu pão de cada dia. Tendo notícia das habilidades da feiticeira, o Sr. Dr. Anselmo Nogueira, subdelegado da freguesia da Glória, deu com ela ontem na detenção, e abriu o respectivo inquérito. Se ela agora dá para enfeitiçar os guardas da prisão! [...]".

3   Apesar de diligente busca no *JC* da data mencionada, não deparei com Antônio Gomes. Creio que Machado errou a data, pois certamente existem todos os anúncios que ele cita aqui. Encontrei, sim, os seguintes do *JC* desse mês: "O específico remédio para as dores de dentes vende-se na botica da Águia, Rua do Hospício, 118; e na mesma se continua a vender o óleo Jacoris Asseli, eficaz para reumatismo". E há anúncios grandes para as "Pílulas vegetais e universais americanas". Na crônica de 19 de novembro de 1893, mencionada na nota 4 da crônica 34, Machado volta a se referir a Antônio Gomes, sem precisar a data do jornal.

4   Na época o quinino era o único remédio conhecido contra a malária. Sabia-se dos seus poderes havia mais de 200 anos, mas nem por isso era menos caro: a quina ainda não era árvore cultivada.

5   Não tenho certeza do significado desse trecho — segundo as enciclopédias, os turcos foram os primeiros a ter uma noção "moderna" de cemitério, lugar onde se plantavam árvores, e utilizado como espaço de recreio, espécie de parque.

6   Plínio, o Velho, *Historia naturalis*, livro 28, parágrafo viii: "Assim, a profissão médica é a única em que se acredita em qualquer pessoa que professe ser médico, embora não haja lugar em que a mentira seja mais perigosa. Não damos atenção ao perigo, porém, tão grande é para cada um de nós a sedução da esperança".

Crônica 45

29 de junho de 1889

BONS DIAS!

"Em Venezuela (diz um telegrama de Nova York, de 25, publicado no dia 26) *dissolveu-se o partido* do General Guzmán* Blanco".[1]

Fiquei como não imaginam; tanto que não tive tempo de vir cumprimentá-los, segundo o meu desejo. Corri ao escritório da companhia telegráfica, para saber se não haveria erro na tradução do telegrama. Podia ser *patrulha*, podia ser *patuscada*; podia ser mesmo um *batalhão*. Nós dissolvemos batalhões. Partido é que eu achava...

— Está aqui telegrama, senhorr, disse-me o inglês de alto a baixo, com um ar de sobressalente; senhorr pode egzamina ele, e reconhece que Company não tem interesse em inventa telegramas.

— Há de perdoar, mas o Príncipe de Bismarck pensa o contrário.

— Contrário à Company?

— Não, aos telegramas. Disse ele, uma vez, em aparte a um orador da Câmara: "O sr. deputado mente como um telegrama".[2] Mas eu não vou tão longe; os telegramas não mentem, mas podem ser tatibitate...

— Senhorr fala latim; eu deixa senhorr...

E foi para dentro o inglês; desci as escadas e vim para a rua, desorientado e cada vez mais curioso de achar explicação à notícia, que me parecia estrambótica. Custava-me entender que um partido se dissol-

---

* "Guzman", no jornal, aqui e em toda a crônica.

vesse assim, em certo dia, como se expede um decreto. Compreendo que uma reunião familiar se dissolva, em certa hora; assim o tenho lido, mil vezes: "As danças prolongaram-se até à madrugada, e dissolveu-se a reunião, deixando a todos penhorados com as maneiras da diretoria (ou dos donos da casa); e, com efeito, não se podia ser mais etc.". Mas um partido, uma vegetação política, lá me custava engolir.

Desse estado, que não ouso chamar ignorante, para me não descompor, fui arrancado agora mesmo por um artigo de muitos republicanos de Vassouras. Eu fui a Vassouras há muitos anos, quando ali era juiz municipal o Calvet, e juiz de direito o Dario Callado.[3] Na vila não havia então republicanos, não havia mesmo ninguém, exceto os dois magistrados, o vigário, o meu hospedeiro e eu. Ao domingo, o vigário reproduzia o milagre da multiplicação dos pães; para dizer missa, fazia de nós quatro umas cinqüenta moças, muito lindas; mas, acabada a missa, voltávamos a ser cinco, ele vigário, eu, o meu hospedeiro, o Dario e o Calvet. *Où sont* les neiges d'antan?*** [4]

Como ia dizendo, foi o artigo que me deu a explicação.

Afirmam os autores, que a lembrança de fazer eleger por ali um candidato republicano de fora, que lá não nasceu nem mora, era antes um esquecimento, e parece ter por fim ofender os brios do 10º distrito e o caráter de dois candidatos do lugar. "Não acreditamos que esses distintos cidadãos se humilhem ao ponto de se sujeitarem ao insulto que lhes é irrogado".[5]

Acrescentam que o 10º distrito não é burgo podre; e concluem:

"O caso é para dizer-se: perca-se o partido, mas salve-se a honra do distrito".

Mas, senhores, aqui está a federação feita; é a dos distritos. Todos os partidos a aceitam, antigos ou novos. Havia dúvidas sobre se os partidos mais recentes trariam este mesmo sabor *du terroir*;[6] vemos que sim, e até com maior intensidade, o que está muito bem. Quanto ao lema:

---

* "*vont*", no jornal.
** No jornal, falta o ponto de interrogação.

"Perca-se o partido, mas salve-se a honra do distrito", — aí fica a mais alta significação das liberdades locais. Aproveitamos este *filon*,⁷ que vai dar à grande mina.

Isto faz-me lembrar a anedota do campônio de uma freguesia, que foi a outra, onde chegou a tempo de ouvir um sermão de lágrimas. O pregador era patético, todos os fiéis choravam a valer; só o campônio ouvia de olhos enxutos as passagens mais sublimes. Interrogado por um dos presentes, acerca da falta de lágrimas, quando o pregador as arrancava a todos, respondeu tranqüilamente: "É que eu não sou cá desta freguesia".

Em política (ao menos aqui) só choram os da paróquia na paróquia, entendendo-se que chorar quer dizer rir. Quem nasceu no alto mar, faça-se eleger pelos tubarões. Há aqui uma emenda à Lei Saraiva.⁸

Que tem isto com a notícia telegráfica de Venezuela? Leve-me o diabo se me lembra onde é que estava a ligação. Vá esta, em falta de outra. Provavelmente, o partido de Guzmán Blanco compunha-se de todos os distritos de Venezuela; começou a perdê-los, até que chegou a um só, depois uma cidade, uma vila, uma rua, um beco, um quarteirão, uma casa, finalmente uma alcova: morreu o homem que dormia na alcova, dissolveu-se o partido. Note-se que isto não liga coisa nenhuma, mas é um modo de casar (como dizia Molière)⁹ a República de Veneza com o Grão-Turco. Grão-Turco é o Guzmán Blanco.

Boas Noites.

Notas

1   Ditador da Venezuela desde 1870, Antonio Guzmán Blanco saíra do seu país para Paris pela última vez em 1888. Tinha tentado, com seu Partido Liberal, estimular a participação popular no processo político que seus próprios hábitos autoritários tinham esmagado — daí a dissolução, pouco depois de sua saída. O telegrama apareceu, sem mais detalhes, no *JC* do 26 de junho (p. 1, col. 1).
2   Bismarck teria dito "Er lügt wie telegrafiert" ("Mente como se telegrafasse") no parlamento prussiano em 1862.
3   Numa das suas poucas saídas do Rio, Machado fora a Vassouras em 1875. Ver MJ, *Vida e obra de Machado de Assis*, vol. 2, p. 148.

4   Ver crônica 20, nota 5.
5   Cito o artigo inteiro, publicado nos "A pedidos" da *GN* em 28 de junho (p. 2, col. 6):

> "Vassouras e Valença
> 10º Distrito da Província do Rio de Janeiro
>
> A lembrança do nome do Dr. Sampaio Ferraz parece antes um esquecimento, se é que não foi feita com o fim de propositalmente afetar os brios do 10º distrito, e o caráter dos Srs. Leopoldo Leite e Oliveira Pinto.
>
> Não acreditamos que estes distintos cidadãos se humilhem ao ponto de sujeitarem-se ao insulto que lhes foi irrogado, e muito menos julgamos que o altivo e independente 10º distrito se queira constituir em *burgo podre* explorável por qualquer *espírito bem preparado*, na frase do Sr. Oliveira Pinto, que mais do que ninguém se deve sentir ofendido, e que, atento à sua altivez, há de reagir.
>
> Quem ignora que, na zona em que reside, o Sr. Oliveira Pinto tem a votação unânime do partido republicano e muitos votos monarquistas?
>
> Esperamos que ele reaja.
>
> O caso é para dizer-se: perca-se o partido, mas salve-se a honra do distrito.
>
> *Muitos republicanos de Vassouras*".

6   Francês: "da terra, local".
7   Francês: "veia".
8   Ver crônica 35, nota 1.
9   Frosine, a casamenteira de *L'avare*, diz "je marierais le Grand Turc avec la République de Venise" (ato 2, cena 5).

Crônica 46

3 de agosto de 1889

BONS DIAS!

Não venho desmentir o que ontem escreveu a *Revistinha*, a meu respeito.[1] Quando um homem tem exposto na *vitrine* do Bernardo[2] a certidão da idade, pela qual se vê que não perdeu vintém na quebra do Souto, nem os sapatos na grande enchente de 1864,[3] e tudo pela razão de que os sapatos, pelo menos, só se calçam depois que a gente nasce, pode rir à vontade das calúnias de um quarentão inventivo e implicante.

Há muito tempo que eu andava com duas pedras na mão para atirar à cara deste homem — ou às costas, porque ele foge, como o atual cometa Davidson,[4] que, segundo nos dizem lá do Observatório, está saindo da constelação da Virgem para entrar na da Serpente. Já é correr! Pois muito mais corre o nosso homem, quando a coisa lhe cheira a pedradas. Não fica bonito, porque a palidez não aformoseia ninguém, exceto as virgens de 1840:

Pálida virgem, que minh'alma adora; mas fica leve e rápido, que nem lhe ganha o melhor galgo.

Negar que o aumento da tiragem da *Gazeta* é devido aos meus cumprimentos, é tapar o sol com uma peneira. Ninguém ignora que as pessoas bem criadas fazem mais atrativas as casas e reuniões. Aqui que me conste, ninguém fala aos leitores saudando-os antes de começar, senão eu. Todos entram com o seu discurso, prosa ou verso, e o estendem logo, sem fazer caso dos que os ouvem. Daí vem que a *Gazeta* nunca teve mais de onze a treze assinantes, e sete leitores. Entrei eu, com estes gestos corteses, e a coisa mudou. A Fortuna é mulher: gosta de ser cortejada. Ao ver um jovem simples, bom caráter, mansueto, de chapéu na mão, disse consigo: "Aqui está um cavalheiro distinto". E abençoou estes tetos com ambas as suas mãos divinas.

Senhores, as maneiras finas, polidas, e até graciosas, não são apenas, como podem supor os frívolos, uma questão de bom-tom. Constituem virtude; dão de si utilidades práticas.

Há por aí agora uma porção de conflitos públicos. Um deles, por exemplo, é o da Companhia do Saneamento do Rio de Janeiro, cujos fundadores estão desavindos, segundo parece, por motivos mui complicados.[5] Pois eu seria capaz de os conciliar, tão-somente com este meu ar cortês, que me faz entrar em todos os corações. O mesmo direi do elixir Cabeça de Negro, destinado a outro saneamento, e parece que com dois autores ou possuidores, ambos tenazes defensores dos seus direitos.[6] A qual dos dois caibam estes, não sei; apenas juro que, no fim de cinco dias de briga, fui comprar o elixir e tenho tirado imenso proveito. Não digo qual deles me curou; mas, se os contendores me confiassem a decisão do negócio, achariam o melhor dos Salomões, porque não consta da Escritura (posto não conste o contrário) que Salomão fosse tão primoroso e delicado como eu. Bárbaro era, ordenando a divisão do filho;[7] eu, no caso dele, insinuaria a aliança das mães.

Reconciliar adversários é pouco? Certo que não. Será pouco dar vida a idéias que acham contra si a inércia dos legisladores e da própria opinião pública? O teatro nacional,[8] por exemplo, não é tempo de o decretar, ou por meio de uma lei especial, ou por um aditivo ao orçamento do exercício de 1890, como disposição permanente, votando-se todos os anos uma verba para as despesas da invenção, composição, lances dramáticos, *la scène à faire**de Sarcey,[9] e outras necessidades iniludíveis? Pois tudo isso alcançarei no dia em que quiser, só com estas barretadas, que me fazem gastar mais chapéus que pantalonas. Entrar cortês e dizer macio — é a divisa de todo cidadão discreto.

---

* No jornal está "*pire*".

E tudo isso se esquece no dia em que a *Gazeta* faz anos! Não importa; a ingratidão é assim. Ir-me-ei daqui, sacudirei à porta desta casa os meus sapatos, esquecerei as boas horas passadas debaixo destes tetos, e cá não tornarei antes que me digam: — Volta, volta.

Boas Noites.

Notas

1 No dia anterior ao desta crônica, para celebrar o aniversário da GN, foi publicada no jornal uma reprodução da primeira página do primeiro número, de 2 de agosto de 1875. Na seção "Revistinha", foi publicado um artigo sobre os vários cronistas do jornal, do qual cito a matéria sobre "Bons dias!": "'Boas noites!' disse que não se gabava de ter feito uma revolução com o 'Bons dias!', mas que fazia lembrar que desde mil e oitocentos... (o João Velhinho piscou-lhe o olho e ele emendou) desde algum tempo (sorriso de aprovação de Velhinho) todas as vezes que ele encetava uma seção, aumentava a tiragem. Já no periódico 'Sete de Abril'... (o João Velhinho tosse, e o 'Boas noites!' raspa-se para a Rua dos Ourives)".

2 Loja de tecidos finos, modas e papéis pintados, localizada na Rua do Ouvidor, pertencente a Bernardo Wallenstein.

3 São dois acontecimentos de 1864 — a quebra da casa (isto é, do banco) A.J.A. Souto e Cia., em 10 de setembro desse ano, marcou época, e Machado menciona-a diversas vezes.

4 Cometa visível do Brasil, e identificado havia poucos dias por um sr. Davidson, australiano, segundo a "Gazetilha" do JC de 2 de agosto (p. 1, cols. 3-4).

5 Esse assunto e o da nota seguinte eram brigas típicas dos "A pedidos" — nesse caso, acusava-se o sr. Artur Sauer de elaborar certos artigos dos estatutos da Companhia "no sentido de aproveitarem única e exclusivamente" a ele mesmo: os bancos teriam forçado esse mesmo senhor a mudá-los.

6 Aqui, tratava-se da patente de um remédio popular, que pertenceria ou à viúva do dr. Santa Rosa ou a Hermes Sucessores, companhia à qual ele a teria cedido para fins comerciais.

7 I Reis 3:16-28.

8 Não sei por que Machado escolhe esse momento para dar nova vida a um velho assunto. Com efeito, nos anos 60, tinha apoiado mais de uma vez (sobretudo, na crônica de 16 de dezembro de 1861 e no artigo "O teatro nacional", de 13 de fevereiro de 1866) a idéia de um teatro nacional, no modelo da Comédie Française, subvencionado pelo Estado.

9 Francisque Sarcey (1827-1899), jornalista e crítico teatral, porta-voz do público médio e partidário da peça bem construída; estabelecera alguns princípios para a composição de peças de teatro, entre eles a necessidade da cena de exposição — *la scène à faire* — necessária para que o espectador possa seguir o enredo.

— Não vos aproximeis de mim! Vossas mãos ainda tintas do sangue dos

"Não vos aproximais de mim." Já pouco depois da abolição, alguns fazendeiros calculam que a

...iam as minhas vestes! Retirae-vos, eu não vos quero...

República os indenizará pelas suas perdas (*Revista Ilustrada*, ano 13 [1888], nº 500, pp. 4-5).

Crônica 47

13 de agosto de 1889

BONS DIAS!

Dizia-me ontem um homem gordo... para que ocultá-lo?... Lulu Sênior:[1]

— Você não pode deixar de ser candidato à câmara temporária.[2] Um homem dos seus merecimentos não deve ficar à toa, passeando o triste fraque da modéstia pelas vielas da obscuridade. Eu, se fosse magro, como você, é o que fazia; mas as minhas formas atléticas pedem evidentemente o Senado; lá irei acabar estes meus dias alegres. Passei o cabo dos quarenta; vou a Melinde buscar piloto que me guie pelo oceano Índico, até chegar à terra desejada...

Já se viam chegados junto à terra,
Que desejada já de tantos fora.[3]

— Bem, respondi eu, mas é preciso um programa; é preciso dizer alguma coisa aos eleitores; pelo menos de onde venho e para onde vou. Ora, eu não tenho idéias, nem políticas nem outras.

— Está zombando!

— Não, senhor; juro por esta luz que me alumia. Na distribuição geral das idéias... Talvez você não saiba como é que se distribuem as idéias, antes da gente vir a este mundo. Deus mete alguns milhões delas num grande vaso de jaspe, correspondente às levas de almas que têm de descer. Chegam as almas; ele atira as idéias aos punhados; as mais ativas apanham maior número, as moleironas ficam com um pouco mais de uma dúzia, que se gasta logo, em pouco tempo; foi o que me sucedeu.

— Mas trata-se justamente de suprimi-las; não as ter é meio caminho andado. Tem lido as circulares eleitorais?

— Uma ou outra.

— Aí está por que você anda baldo ao naipe: não lê nada, ou quase nada; os jornais passam-lhe pelas mãos à toa, e quer ter idéias. Há opiniões que eu ouço às vezes, e fico meio desconfiado; corro às folhas da semana anterior, e lá dou com elas inteirinhas. Pois as circulares, se nem todas são originais, são geralmente escritas com facilidade, algumas com vigor, com brilho e... Umas falam de ficar parado, outras de correr, outras de andar para trás...

— Justamente. Que hei de escolher entre tantos alvitres?

— Um só.

— Mas qual?

— De tantos homens que falaram aos eleitores, um só teve para mim a intuição política: "Conhecido dos meus amigos (escreveu o Sr. Dr. Nobre, presidente da Câmara Municipal), julgo-me dispensado de definir a minha individualidade política". Tem você amigos?

— Alguns.

— Tem muitos. Bota para fora essa morrinha da modéstia. Você não terá idéias, mas amigos não lhe faltam. Eu tenho ouvido coisas a seu respeito, que até me admira, é verdade. Já vi baterem-se dois sujeitos por sua causa. Vinham num bonde ao pé de mim. Um disse que o encontrara nesse dia de fraque cor de rapé, o outro que também o vira, mas que o fraque tirava mais a cor de vinho. O primeiro teimou, o segundo não cedeu, até que um deles chamou ao outro pedaço d'asno; o outro retorque-lhe, não lhe digo nada, engalfinharam-se e esmurraram-se à grande. Eu nunca me benzi com um sacrifício destes. Vamos, amigos não lhe faltam.

— Pois sim; e depois?

— Depois é o que escreveu o candidato. Conhecido dos seus amigos, que necessidade tem você de definir-se? É o mesmo que dar um chá ou um baile, e distribuir à entrada o seu retrato em fotografia. Não se explique; apareça. Diga que deseja ser deputado, e que conta com os seus amigos.

— Só isso?

— Ó palerma, eles conhecem-te, mas é preciso visitá-los. A maior parte dos amigos não votam sem visita. A questão é esta.* O eleitor tem três fases; está na segunda, em que a cédula é considerada um chapéu, que ele não tira sem o outro tirar primeiro o seu chapéu de verdade. Se houver intimidade, ainda podes dizer brincando: "Ó Cunha, tira o chapéu". Mas o teu há de estar na mão.

— Bem, se é só isso, estou eleito.

— Isso, e amigos.

— E amigos, justo.

— Não te definas, eles conhecem-te; procura-os. Quando o filhinho de algum vier à sala, pega nele, assenta-o na perna; se o menino meter o dedo no nariz, acha-lhe graça. E pergunta ao pai como vai a senhora; afirma que tens estado para lá ir, mas as bronquites são tantas em casa... Elogia-lhe as bambinelas. Não ofereças charuto, que pode parecer corrupção; mas aceita-lhe o que ele te der. Se for quebra-queixo, pergunta-lhe interessado onde é que os compra.

— Já se vê, em cada casa a mesma cantilena. Uma só música, embora com palavras diversas. O eleitor pode ser um ruim poeta...

— Justamente; leva-lhe decorado o último soneto, um primor.

— Compreendi tudo. Definição é que nada, visto que são meus amigos. Compreendi tudo. Posso oferecer a minha gratidão?

— Podes; toda a questão é ir ao encontro do sentimento do eleitor, isto é, que ele te faz um favor votando; não escolhe um representante dos seus interesses. Anda, vai-te embora e volta-me deputado.

Boas Noites.

Notas

1 Um dos pseudônimos de Ferreira de Araújo, o dono da *GN*.
2 As eleições que deviam seguir-se à dissolução da Câmara (v. cr. 43) — a proclamação da República veio antes.
3 *Os lusíadas*, canto VII, estrofe 1, vv. 1-2.

---

* No jornal, há um ponto de interrogação.

Crônica 48

22 de agosto de 1889

BONS DIAS!

Quem nunca invejou, não sabe o que é padecer. Eu sou uma lástima. Não posso ver uma roupinha melhor em outra pessoa, que não sinta o dente da inveja morder-me as entranhas. É uma comoção tão ruim, tão triste, tão profunda, que dá vontade de matar. Não há remédio para esta doença. Eu procuro distrair-me nas ocasiões; como não posso falar, entro a contar os pingos de chuva, se chove, ou os basbaques que andam pela rua, se faz sol; mas não passo de algumas dezenas. O pensamento não me deixa ir avante. A roupinha melhor faz-me foscas, a cara do dono faz-me caretas...

Foi o que me aconteceu, depois da última vez que estive aqui. Há dias, pegando numa folha da manhã, li uma lista de candidaturas para deputados por Minas, com seus comentos e prognósticos. Chego a um dos distritos, não me lembra qual, nem o nome da pessoa, e que hei de ler? Que o candidato era apresentado pelos três partidos, liberal, conservador e republicano.

A primeira coisa que senti, foi uma vertigem. Depois, vi amarelo. Depois, não vi mais nada. As entranhas doíam-me, como se um facão as rasgasse, a boca tinha um sabor de fel, e nunca mais pude encarar as linhas da notícia. Rasguei afinal a folha, e perdi os dois vinténs; mas eu estava pronto a perder dois milhões, contanto que aquilo fosse comigo.

Upa! que caso único. Todos os partidos armados uns contra os outros no império, naquele ponto uniam-se e depositavam sobre a cabeça de um homem os seus princípios. Não faltará quem ache tremenda a responsabilidade do eleito, — porque a eleição, em tais circunstâncias, é certa; cá para mim é exatamente o contrário. Dêem-me essas responsabilidades, e verão se me saio delas sem demora, logo na discussão do voto de graças.

— Trazido a esta Câmara (direi eu) nos paveses de gregos e troianos, e não só dos gregos que amam o colérico Aquiles, filho de Peleu, como dos que estão com Agamenon, chefe dos chefes, posso exultar mais que nenhum outro, porque nenhum outro é, como eu, a unidade nacional. Vós representais os vários membros do corpo: eu sou o corpo inteiro, completo. Disforme, não; não monstro de Horácio. Por quê? Vou dizê-lo.

E diria então que ser conservador era ser essencialmente liberal, e que no uso da liberdade, no seu desenvolvimento, nas suas mais amplas reformas, estava a melhor conservação. Vede uma floresta (exclamaria, levantando os braços). Que potente liberdade! e que ordem segura! A natureza, liberal e pródiga na produção, é conservadora por excelência na harmonia em que aquela vertigem de troncos, folhas e cipós, em que aquela passarada estridula, se unem para formar a floresta. Que exemplo às sociedades! que lição aos partidos!

O mais difícil parece que era a união dos partidos monárquicos e dos princípios republicanos; puro engano. Eu diria: 1º, que não vinha ali combatê-los, mas representá-los, coisa diferente; 2º, que jamais consentiria que nenhuma das duas formas de governo se sacrificasse por mim; eu é que era por ambas; 3º, que considerava tão necessária uma como outra, não dependendo tudo senão dos termos; assim podíamos ter na monarquia a república coroada, enquanto que a república podia ser a liberdade no trono, etc., etc.

Nem todos concordariam comigo; creio até que ninguém, ou concordariam todos, mas cada um com uma parte. Sim, o acordo pleno das opiniões só uma vez se deu debaixo do sol, há muitos anos, e foi na assembléia provincial do Rio de Janeiro. Orava um deputado, cujo nome absolutamente me esqueceu, como o de dois, um liberal, outro conservador, que virgulavam o discurso com apartes, — os mesmos apartes. A questão era simples.

O orador, que era novo, expunha as suas idéias políticas. Dizia que opinava por isso ou por aquilo. Um dos apartistas acudia: é liberal. Redargüia o outro: é conservador. Tinha o orador mais este e aquele propósito. É conservador, dizia o segundo; é liberal, teimava o primeiro. Em tais condições, prosseguia o novato, é meu intuito seguir este caminho. Redargüia o liberal: é liberal; e o conservador: é conservador. Durou este divertimento três quartos de coluna do *Jornal do Commercio*. Eu guardei um exemplar da folha para acudir às minhas melancolias, mas perdi-o numa das mudanças de casa.

Oh! não mudeis de casa! Mudai de roupa, mudai de fortuna, de amigos, de opinião, de criados, mudai de tudo, mas não mudeis de casa!

Boas Noites.

Crônica 49

29 de agosto de 1889

BONS DIAS!

Hão de fazer-me esta justiça, ainda os meus mais ferrenhos inimigos; é que não sou curandeiro, eu não tenho parente curandeiro, não conheço curandeiro, e nunca vi cara, fotografia ou relíquia, sequer, de curandeiro. Quando adoeço não é de espinhela caída,[1] — coisa que podia aconselhar-me a curanderia; é sempre de moléstias latinas ou gregas. Estou na regra; pago impostos, sou jurado, não me podem argüir a menor quebra de dever público.

Sou obrigado a dizer tudo isso, como uma profissão de fé, porque acabo de ler o relatório médico acerca das drogas achadas em casa do curandeiro Tobias. Saiu hoje; é um bonito documento.[2] Falo também porque outras muitas coisas me estimulam a falar, como dizia o curandeiro-mor, mal das vinhas* chamado,[3] que já lá está no outro mundo. Falo ainda, porque nunca vi tanto curandeiro apanhado, — o que prova que a indústria é lucrativa.

Pelo relatório se vê que Tobias é um tanto Monsieur Jourdain, que falava em prosa sem o saber;[4] Tobias curava em línguas clássicas. Aplicava, por exemplo, *solanum argentum*, certa erva, que não vem com outro nome; possuía umas cinqüenta gramas de *aristolochia appendiculata*, que dava aos clientes; é a raiz de mil-homens. Tinha, porém, umas bugigangas

---

* No jornal, sobra aqui um ponto-e-vírgula.

curiosas, esporões de galo, pés de galinha secos, medalhas, pólvora e até um chicote* feito de rabo de raia, que eu li rabo de saia, coisa que me espantou, porque estava, estou, e morrerei na crença de que rabo de saia é simples metáfora. Vi depois que** era rabo de raia. Chicote para quê?

Tudo isto, e ainda mais, foi apanhado ao Tobias, no que fizeram muito bem, e oxalá se apanhem as bugigangas e drogas aos demais curandeiros, e se punam estes, como manda a lei.

A minha questão é outra, e tem duas faces.

A primeira face é toda de veneração; punamos o curandeiro, mas não esqueçamos que a curanderia foi a célula da medicina. Os primeiros doentes que houve no mundo, ou morreram ou ficaram bons. Interveio depois o curandeiro, com algumas observações rudimentárias, aplicou ervas, que é o que havia à mão, e ajudava a sarar ou a morrer o doente. Daí vieram andando, até que apareceu o médico. Darwin explica por modo análogo a presença do homem na terra.[5] Eu tenho um sobrinho, estudante de medicina, a quem digo sempre que o curandeiro é pai de Hipócrates, e sendo o meu sobrinho filho de Hipócrates, o curandeiro é avô do meu sobrinho; e descubro agora que vem a ser meu tio — fato que eu neguei a princípio. Também não borro o que lá está. Vamos à segunda face.

A segunda é que o espiritismo não é menos curanderia que a outra, e é mais grave, porque se o curandeiro deixa os seus clientes estropiados e dispépticos, o espírita deixa-os simplesmente doidos. O espiritismo é uma fábrica de idiotas e alienados, que não pode subsistir. Não há muitos dias deram notícia as nossas folhas de um brasileiro que, fora daqui, em Lisboa, foi recolhido em Rilhafoles, levado pela mão do espiritismo.

Mas não é preciso que dêem entrada solene nos hospícios. O simples fato de engolir aqueles rabos de raia, pés de galinha, raiz de milhomens*** e outras drogas vira o juízo, embora a pessoa continue a

---

* No jornal está "chichote".
** No jornal há um "o" sobrando (isto é, lê-se "o que").
*** No jornal está escrito "milhomens".

andar na rua, a cumprimentar os conhecidos, a pagar as contas, e até a não pagá-las, que é meio de parecer ajuizado. Substancialmente é homem perdido. Quando eles me vêm contar uns ditos de Samuel e de Jesus Cristo, sublinhados de filosofia de armarinho, para dar na perfeição sucessiva das almas,⁶ segundo estas mesmas relatam a quem as quer ouvir, palavra que me dá vontade de chamar a polícia e um carro.

Os espíritas que me lerem hão de rir-se de mim, porque é balda certa de todo maníaco lastimar a ignorância dos outros. Eu, legislador, mandava fechar todas as igrejas dessa religião, pegava dos religionários e fazia-os purgar espiritualmente de todas as suas doutrinas; depois, dava-lhes uma aposentadoria razoável.

Boas Noites.

Notas

1   "Designação comum a numerosas doenças atribuídas pelo povo à queda da espinhela" (*Novo dicionário Aurélio*).
2   Esse longo relatório, de que transcrevo a primeira parte e o fim, foi publicado no *Diário de Notícias* de 28 de agosto, com a manchete "O curandeiro". Pode não ter sido essa a reportagem que Machado leu, pois explica o emprego do chicote, coisa que finge(?) ignorar, e há um erro, que ele corrige, numa das palavras latinas:

"O curandeiro Tobias, de quem esta folha, como toda a imprensa, tanto tem tratado, é um desses indivíduos atrevidos, que nada poupam para alcançar os seus fins, isto é: — especular com os... tolos.
O homem prometia tirar o demo do corpo dos ingênuos, e para isso dava-lhes tremendas sovas (o pândego!) com um chicote original: uma cauda de raia, cheia de umas tantas virtudes especiais. Os médicos da polícia, encarregados de proceder a exame nas drogas de que se servia Tobias para *curar* os seus consultantes, apresentaram o seguinte relatório:
Recebemos da secretaria da polícia da corte, acompanhando o Ofício nº 6206, um embrulho de ervas, duas garrafas e dois vidros, que foram encontrados em poder do curandeiro Tobias Figueira de Melo, que com esses ingredientes estava tratando a nacional Rosalina Maria da Conceição, a fim de proceder a análise e dar relatório para ser transmitido ao subdelegado da freguesia de Sant'Anna.
O embrulho a que se refere o ofício, era de grandes dimensões, estava amarrado e continha:
Um pacote de folhas de *volanum insidusium* [sic], trata-se da família *solanum*, pesando 270 gramas.
Um pacote de folhas de *volanum argentium*, pesando 70 gramas.

Dois pedaços de raiz de *milhomens* (*aristolochia appendiculata*), pesando 50 gramas.
Um fragmento de raiz de *zingibre officinalis*, pesando 40 gramas.
Um embrulho com uma porção de resina de pinho e um resto de vela de cera.
Um caramujo grande; um pé de galinha seco; dois breves, tendo dentro livros de Santa Bárbara; um outro, com pele de cobra; dois esporões de galo; 8 conchas envolvidas em pano encarnado; 4 rosários de contas, com medalhas; um polvarinho com pólvora; um chicote feito de cauda de raia (raja clavata) tendo 63 centímetros de comprimento e a extremidade, que servia de cabo, envolvida em pano, estando a outra já gasta, talvez pelo uso.
[...]
Dos exames, tiramos a seguinte conclusão: entre objetos diversos, do uso do charlatão ignorante, há vegetais e preparados de plantas medicinais (alguns enérgicos) que não podem ser administrados ou propinados por curandeiro, máxime para uso interno. Rio, 27 de agosto de 1889. Assinado: Dr. Antônio Maria Teixeira".

3   Não sei quem foi essa pessoa, mas parece ter sido real: numa crônica de 15 de maio de 1864, Machado se refere a um incêndio no "mal das vinhas"; mas a própria crônica é muito difícil de entender sem conhecer as circunstâncias, e não sei a que, ou a quem, se refere.
4   M. Jourdain, o "bourgeois gentilhomme" da peça de Molière, ficou surpreso ao se dar conta de que falava em prosa: Tobias certamente não sabia os nomes latinos das plantas que usava.
5   Charles Darwin (1809-1892), naturalista inglês, e uma das figuras mais importantes do século XIX. Na sua *Da origem das espécies* (1859), explicou a evolução do gênero humano pela teoria da sobrevivência do mais forte na luta pela existência.
6   Aqui Machado não se limita a atacar o espiritismo; mostra um conhecimento rudimentar da doutrina, e a grande razão de seu ódio por ela. Na Bíblia, Samuel fala pela "bruxa" (às vezes traduz-se médium) de Endor ao rei Saul (I Samuel, cap. 28), e os espíritas chamam os acontecimentos de Pentecostes, quando Jesus falou com os apóstolos depois de morto, da maior "séance" da história. É, sem dúvida, principalmente a "perfeição sucessiva das almas" que o enfurece: o espiritismo é outra doutrina otimista, à maneira do humanitismo: acredita que todo mundo será salvo, e que a lei da progressiva perfeição da alma se aplica universalmente.

Bibliografia

Esta bibliografia é seletiva. Seria impossível e inútil enumerar todas as obras de referência, enciclopédias, dicionários, concordâncias, edições críticas etc., utilizadas na procura de dados para as notas. Na seção sobre Machado, unicamente incluí obras que tratam das crônicas, fora todas as mencionadas nas notas e na Introdução; e na seção histórica procurei incluir só as mais relevantes para o estudo destas crônicas, e do período em que elas foram escritas. Há uma excelente bibliografia sobre a crônica em geral, e sobre vários cronistas brasileiros, Machado entre eles, no *Boletim bibliográfico Biblioteca Mário de Andrade*, vol. 46, n°s 1/4 (de janeiro a dezembro de 1985).

MACHADO, Ubiratan. *Bibliografia machadiana — 1959-2003*. São Paulo: EDUSP, 2005.
SOUSA, José Galante de. *Bibliografia de Machado de Assis*. Rio de Janeiro: Instituto Nacional do Livro, 1955.
———. *Fontes para o estudo de Machado de Assis*. Rio de Janeiro: Instituto Nacional do Livro, 1958.

Obras de Machado de Assis
Obras completas

Obras completas, 31 volumes. Rio de Janeiro: W. M. Jackson, 1950.
Obra completa, 3 volumes. Rio de Janeiro: Aguilar, 1959.

Essas duas obras estão longe de ser completas em relação às crônicas. A da Jackson tem um problema adicional: algumas das crônicas aí reproduzidas, da *Semana Ilustrada*, com toda a probabilidade não são de Machado.

Outras edições das crônicas de Machado de Assis, ou que contêm algumas delas

BALAS DE ESTALO. Ed. Heloísa Helena Paiva de Luca. São Paulo: Annablume, 1998.

CONTOS E CRÔNICAS. Ed. Raimundo Magalhães Júnior, Rio de Janeiro: Civilização Brasileira, 1958. (Contém crônicas do *Diário do Rio de Janeiro* e várias da *Semana Ilustrada* do período entre 1866 e 1873, que, na opinião de Magalhães, são de Machado.)

CRÔNICAS DE LÉLIO. Ed. Raimundo Magalhães Júnior. Rio de Janeiro: Civilização Brasileira, 1958. (Contém muitas crônicas de "Balas de estalo" do período entre 1883 e 1886.)

DIÁLOGOS E REFLEXÕES DE UM RELOJOEIRO. Ed. Raimundo Magalhães Júnior. Rio de Janeiro: Civilização Brasileira, 1956. (Contém as crônicas de "A + B", de 1886, e de "Bons dias!".)

DISPERSOS DE MACHADO DE ASSIS. Ed. Jean-Michel Massa. Rio de Janeiro: Instituto Nacional do Livro, 1965. (Contém algumas crônicas que não constam das edições anteriores.)

Estudos sobre Machado de Assis e a crônica no século XIX

ANDRADE, Carlos Drummond de. "Um texto esquecido: Machado de Assis narra em estilo bíblico o último capítulo da abolição", *Correio da Manhã*, 15 nov., 1958.

ARRIGUCCI Jr., Davi. *Enigma e comentário: ensaios sobre literatura e experiência*. São Paulo: Companhia das Letras, 1987.

ATAÍDE, Tristão de. "Machado cronista", *Diário de Notícias*. Rio de Janeiro, 6 out., 1960.

_____. "Machado folhetinista", *Diário de Notícias*. Rio de Janeiro, 9 out., 1960.

Bosi, Alfredo; Garbuglio, José Carlos; Curvello, Mário e Facioli, Valentim. *Machado de Assis*. São Paulo: Ática, 1982.

Brayner, Sônia. *Labirinto do espaço romanesco*. Rio de Janeiro: Civilização Brasileira, 1979.

Broca, Brito. *Românticos, pré-românticos, ultra-românticos: vida literária e Romantismo brasileiro*. Prefácio de Alexandre Eulálio. São Paulo: Polis, 1979.

_____. *Machado de Assis e a política mais outros estudos*. São Paulo: Polis, 1983.

Castello, José Aderaldo. *Realidade e ilusão em Machado de Assis*. São Paulo: Editora Nacional, 1969.

Chalhoub, Sidney. *Visões da liberdade*. São Paulo: Companhia das Letras, 1990.

_____. *Cidade febril*. São Paulo: Companhia das Letras, 1996.

_____. *Machado de Assis historiador*. São Paulo: Companhia das Letras, 2003.

_____. "A arte de alinhavar histórias: a série 'A + B' de Machado de Assis", in Sidney Chalhoub; Margarida de Souza Neves e Leonardo Affonso de Miranda Pereira (orgs.). *História em cousas miúdas*. Campinas: Editora da Unicamp, 2005.

Corção, Gustavo. "Machado de Assis cronista", in Machado de Assis. *Obra completa* (Aguilar), vol. 3, pp. 325-31.

Faoro, Raimundo. *Machado de Assis: a pirâmide e o trapézio*. São Paulo: Editora Nacional, 1969.

Gledson, John. *Machado de Assis: ficção e história*. São Paulo: Paz e Terra, 1986.

_____. *Machado de Assis: impostura e realismo*. São Paulo: Companhia das Letras, 1991 [*The deceptive Realism of Machado de Assis: a dissenting interpretation of* Dom Casmurro. Liverpool: Francis Cairns, 1984].

Gomes, Eugênio. *Machado de Assis*. Rio de Janeiro: Livraria São José, 1958.

_____. "Apresentação", in Machado de Assis, *Crônicas*. Rio de Janeiro: Livraria Agir, 1963.

Granja, Lúcia. *Machado de Assis: escritor em formação*. São Paulo: Mercado de Letras, 2000.

Kinnear, J. C. "Machado de Assis: to believe or not to believe". *Modern Language Review*, nº 71, 1976, pp. 54-65.

Magalhães Júnior, Raimundo. *Machado de Assis desconhecido*. Rio de Janeiro: Civilização Brasileira, 1955.

_____. *Ao redor de Machado de Assis*. Rio de Janeiro: Civilização Brasileira, 1958.

MAGALHÃES JÚNIOR, Raimundo. *Vida e obra de Machado de Assis*. Rio de Janeiro: Civilização Brasileira, 1981.

MASSA, Jean-Michel. "La bibliothèque de Machado de Assis", *Revista do Livro*, nº6, 1961, pp. 195-238.

――――――. *A juventude de Machado de Assis (1839-1870). Ensaio de biografia intelectual*. Rio de Janeiro: Civilização Brasileira, 1971.

MEYER, Marlyse. "O que é, ou quem foi Sinclair das Ilhas?", *Revista do Instituto de Estudos Brasileiros*, nº 14, 1973, pp. 37-66.

――――――. "Voláteis e versáteis, de variedades e folhetins se fez a chronica", *Boletim da Biblioteca Mário de Andrade*, 46 (1/4) jan.-dez. 1985, pp. 17-41.

MIGUEL-PEREIRA, Lúcia. *Machado de Assis: estudo crítico e biográfico*. Rio de Janeiro: José Olympio, 1955.

MURICY, Kátia. *A razão cética: Machado de Assis e as questões do seu tempo*. São Paulo: Companhia das Letras, 1988.

PEREIRA, Leonardo Affonso de Miranda. *O carnaval das letras*. 2ª ed. rev. Rio de Janeiro: Secretaria Municipal de Cultura, 1994; Campinas: Editora da UNICAMP, 2004.

RAMOS, Ana Flávia Cernic. *História e crônica: "Balas de estalo" e as questões políticas do seu tempo (1883-1887)*. Campinas: IFCH-UNICAMP, 2002.

REGO, Enylton de Sá. *Machado de Assis: o calundu e a panacéia*. Rio de Janeiro: Forense, 1989.

SCHWARZ, Roberto. *Ao vencedor as batatas: forma literária e processo social nos inícios do romance brasileiro*. São Paulo: Duas Cidades/ Editora 34, 2000.

――――――. *Um mestre na periferia do capitalismo — Machado de Assis*. São Paulo: Duas Cidades/ Editora 34, 2000.

SERPA, Fócion. "Machado de Assis, o cronista da *Semana*", in *Machado de Assis. Estudo e ensaios*. Rio de Janeiro: F. Briguiet, s.d., pp. 77-117.

TRIGO, Luciano. *O viajante imóvel: Machado de Assis e o Rio de Janeiro do seu tempo*. Rio de Janeiro, São Paulo: Record, 2001.

WEHRS, Carlos. *Machado de Assis e a magia da música*. Rio de Janeiro: Sette Letras, 1987.

WISNIK, José Miguel. "Machado maxixe", in *Sem receita*. São Paulo: Publifolha, 2004.

Obras históricas e de história da cultura

ALENCAR, José de. *Obra completa*, 4 vols. Rio de Janeiro: Aguilar, 1958.

AZEVEDO, Artur. *O Tribofe*. Ed. Rachel Valença. Rio de Janeiro: Nova Fronteira, 1986.

BOEHRER, George C. A. *Da Monarquia à República: história do Partido Republicano no Brasil (1870-1889)*. Rio de Janeiro: MEC, s.d.

CARVALHO, José Murilo de. *A construção da ordem: a elite política imperial*. Rio de Janeiro: Campus, 1980.

"CATÁLOGO DE JORNAIS E REVISTAS DO RIO DE JANEIRO (1808-1889) EXISTENTES NA BIBLIOTECA NACIONAL". *Anais da Biblioteca Nacional*, n⁰ 85, 1965.

COLSON, R. Frank. *The destruction of a revolution: polity, economy and society in Brazil, 1870-1891*. Ann Arbor: Xerox University Microfilms, 1981.

_____ . "On expectations — Perspectives on the crisis of 1889 in Brazil", *Journal of Latin-American Studies*, n⁰ 13, 1981, pp. 265-92.

CONRAD, Robert. *The destruction of Brazilian slavery, 1850-1888*. Berkeley: University of California Press, 1972.

COSTA, Emília Viotti da. *Da senzala à colônia*. São Paulo: Difusão Européia do Livro, 1966.

_____ . *Da Monarquia à República: momentos decisivos*. São Paulo: Ed. Ciências Humanas, 1979.

_____ . *The Brazilian empire: myths and histories*. Chicago: University of Chicago Press, 1985.

COSTA, João Cruz. *Contribuição à história das idéias no Brasil*. Rio de Janeiro: Civilização Brasileira, 1967.

CRULS, Gastão. *Aparência do Rio de Janeiro*. 2 vols. Rio de Janeiro: José Olympio, 1949.

FAORO, Raimundo. *Os donos do poder: formação do patronato político brasileiro*. Porto Alegre: Globo, 1977.

FREYRE, Gilberto. *Sobrados e mucambos: decadência do patriarcado rural e desenvolvimento do urbano*. 2 vols. Rio de Janeiro: José Olympio, 1977.

GRAHAM, Richard. *Escravidão, reforma e imperialismo*. São Paulo: Perspectiva, 1979.

HALLEWELL, Laurence. *O livro no Brasil (sua história)*. São Paulo: TAQ, EDUSP, 1985.

HOLANDA, Sérgio Buarque de. *História geral da civilização brasileira*, tomo II, vol. 5. São Paulo: Difusão Européia do Livro, 1964.

JACOBINA, Alberto Pizarro. *Dias Carneiro (o conservador)*. São Paulo: Editora Nacional, 1938.

LINS, Ivan Monteiro de Barros. *História do positivismo no Brasil*. São Paulo: Editora Nacional, 1967.

LYRA, Heitor. *História de dom Pedro II*. Ed. Alexandre Eulálio. 3 vols. Belo Horizonte: Itatiaia; São Paulo: USP, 1977.

MACHADO, Ubiratan. *Os intelectuais e o espiritismo: de Castro Alves a Machado de Assis*. Rio de Janeiro: Antares, 1983.

MAGALHÃES JÚNIOR, Raimundo. *O Império em chinelos*. Rio de Janeiro: Civilização Brasileira, 1957.

MARTINS, Wilson. *História da inteligência brasileira*. São Paulo: Cultrix, 1977, vols. III (1855-1877) e IV (1877-1896).

NABUCO, Joaquim. *Um estadista do Império: Nabuco de Araújo*. Rio de Janeiro: Aguilar, 1975.

_____. *O abolicionismo*. Petrópolis: Vozes, 1977.

RENAULT, Delso. *O dia-a-dia do Rio de Janeiro segundo os jornais, 1870-1889*. Rio de Janeiro: Civilização Brasileira, 1982.

SAMPAIO, Gabriela dos Reis. *Nas trincheiras da cura*. Campinas: Editora da UNICAMP, 2001.

SKIDMORE, Thomas E. *Preto no branco: raça e nacionalidade no pensamento brasileiro*. Rio de Janeiro: Paz e Terra, 1976.

SODRÉ, Nelson Werneck. *História da imprensa brasileira*. São Paulo: Martins Fontes, 1983.

STEIN, Stanley J. "The historiography of Brazil, 1808-1889", *Hispanic American Historical Review*, nº 40, 1960, pp. 234-78.

TINHORÃO, José Ramos. *Pequena história da música popular*. Petrópolis: Vozes, 1974.

TOPLIN, Robert B. *The abolition of slavery in Brazil*. Nova Iorque: Atheneum, 1972.

TROCHIM, Michael R. *Retreat from reform: The fall of the Brazilian Empire, 1888-89*. Ann Arbor: Xerox University Microfilms, 1983.

URICOECHEA, Fernando. *O minotauro imperial: a burocratização do Estado patrimonial brasileiro no século XIX*. Rio de Janeiro, São Paulo: DIFEL, 1978.

VIANA, Fernando José de Oliveira. *O ocaso do Império*. Rio de Janeiro: José Olympio, 1959.

Índice remissivo

Os ANTROPÔNIMOS aparecem compostos em VERSAL (ou VERSAL-VERSALETE, se forem personagem de ficção); *os bibliônimos*, em *itálico* (quando livros, jornais, revistas e peças teatrais) e em "redondo, entre aspas" (quando artigos ou partes de livro, jornal ou revista); os topônimos e os demais nomes (fatos históricos, casas comerciais, repartições públicas e outros) em redondo.

"A arte de alinhavar histórias: a série 'A+B' de Machado de Assis" (Sidney Chalhoub), 58n6
"A + B" (crônicas de Machado de Assis), 15, 21, 25
ABAETÉ, Antônio Paulino Limpo de Abreu, visconde de (1798-1883), 211, 213n
Abolição, 18-19, 23-25, 27-32, 34, 36-40, 44, 46, 54, 63-64, 81n, 88n, 94n, 95, 99, 101n, 103, 110, 116n, 119, 124, 125n, 142n, 199, 284
Academia Imperial de Medicina, 255n
Aclamação (campo), 114, 143, 145n
A *Correspondência de Fradique Mendes* (Eça de Queirós), 14, 171n
ADAM, Lucien, 145n
A Estação, 15-16, 264n
AFONSO CELSO, *ver* FIGUEIREDO, Afonso Celso de Assis
AGAMENON (*Ilíada*), 292
Agésilas (Pierre Corneille), 131n

AGOSTINHO (Santo), 114
AGOSTINI, Ângelo (1843-1910), 161n, 245n
Águia (botica), 275n
AÎNÉ, Coquelin, *ver* COQUELIN, Constant
ALCIBÍADES (deputado), *ver* CARNEIRO, José Alcibíades
Aldeia (fazenda), 98n
Alemanha, 81n, 148, 152, 181n, 183-184, 185n, 229n
ALENCAR, José de (1829-1877), 82n, 156, 157n, 181n, 229n
ALFREDO, João, *ver* OLIVEIRA, João Alfredo Correia de
Almanaque do velhinho, 261
Almanaque Laemmert, 52
Almas mortas (Nicolai Gogol), 27, 44, 139
ALMEIDA, coronel (deputado provincial), 93
ALMEIDA, Tomás José Coelho de (1838-1895), 117n

ALVES DE ARAÚJO, *ver* ARAÚJO, Manuel Alves de
ALVES, Luís José (negociante), 195n
ALVIM, José Cesário de Faria (1839-1903), 198, 200n
Amanda e Oscar (*miss* Roche), 180, 181n
Amazonas, 19
A mocidade de d. João V (Rebelo da Silva), 259n
Anais da Constituinte (de 1823), 187
ANDRADA E SILVA, José Bonifácio de (1765-1838), 156, 157n
ANDRADE MURICI, *ver* MURICI, José Cândido de Andrade
ANÍBAL (247-183 a.C.), 130n, 245
ANTÔNIO JOSÉ, *ver* SILVA, Antônio José
"Ao correr da pena" (José de Alencar), 82n
A Pátria, 123, 125n
"A pedidos", 14, 53, 66, 82n, 88n, 98n, 105n, 153n, 204n, 242n, 280n, 283n
A. PENA, *ver* PENA, Afonso Augusto Moreira,
"Apologie de Raymond Sebond" (*Ensaios*, de Montaigne), 272n
AQUILES (*Ilíada*), 267n, 292
AQUIRÁS (família), 100-101, 144
Arábia, 219
ARAÚJO, José Ferreira de Sousa (1846-1900), 14, 17, 19, 25, 58n, 60n, 81n, 94n, 122n, 125n, 204n, 205, 271n-272n, 289n
ARAÚJO, Manuel Alves de (1836-1908), 143, 145n
ARAÚJO PORTO ALEGRE, Manuel José de, barão de Santo Ângelo (1806-1879), 95, 98n
ARBACES (*The last days of Pompeii*), 185n
Areal (rua), 114
Aristocrata (chapelaria), 25, 80, 82n
ARISTÓTELES (384-322 a.C.), 104, 106n
Armada do Brasil, 92-93, 94n

As asas de um anjo (José de Alencar), 157n
"A semana" (Machado de Assis), 15, 51, 57, 81n, 102n
A semana — 1892-93 (Machado de Assis) 7, 11, 20, 60n-61n, 73, 76
As you like it (William Shakespeare), 176, 178n
Atalaia (*Quincas Borba*), 14
A tomada de Ceuta (Rebelo da Silva), 259n
Attila (Pierre Corneille), 131n
AUFOSSI, Marc (jornalista), 199n
A última noite de Tiradentes (Luís Murat), 157n
Aurora (hotel), 199n
Austrália, 152
Ávila, Henrique Francisco d' (1833-1900), 169-170, 172n
Ayer (almanaque), 165, 167n, 231-233
Ayer, dr., 232, 233n
AZEVEDO, Aluísio Tancredo Gonçalves de (1857-1913), 157n
AZEVEDO, Carlos Frederico dos Santos Xavier de (1825-?), 94n

Babilônia, 116, 233
Bacabal, 39
Bahia (província), 40, 59n, 82n, 93, 119-120, 122, 153
"Balas de estalo", 15, 58n, 74, 94n, 195n, 249n, 264n
"*Balas de estalo*", *de Machado de Assis* (Heloísa Helena Paiva de Luca), 58n, 60n
"Ballade des dames du temps jadis" (François Villon), 172n
Bananal, 159-160, 161n
Banco do Brasil, 173n, 240, 242n
Banco do Comércio, 145n
Banco Predial, 93, 94n
BAPTISTA, Abel Barros 17
BARÃO DO LAVRADIO, *ver* REGO, José Pereira
Barbonos (rua), 274

BARBOSA, Carolina (curandeira), 275n
BARREIROS, Domingos de Matos, 161n
Bascherelle, 267n
Bastilha, 48, 193, 245
BATISTA, Gastão João (duque de Roquelaure) (1617-1683), 267n
BAUDELAIRE, Charles (1821-1867), 250n
BEAUMARCHAIS, Pierre Auguste Caron de (1732-1799), 225n
BELISÁRIO, *ver* SOUSA, Francisco Belisário Soares de
Bendegó (meteorólito), 24, 40, 59n, 80, 82n, 119, 122n, 129, 137
Bendegó (rio), 122n
BENTO (*Dom Casmurro*), 35
Bíblia, 39, 203n, 263, 298n
BÍBLIA, Custódio, 151, 153n, 263
Bíblia (processo), *ver* BÍBLIA, Custódio
Bibliografia de Machado de Assis (José Galante de Sousa), 58n-59n
Biblioteca Nacional, 7, 59n, 71
BILAC, Olavo (1865-1918), 74
BISMARCK, Otto von, príncipe de (1815-1918), 24, 79, 81n, 130n, 277, 279n
BOILEAU, Nicolas (1636-1711), 131n.
BOLINGBROOK (BOLINGBROKE), Henry St. John (1678-1751), 187, 190n
Bordéus, 157n
BORGHI-MAMMO, Adelaide, 184, 185n
BORGHI-MAMMO, Hermínia, 184, 185n
Bosque (xarope), 56, 232-233
Botafogo (bairro), 166, 171, 173n
Botafogo (palácio), (*ver também* Guanabara [palácio]) 114
BOULANGER, Georges (1837-1891), 46-48, 186n, 227-228, 229n, 237n-238n, 243
BRAID, James (1795-1860), 217n
Brás Cubas (*Memórias póstumas de Brás Cubas*), 16, 34, 36

Brasil, 7, 32, 40, 44-46, 48-49, 54, 75, 106n, 144, 185n, 189, 190n-191n, 195n, 204n, 249n-250n, 263n, 283n
BROCA, Brito (1908-1961), 58n
Bulwer-Lytton, Edward, barão Lytton (1803-1873), 183, 185n
BYRON, lorde (1788-1824), 86, 88n

Cabeça de Negro (elixir), 282
CAIM, 212
Caju (cemitério), 124
CALÍGULA, (Gaio César) (12-41), 202
CALLADO, Dario (juiz), 278
Calliope Cantagalense (banda de música), 98n
CALVET (juiz), 278
CAMACHO (*Quincas Borba*), 61n, 94n
Câmara dos Comuns (Inglaterra), 43, 86, 147, 149, 187
Câmara dos Deputados, 37, 65, 128, 145n, 147, 160, 271
Câmara dos Deputados (França), 229n, 235
Câmara dos Lordes (Inglaterra), 148-149
Câmara Municipal (Rio de Janeiro), 238n, 288
Câmara Municipal (Salvador), 122n
Cambará (xarope), 56, 179
CAMÕES, Luís Vaz de (c. 1524-1580), 73, 93, 195
Campânia, 184
Campinas, 85, 88n
Campos, 31, 64, 104, 105n, 114, 117n, 142n
CAMPOS, Humberto de (1886-1934), 15
CÂNDIDO DE OLIVEIRA, *ver* OLIVEIRA, Cândido Luís Maria de
CANNING, George (1772-1827), 187, 190n
Cantagalo, 29, 95, 97n
CANTANHEDA JÚNIOR, A. J. (notário), 244, 245n
CANTÙ, César (1804-1895), 236, 238n
Capela Imperial, 79, 81n

Capela Real, 81n
CAPITU (*Dom Casmurro*), 88n
Carioca (largo), 156
Carmo (igreja), 253
CARNEIRO, José Alcibíades (deputado), 128, 130n
CARNEIRO JÚNIOR, Francisco Dias (1837-1896), 156, 157n
CARNIOLI (*Dalila*), 265, 267n
CARREIRA, Liberato de Castro (1820-1903), 22, 99-100, 102n
Cartago, 49, 61n, 233, 245
CARVALHO, Carlos Leôncio de (1847-1912), 131n
CARVALHO, Ester de, 193, 195n
CARVALHO, José Carlos de (1847-1922), 40, 119-121, 122n
CARVALHO, Maximiano Marques de (1826-1896), 95, 97n
CARVALHO, Pedro Máximo de (subdelegado), 245n
Casa Velha (Machado de Assis), 52, 89n
CASTELO BRANCO, Camilo (1825-1890), 50, 249
CASTRIOTO, Carlos Frederico (1833-1894), 143, 145n
CASTRO LOPES, *ver* LOPES, Antônio de Castro
Catedral Metropolitana (Rio de Janeiro), 181n
Catete, 166, 216, 217n
Caxambu, 134
Ceará (província), 19, 22, 29, 99, 101n-102n, 144, 201, 204n, 263n
CÉSAR, Caio Júlio (101-44 a.C.), 47, 193, 238n
CHALHOUB, Sidney, 33-36
CHARCOT, Jean Martin (1825-1893), 217n
CHATEAUBRIAND, Francois René, visconde de (1768-1848), 170, 172n
Children's abbey, *ver Amanda e Oscar*
CÍCERO (deputado), 128
CÍCERO (Marco Túlio) (106-43 a.C.), 114, 122, 197, 209, 210n, 243, 257

Cidade febril (Sidney Chalhoub), 59n.
Cimbres, 177
CIPIÃO, (o Africano) (235-183 a.C.), 130n
Circular (Teófilo Ottoni), 241n
CLAPP, João Fernandes (?-1902), 30-31, 104, 106n
CLÁUDIO (*The last days of Pompeii*), 183
CLÁUDIO I (Tibério Cláudio César) (10 a.C.-54 d.C.), 173n
CLEMENCEAU, Georges (1841-1929), 228, 229n
Clube Beethoven, 23, 64, 81n, 124
Clube de Esgrima, 169
Clube Liberal, 88n
Clube Militar, 64
"Coisas políticas", 14, 205, 271n
Coleção das decisões do governo do Império do Brasil de 1824, 98n
Comédie Française, 283n
Comércio (praça), 87
"Como e por que sou romancista" (José de Alencar), 181n
Como quiser, *ver As you like it*,
Companhia do Saneamento do Rio de Janeiro, 282, 283n
COMTE, Auguste (1798-1857), 98n
Comuna de 1870, 186n
CONCEIÇÃO, Rosalina Maria da, 297n
Conde de Bonfim (rua), 181n
Confederação Abolicionista, 30, 106n
Conferências sobre homeopatia (Antônio de Castro Lopes), 250n
Congresso (EUA), 180
Conselho de Estado (do império), 51, 269, 271, 271n-272n
Conselho de Ministros (França), 229n
Consolação (palacete), 114, 116n
Constantinopla, 85, 88n, 275
COQUELIN, Constant (1841-1909), 124, 125n
CORNEILLE, Pierre (1606-1684), 131n
CORREIA, Inocêncio Serzedelo (1858-1932), 124, 125n

CORREIA, Manuel Francisco (1831-1905), 203n, 271, 272n
COSTA PEREIRA, *ver* PEREIRA, José Fernandes da Costa,
COTEJIPE, João Maurício Wanderley, barão de (1815-1889), 17-19, 23, 25, 37, 38, 63-65, 75, 83, 113-114, 116n-117n, 136, 142n, 148, 149n, 167n, 169, 172n, 191n, 240, 242n, 253
COUTO, Antônio Pereira do (?-1819), 153n
CRISPI, Francesco (1819-1901), 181, 181n, 184
CRISTO, Jesus, 109, 193, 219, 297
Crítica teatral (Machado de Assis), 267n
"Boletim Parlamentar", 181n
Crônicas de Lélio (Machado de Assis), 58n, 60n
CRUZEIRO, visconde de (1830-1892), 203n, 271, 272n
CRUZ MACHADO, *ver* SERRO FRIO, Antônio Cândido da Cruz Machado, visconde do
Cuba, 63
CUSTÓDIO (*Esaú e Jacó*), 18

Daily News, 87, 89n, 102n
DALILA (*Dalila*), 265, 267n
Dalila (Octave Feuillet), 267n
Damasco, 240
Dantas (chápeu), 80
DANTAS, Manuel Pinto de Sousa (1831-1894), 18, 82n, 172n
DANTE ALIGHIERI (1265-1321), 217n
Da origem das espécies (Charles Darwin), 298n
DARWIN, Charles (1809-1892), 74-75, 181n, 296, 298n
Da senzala à colônia (Emília Viotti da Costa) 59n
DAVI (rei) (c. 1010-c. 970 a.C.), 201, 203n
Davidson (cometa), 281
De natura deorum (Marco Túlio Cícero), 122n

De oratore (Marco Túlio Cícero), 210n
De rerum naturae (Lucrécio), 145n
Deuteronômio, D. GLÓRIA (*Dom Casmurro*), 39, 115, 117n
Diálogos e reflexões de um relojoeiro (Magalhães Júnior), 25, 58n, 60n, 71
"D. Jucunda" (Machado de Assis), 16
Diário de Notícias, 56, 297n
Diário do Rio de Janeiro, 267n
DIAS CARNEIRO, *ver* CARNEIRO JÚNIOR, Francisco Dias
Dias Carneiro, o Conservador (Alberto Pizarro Jacobina), 157n
Dicionário das Academias, 267n
Dicionário das literaturas portuguesa, galega e brasileira (ed. Jacinto do Prado Coelho), 250n
DIÓGENES (413-323 a.C.), 129, 131n
DIOMEDES (*The last days of Pompeii*), 183-185, 185n
"Dissertação sobre os partidos políticos" (Bolingbroke), 190n
D. João Tenório, 96
Dom Casmurro (Machado de Assis), 31, 35, 60n-61n, 88n-89n
DON JUAN, 98n
Dublin, 264n
Durch zentral-Brasiliens (Karl von den Steinen), 153n

EBERS, Georg Moritz (1837-1898), 273, 275n
Eclesiastes, 37, 116, 117n, 223, 225n
EDISON, Thomas Alva (1847-1931), 176, 178n
Eine ägyptische Koenigtocher (Georg Moritz Ebers), 275n
Elle Haddebarin, *ver* Deuteronômio,
Endor (Palestina), 298n
Eneida (Públio Virgílio Marão), 149n
EPICURO (341-270 a.C.), 119, 122n
Erfurt (Alemanha), 131n
ESCOBAR (*Dom Casmurro*), 35
Escritura, *ver* Bíblia
ESHER, Fanny, 222n

Espanha, 171n, 247
Esparta, 189, 191n, 201
Espírito Santo (província), 144
ESPRONCEDA, José de (1808-1842), 86, 88n
Estados Confederados (EUA), 41, 121, 122n
Estados Unidos (América do Norte), 41, 102n, 120-121, 129-130, 131n, 145n, 152, 180, 262
Estrela do Brasil (alfaiataria), 179
"Eterno!" (Machado de Assis), 16
EU, conde d' (Orléans, Luís Filipe Maria Fernando Gastão de) (1842-1922), 116n
Europa, 167n
Evangelho de São João, 37
Evangelho de São Marcos, 170
Evangelho de São Mateus, 241n
Expiação (José de Alencar), 157n

FALCONERI, princesa (*Dalila*), 267n
Falenas (Machado de Assis), 267n
FARIA, João Roberto, 177n
FARIA (tabelião), 245n
Federação Espírita Brasileira, 152
FEIJÓ, Diogo Antônio (1784-1843), 269, 272n
Fenianos (clube carnavalesco), 222n
FERRAZ, Fernando Francisco da Costa (1838-?), 91-92, 94n
FERREIRA DE ARAÚJO, *ver* ARAÚJO, José Ferreira de Sousa,
FERREIRA, João Carlos de Sousa (1831-1907), 123, 125n
FERRY, Jules (1832-1893), 230n
FEUILLET, Octave (1821-1890), 267n
FIGUEIRA, Domingos de Andrade (1833-1910), 242n
FIGUEIREDO, Afonso Celso de Assis [filho] (1860-1938), 156, 157n
FIGUEIREDO, Francisco de Figueiredo, visconde e conde de (1843-1917), 215, 217n
FILINTO ELÍSIO, *ver* NASCIMENTO, Francisco Manuel do

FLOQUET, Charles (1828-1896), 227-228, 229n
Folha de S. Paulo, 74
FONSECA, Deodoro da, Marechal, 64.
FORTUNATO (carrasco), 213, 213n
FOX, Charles James, 200n
FRADIQUE MENDES (*A correspondência de Fradique Mendes*), 169, 171n
França, 46, 149, 152, 186n, 187, 224, 229n, 237n, 247-248, 262, 267
FRANCISCA (escrava), 105n
FRANÇA JÚNIOR, Joaquim José (1838-1890), 74, 77n
Franco-Prussiana (Guerra), 229n
FREDERICO III (1831-1888), 127, 130n, 149n
FROSINE (*L'avare*), 280n
Funchal (Portugal), 255
FURTADO COELHO (ator), 242n.

GAFORINI, Isabel, 81n
Galeria de brasileiros ilustres (S. A. Sisson), 162n
Galiléia (engenho), 114, 116n
GAMBETTA, Léon (1838-1882), 228, 230n
GARGANTUÁ (*Gargantua*), 224
Garnier (edição), 272n
GASSNER, Johann Joseph (1727-1779), 215-216, 217n
Gavião (fazenda), 98n
"Gazeta de Holanda", 15, 20-21, 23-24, 57, 153n
Gazeta de Notícias, 13-14, 26, 40, 66, 71, 81n-82n, 88n, 94n, 97n, 105n, 111n, 117n, 122n, 125n, 142n, 153n, 171n, 179, 181n, 185n, 190n-191n, 195n-196n, 199n-200n, 203n-205, 217n, 225n, 229n, 249n, 259n, 263n-264n, 267n, 272n, 275n, 280n, 283n, 289n
Gazeta Nacional, 121
"Gazetilha", 131n, 213n, 230n, 245n, 283n
Gênese, 24, 80
GÉRONTE (*Le médecin malgré lui*), 106n

GLADSTONE, Willian Ewart (1809-1898), 86, 89n, 130n, 190n
GLAUCO (*The last days of Pompeii*), 183, 185, 185n
Glória (freguesia), 275n
GODINHO, Manuel (1630-1712), 250n
GOETHE, Johann Wolfgang von (1749-1832), 129, 131n, 151
GOGOL, Nicolai (1809-1852), 139, 142n
GÓIS, Manuel José de Araújo (1839-?), 143, 143n
GOMES, Antônio (curandeiro), 274-275, 275n
GOMES, Eugênio (1897-1972), 142n
Gonçalves Dias (rua), 156, 238n
GONZAGA, Tomás Antônio (1744-c. 1809), 184, 186n
GRIGNAN, madame de, 264n
GUAÍ, José Elísio Pereira Marinho, barão de (1841-1914), 24, 59n, 80, 82n, 181n
Guanabara (palácio), 116n
Guanhães, 225n
Guarda Nacional, 159-160, 161n-162n, 172n
Guerras do alecrim e da manjerona (José Antônio da Silva, o Judeu), 196n
GUILHERME I (Prússia e Alemanha) (1797-1888), 81n, 130n
GUILHERME II (1859-1941), 130n, 183, 185n
GUIMARÃES, Hélio, 157n
GUIZOT, François (1787-1874), 188, 190n
GUZMÁN BLANCO, Antônio (1829-1899), 277, 279, 279n

HAMLET (*Hamlet*), 221
Hamlet (William Shakespeare), 102n, 222n
Havas (agência), 183-185, 229n
HEINE, Heinrich (1797-1856), 74
Hermes Sucessores, 283n
HIPÓCRATES (460-c.377 a.C.), 106n, 296

História da imprensa no Brasil (Nelson Werneck Sodré), 58n, 61n
História e crônica: "Balas de estalo" e as questões políticas do seu tempo (1883-1887) (Ana Flávia Cernic Ramos), 58n
Historia naturalis (Plínio, o Velho), 276n
HOMERO (c. 805 a.C.), 213n, 240
"Home Rule", 89n, 190n, 264n
HORÁCIO (*Hamlet*), 102n
HORÁCIO (Quinto Horário Flaco) (65-8 a.C.), 169, 172n, 184, 186n, 233n, 237
HORTA, Ramos, 161n
Hospício (rua), 275n

IBIAPABA (família), 100-101, 144
Igreja Católica, 272n
Il faut qu'une porte soit ouverte ou fermée (Alfred Musset), 175
Ilíada (Homero), 267n
Imperador, *ver* Pedro II,
Imperial Academia de Medicina, 92
Império do Brasil, 98n, 116n, 144, 177, 190, 271n-272n, 291
Império Romano, 88n
Imprensa Fluminense, 30, 71, 113
Imprensa Nacional, 98n, 153n
Inconfidência Mineira, 88n
Independência (Brasil), 97
Índico (oceano), 287
"Inferno" (Dante Alighieri), 217n
Inglaterra, 44-45, 49, 87, 147-149, 152, 154n, 187, 236, 248, 250n, 262
Inocência (visconde de Taunay), 45, 190n
Inválidos (rua), 202
IONE (*The last days of Pompeii*), 183, 185n
Irlanda, 187, 190n, 264n
Isabel (palácio), 37
ISABEL, princesa (1846-1921), 20, 30, 64-65, 101n, 116n, 181n
ISAÍAS (profeta), 209
Itaguaí, 105n
Itália, 149, 181n, 187
Itororó, 177

JACK, o Estripador, 44, 190n
JACOBINA, Alberto Pizarro, 157n
JANUÁRIO (carrasco), 213, 213n
Javanês (hotel), 111n
JEREMOABO, Cícero Dantas Martins, barão de, 160, 170, 172n
JOÃO ALFREDO, *ver* OLIVEIRA, João Alfredo Correia de
João das Regras (pseudônimo de Machado de Assis), 15, 20
JOÃO III (Portugal) (1502-1557), 172n
Jornal do Comércio, 71, 105n, 125n, 130n-131n, 153n, 161n-162n, 167n, 172n, 186n, 200n, 213n, 222n, 230n, 237n-238n, 245n, 255n, 264n, 275n, 279n, 283n
JOSÉ BONIFÁCIO, *ver* ANDRADA E SILVA, José Bonifácio de
"José de Alencar – folhetinista" (Brito Broca), 82n
JOSÉ TELHA, *ver* ARAÚJO, José Ferreira de Sousa
JÚPITER, 88n

"La canción del pirata" (José de Espronceda), 88n
LAPA, JOSÉ BASÍLIO MOREIRA, 51-52
Lapa (Rio), 208
L'avare (Molière), 280n
LAVRADIO, barão de, *ver* REGO, José Pereira
LEAL, José da Silva Mendes (1819-1886), 240, 242n
LEÃO VELOSO, *ver* VELOSO, Pedro Leão
LEÃO XIII (papa) (1810-1903), 181n
Lei Áurea, 14, 23, 33, 65
Lei do Ventre Livre, 17-19, 28, 33, 94n, 111n, 116n, 154n, 272n
Lei dos Sexagenários, *ver* Lei Saraiva-Cotejipe
Lei Saraiva-Cotejipe, 18, 25, 63
LEITE, Leopoldo, 280n
Leite, sua composição, conservação, falsificação e meios de reconhecê-lo (Fernando Francisco da Costa Ferraz), 94n

Le médecin malgré lui (Molière), 106n
Lélio (pseudônimo de Machado de Assis), 15
LEOPOLDO LEITE, *ver* LEITE, Leopoldo
Les enfants de l'abbaye, *ver* Saint-Clair das Ilhas
Le spleen de Paris (Charles Baudelaire), 250n
Liceu de Artes e Ofícios, 173n, 178n
LIMA, LUIZ COSTA, 73
LINCOLN, Abraão (1809-1865), 121, 122n
Lisboa, 266, 296
LÍSIAS, Ricardo, 77n
Londres, 44, 124, 176, 187
LOPES, Antônio de Castro (1827-1901), 26, 49-50, 247-248, 249n-251n, 257, 259n, 267n
LOPES, Jacinto Ferreira (comerciante), 82n
LOUIS, Joseph-Dominique, barão (1755-1837), 100, 102n
LUCRÉCIO (98-55 a.C.), 122n, 143, 145n
LUCULO, Lúcio Licínio (c.106-c. 57 a.C.), 247, 250n
LUÍS FILIPE I (1773-1850), 190n
LUÍS NAPOLEÃO, *ver* NAPOLEÃO, Luís
LUÍS XIV (1754-1793), 267n
LULU SÊNIOR, *ver* ARAÚJO, José Ferreira de Sousa

"Macaquinhos no sótão", 125n, 204n
MACEDO, Joaquim Manuel de (1820-1882), 36
MACHADO, *ver* MACHADO DE ASSIS, Joaquim Maria
Machado (largo), 156
Machado de Assis (Eugênio Gomes), 142n
Machado de Assis desconhecido (Raimundo Magalhães Júnior), 153n, 238n
Machado de Assis e a magia da música (Carlos Wehrs), 59n

Machado de Assis e a política (Brito Broca), 58n
"Machado de Assis e Gogol" (Eugênio Gomes), 142n
Machado de Assis: ficção e história (John Gledson), 11, 16, 27, 59n-61n, 117n, 272n
Machado de Assis historiador (Sidney Chalhoub), 60n
MACHADO DE ASSIS, Joaquim Maria (1839-1908), *passim*, 71, 73-74, 76-77, 77n, 81n-82n, 88n, 94n, 97n-98n, 102n, 105n-106n, 117n, 122n, 125n, 130n, 141n-142n, 145n, 153n-154n, 161n-162n, 167n, 171n-172n, 177n-178n, 181n, 185n-186n, 190n-191n, 195n-196n, 200n, 203n-204n, 213n, 222n, 225n, 229n-230n, 233n, 237n-238n, 241n-242n, 245n, 250n-251n, 259n, 264n, 267n, 271n-272n, 275n, 279n, 283n, 297n-298n
Machado de Assis, leitor de Musset (João Roberto Faria), 177n
"Machado de Assis: to believe or not to believe" (John kinnear), 59n
"Machado maxixe" (José Miguel Wisnik), 59n
MACHADO, Ubiratan, 61n, 154n
Madeira (ilha), 105n
MAGALHÃES JÚNIOR, Raimundo (1907-1981), 20, 25, 31, 51, 58n, 60n-61n, 71, 77n, 94n, 106n, 130n, 153n, 170, 177n, 185n, 195n, 213n, 216, 228, 238n, 240, 242n, 279n
Malvolio (pseudônimo de Machado de Assis), 20
MANSO, Antônio Monteiro (deputado), 65, 177n
MANSO (incidente), 175, 177n-178n
Manual da Saúde (dr. Ayer), 233n
MAOMÉ (570-632), 212
Maranhão (província), 36, 39, 115-116
Mariana, 245n
MARTINS, Gaspar Silveira (1834-1901), 149n, 151, 154n

MASSINISSA, 61n
Mato Grosso (província), 128
MATOS, Silva (delegado de polícia), 85.
MAUÁ, Irineu Evangelista de Sousa, barão de (1813-1889), 151-152, 153n
MAZZINI, Giuseppe (1805-1872), 181n
MÉDICIS, Catarina de (1519-1589), 272n
Melinde, 287
MELO E NETO, Ladislau de Sousa (1838-1894), 89n
MELO, dr. José Alexandre Teixeira de, 59n
MELO, Tobias Figueira de (curandeiro), 297n
Memória escrita em francês e português, dedicada aos sábios astrônomos Faye e Schiaparelli (Antônio de Castro Lopes), 250n
Memórias para servir à história do reino do Brasil (Luís Gonçalves dos Santos), 89n
Memórias póstumas de Brás Cubas (Machado de Assis), 16, 36, 81n
MENDES LEAL, *ver* LEAL, José da Silva Mendes
MENDES, Manuel José de Siqueira (1825-1892), 169, 172n
MENESES, Adolfo Bezerra de (1831-1900), 86, 88n
MESQUITA, Elpídio Pereira de (1857-?), 130, 170, 172n
MESQUITA (escrivão), 262
MEYER, Marlyse, 181n
Milão, 65
Minas Gerais (província), 36, 44, 56, 64, 85, 88n, 130n, 212
Ministério da Agricultura, 36, 117
Ministério da Guerra, 114
Ministério da Justiça, 116n, 157n, 272n
Ministério da Marinha, 116n
Ministério das Relações Exteriores, 65
Ministério do Interior, 130n
Miscelânea curiosa e proveitosa, 203n
Misericórdia (rua), 143, 145n

MOLIÈRE (Jean-Baptiste Poquelin) (1622-1673), 105, 106n, 202, 279, 298n
MONSIEUR JOURDAIN (*Le bourgeois gentilhomme*), 295, 298n
MONTAIGNE, Michel Eyquem de (1533-1592), 270, 272n
Monte Caseros (batalha), 178n
Monte Santo, 122n
MORAIS SILVA, Antônio de (1757-1824), 257
MOURA, Carlos Bernardino de (1826-?), 123, 125n
MOWAT, John, 61n
Much ado about nothing, ver *Muito barulho por nada*
Muito barulho por nada (William Shakespeare), 178n
MOZART, Wolfgang Amadeus (1756-1791), 15
MURAT, Luís (1861-1929), 42-43, 155-156, 157n
MURICI, José Cândido de Andrade (1895-1984), 157n
Museu Nacional, 87, 89n
MUSSET, Alfred de (1810-1857), 175-176, 177n, 194

NABUCO, Joaquim (1849-1910), 82n
NAPOLEÃO BONAPARTE (1769-1821), 102n, 129, 131, 204n
NAPOLEÃO III (1808-1873), 46-47, 238n
NAPOLEÃO, Jerônimo (1784-1860), 186n
NAPOLEÃO, Vítor (1862-1926), 186n
NASCIMENTO, Francisco Manuel do (1734-1819), 251n
Nas trincheiras da cura (Gabriela dos Reis Sampaio), 59n
Neologismos indispensáveis e barbarismos dispensáveis, com um vocabulário neológico português (Antônio de Castro Lopes), 249n
NERO (Cláudio César) (37-68), 202

NICOLAU ("Verba testamentária"), 55
NÍDIA (*The last days of Pompeii*), 183, 185n
Nínive, 124, 233
Niterói, 216, 217n, 274
Nheco (morro), 47, 98n, 236-237, 238n
NOGUEIRA, Anselmo (subdelegado), 275n
NOGUEIRA, Antônio José (comendador), 159-160, 161n, 162n
NOGUEIRA, Pedro Ramos, 161n
Nossa Senhora do Carmo (igreja), 81n
NOSTRADAMUS (Michel de Notredame) (1503-1566), 52, 269, 271
NOVA FRIBURGO, visconde de (1835-1914), 98n
Nova York, 53, 277
Novo dicionário Aurélio, 297n
NUMÍDIA, 61n

"O caso da vara", 16
O ateneu (Raul Pompéia), 185n
O barbeiro de Sevilha (Rossini), 259n
"O bilhar" (Nicolau Tolentino), 203n
O carnaval das letras (Leonardo Affonso de Miranda Pereira), 59n-60n
O casamento de Fígaro (Beaumarchais), 225n
Ocidentais, 145n
O cortiço (Aluísio Azevedo), 157n
Odes (Horácio), 172n
Odisséia (Homero), 213n
O faquir (Luís Murat), 157n
"O filho natural" (Camilo Castelo Branco), 251n
O império em chinelos (Raimundo Magalhães Júnior), 177n
OLIVEIRA, Cândido Luís Maria de (1845-1919), 172n, 198, 200n
OLIVEIRA, João Alfredo Correia de (1835-1919), 19, 64, 116
"O machete e o violoncelo" (John Gledson), 59n
Ondas I (Luís Murat), 157n
Ondas II (Luís Murat), 157n

O orador parlamentar, 208n
O País, 14, 172n, 181n, 213n
"O que é, ou quem foi Sinclair das Ilhas?" (Marlyse Meyer), 181n
Orador popular, 43, 207
Ordem da Rosa, 117n
Os intelectuais e o espiritismo: de Castro Alves a Machado de Assis (Ubiratan Machado), 61n
Os leitores de Machado de Assis (Hélio Guimarães), 157n
Os lusíadas (Luís de Camões), 94n, 289n
"O Teatro Nacional" (Machado de Assis), 283n
OTTONI, Teófilo Benedito (1807-1869), 241n
Ourives (rua), 238n, 283n
Ouro Preto, 31, 64, 104, 105n
OURO PRETO, Afonso Celso de Assis Figueiredo, visconde de (1837-1912), 51-52, 65, 157n, 190n, 212, 213n, 271, 271n-272n
Ouvidor (rua), 26, 82n, 95, 161n, 165, 216, 219, 238n, 274, 283n
"O velho Senado" (Machado de Assis), 213n
O viajante imóvel: Machado de Assis e o Rio de Janeiro do seu tempo (Luciano Trigo), 60n
Oxford (Universidade de), 61n

PADRE FEIJÓ, *ver* FEIJÓ, Diogo Antônio
PALMERSTON, Henry John Temple, visconde de (1784-1865), 188, 190n
PANCRÁCIO (escravo), 27, 30, 33-35, 37, 45, 105n, 109-110, 111n
Pará (província), 144, 172
Paraguai (Guerra do), 178n
Paraíba (vale), 19, 44, 48, 51, 142n
Paraná (província), 272n
Parerga e paralipomena (Artur Schopenhauer), 154n
Paris, 46, 171n, 229n, 251n, 279n
Parlamento (Grã-Bretanha), 190n

PARNELL, Charles Stewart (1846-1891), 190n, 264n
Parnell (processo), *ver* PARNELL, Charles Stewart
Partido Conservador, 65, 86, 271, 272n
Partido Liberal, 25, 65, 80, 81n, 95, 98n, 144
Partido Liberal (Venezuela), 279n
PASCAL, Blaise (1623-1662), 235
Páscoa, 203
Pascoal (confeitaria), 238n
PASCOAL (confeiteiro), 235
PAULA (família), 101, 144
PAULINO DE SOUSA, *ver* SOUSA, Paulino José Soares de
PAULO (São), 189, 240-241
PEDERNEIRAS, Oscar (1860-1890), 124, 125n
Pedro (Mendes Leal), 242n
PEDRO (São), 216-217, 254-255
PEDRO I (1798-1834), 53, 272n
PEDRO II (1825-1891), 16, 51
PEIXOTO, Carlos, 130n
PEIXOTO, FLORIANO, Marechal (1839-1895), 47
PELEU (*Ilíada*), 292
Pelotas, 152
PENA, Afonso Augusto Moreira (1847-1909), 169, 172n, 200n
Pensées (*Les*) (Blaise Pascal), 238n
Pentecostes, 298n
Pequena história da música popular (José Ramos Tinhorão), 225n
PEREIRA, Lafaiete Rodrigues (1834-1917), 242n
PEREIRA, José Fernandes da Costa (1853-1889), 114, 117n
PERERECA, Padre, *ver* SANTOS, Luís Gonçalves dos
Pernambuco (província), 116n, 178n, 197, 261, 263n
Pérsia, 250n
Pesqueira, 178n
Petrópolis, 233
Phoenix Park, 264n

PIGGOT, Richard, 264n
PINTO JÚNIOR, 85, 88n
Pinto (morro), 238n
Pireneus, 238n
PITT, William, o Jovem (1759-1806), 187, 190n
PLÍNIO, o Velho (23-79), 184, 185n, 275, 276n
PLUTARCO, 191n, 203n
Poesias avulsas de Américo Elísio (José Bonifácio), 157n
POLICARPO (relojoeiro), 26, 41
PÓLUX, 183, 185
Pomba (rio), 142n
Pompéia (Itália), 183-184, 185n
POMPÉIA, Raul (1863-1895), 183, 185n
POMPEU (família), 144
POPE, Alexander (1688-1744), 190n
Por que me ufano do meu país (Afonso Celso), 157n
PORTELA, Manuel do Nascimento Machado (1833-1895), 121, 122n
Porto Alegre, 153n
PORTO ALEGRE, Manuel de Araújo (1806-1879), 95, 98n
Portugal, 81n, 171n, 249, 250n-251n, 253, 267
Por um novo Machado de Assis, 59n, 60n-61n, 77n
PÓSTUMO (*Odes*, de Horácio), 172n
PRADO, Antônio da Silva (1840-1929), 19, 38-39, 63-65, 113-114, 116n-117n
Prata (rio), 178n
"Prelúdio" (Machado de Assis), 267n
Primeira Guerra Mundial, 225n
Primeiro de Março (rua), 81n
Pro Plancio (Cícero), 200n
PRUDÊNCIO (*Memórias póstumas de Brás Cubas*), 36
Prússia, 81n
PUTTKAMER, Robert von, 127, 130n
PYAT, Félix (1810-1889), 184, 186n

Quatro poemas (Luís Murat), 157n
Quebec, 236
QUEIRÓS, Eça de (1812-1868), 14, 171n
QUEIRÓS, Eusébio de (1812-1868), 19, 81n
Questão Religiosa, 117n
Quincas Borba (Machado de Assis), 14-18, 36, 43, 46, 52, 58, 59n, 61n, 76, 94n, 102n, 172n, 178n, 213n, 264n

RABELAIS, François (1494-1553), 225n
RAMOS, Antônio Joaquim de Santana, 159, 161n
REBELO DA SILVA, Luís Augusto (1822-1871), 258, 259n
REBOUÇAS, André Pinto (1838-1898), 191n
Recife, 263n
Recreio Dramático (*vaudeville*), 124
Regência, 49
Regente, *ver* ISABEL, princesa
REGO, José Pereira (1816-1892), 254, 255n
RENAN, Ernest (1823-1892), 74
Relação do novo caminho que fez por terra e mar vindo da Índia para Portugal (Manuel Godinho), 250n
República (do Brasil), 18, 27, 32, 40-41, 46, 49, 51, 53, 57, 65, 122n, 145n, 157n, 172n, 200n, 289n
República Francesa, 229n, 237n
Restauração francesa, 102n
Revista Ilustrada, 161n
"Revistinha", 54-55, 281, 283n
Revolta da Armada (1893), 55, 76
Revolução Francesa, 48, 193, 195n, 204n, 258
Rilhafoles (hospício de Lisboa), 296
RIO BRANCO, José Maria da Silva Paranhos, visconde de (1819-1880), 19, 38, 81n, 113, 116n, 153n
Rio das Cobras, 110
Rio de Janeiro (cidade), 23, 63, 65, 119, 155, 255

Rio de Janeiro (província), 19, 64, 280n, 292
Rio Grande do Sul (província), 153n, 172n
Rio-Post, 22, 105, 106n
ROCHA, José Moreira da Silva (negociante), 105n
ROCHE, *miss*, 181n
Rodes, 189, 191n
RODRIGUES (família), 101
Roma, 181, 181n, 185n, 233, 275
Romanos (epístola), 191n
ROQUELAURE, duque de, *ver* BATISTA, Gastão João
Rosa de Ouro (comenda), 65, 179, 181n.
ROSA, Francisco Otaviano de Almeida (1825-1889), 88n
Rosário (rua), 244
ROSSINI, Gioacchino (1792-1878), 259n
ROSWEIN, ANDRÉ (*Dalila*), 265, 267n
RUIZ, Pepa, 195n
RUSSELL, lorde John (1792-1878), 187, 190n

SAAVEDRA, Jacome de Burges Ornellas Ávila Paim da Câmara Ponce de Leão Homem da Costa Noronha de Sousa e, 253, 255
Sacramento (igreja), 183
Saint-Clair das Ilhas, 181n
SALISBURY, marquês de (1830-1903), 86, 89n
SALOMÃO, 282
Salvador, 122n
SAMPAIO FERRAZ, *ver* FERRAZ, Sampaio
Samuel (I livro de), 298n
SAMUEL (profeta), 297, 298n
SANSÃO, 265
Santana (campo), 145n
Sant'Anna (freguesia), 297n
SANTA PIA, barão de (*Memorial de Aires*), 30
Santo Antônio de Pádua, 140

Santo Antônio dos Coqueiros, 225n
Santos, 19, 63, 261, 264n
SANTOS, Luís Gonçalves dos (1767-1844), 87
SÃO CLEMENTE, visconde de (1830-1898), 98n
São Cristóvão (campo), 116n
São Fidélis, 245, 245n
São Francisco de Paula (largo), 194, 195n, 274
São Januário (teatro), 242n
São José (matriz), 224
São José (seminário), 97n
São Paulo (cidade), 129, 131n
São Paulo (província), 19, 38, 81n, 113-114, 116n-117n
São Pedro (teatro), 125n
São Sebastião (cidade), *ver* Rio de Janeiro (cidade)
Saraiva (chapéu), 25, 80
SARAIVA, José Antônio (1823-1895), 82n, 271, 272n
Saraiva (Lei), 82n, 237n, 279
SARCEY, Francisque (1827-1899), 282, 283n
SAUL (rei), 298n
SCHLEYER, Johann Martin (1831-1912), 145n
SCHOPENHAUER, Artur (1788-1860), 153, 154n, 185n
Secessão (Guerra), 41, 121
Segundo Império (França), 46
Segundo Reinado, 53, 162n, 167n, 255n, 272n
Senado, 18, 26, 37, 52, 64, 99, 101, 113-114, 129, 130n, 143-145, 145n, 148, 170-171, 172n, 190, 194, 202, 213n, 272n, 287
Senado (EUA), 180
Senhor dos Passos (rua), 141, 142n
Serpente (constelação), 281
SERRA, Joaquim (1838-1888), 16
SERRO FRIO, Antônio Cândido da Cruz Machado, visconde do (1820-1905), 151, 153n, 198

SERZEDELO, ou SERZEDELO CORREIA, *ver* CORREIA, Inocêncio Serzedelo
"Sete de Abril", 54, 283n
SÉVIGNÉ, Madame de (1626-1696), 262, 264n
SGANARELLE (*Le médecin malgré lui*), 106n
SHAKESPEARE, William (1564-1616), 73-74, 102n, 175, 178n, 221
Shorter Oxford English Dictionary, 181n.
SILOS, Umbelino Joaquim de, 159, 161.
SILVA, Antônio José da, o Judeu (1705-1739), 194, 196n
SILVA, Rodrigo Augusto da (1843-1889), 114, 117n
SILVEIRA MARTINS, Gaspar, *ver* MARTINS, Gaspar Silveira
SIQUEIRA, MAJOR (*Quincas Borba*), 43, 178n
SIQUEIRA MENDES, *ver* MENDES, Manuel José de Siqueira
Sisson (casa editorial), 160, 162n
SISSON, Sébastien Auguste, 162n
SLADE, dr. (médium), 43, 152-153, 154n
SOARES, Manuel José (1829-1893), 143, 145n
Sociedade Central de Imigração, 191n
Sociedade de Beneficência dos Dez Mil, 97, 98n
Sociedade Geográfica do Rio de Janeiro, 122n
Sociedade Protetora dos Animais, 236-237
SÓCRATES (470-399 a. C.), 124
SOUSA FERREIRA, *ver* FERREIRA, José Carlos de Sousa
SOUSA, Francisco Belisário Soares de (1839-1889), 166, 167n
SOUSA, Paulino José Soares de (1807-1866), 142n, 242n
Souto e Cia. (banco), 26, 55, 281, 283n
SPENCER, Herbert (1820-1903), 98n
STEINEN, Karl von den (1855-1929), 145n, 151, 153n

Storia universale (César Cantù), 238n
Sua Alteza Imperial, *ver* ISABEL, princesa
SUETÔNIO (69-125), 173n, 204n
SWIFT, Jonathan (1667-1745), 190n

TAUNAY, Alfredo d'Escragnolle, visconde de (1843-1899), 45, 188-189, 190n-191n
TAVARES, José Caetano de Paiva Pereira, 88n
TCHITCHIKOF (*Almas mortas*), 27, 139, 141
TEIXEIRA, Antônio Augusto (comendador), 156, 157n
TEIXEIRA, Antônio Maria (médico), 298n
TEIXEIRA JÚNIOR, Jerônimo José, visconde de Cruzeiro (1830-1892), 272n
"Tempo de crise" (Machado de Assis), 251n
Tenentes do Diabo (clube carnavalesco), 220, 222n
TEÓFILO OTTONI, *ver* OTTONI, Teófilo Benedito
"Teoria do medalhão" (Machado de Assis), 28, 55, 60n, 98n, 238n
Terceira República (França), 230n
TERENCIANO MAURO (fl. 200), 233n
The corsair (Lorde Byron), 88n
The last days of Pompeii (sir Bulwer-Litton), 185n
The principles of sociology (Herbert Spencer), 98n
The Times, 149, 264n
Tijuca (Estrada Velha da), 199n
TINHORÃO, José Ramos, 225n
TITO (Tito Flávio Vespasiano) (39-81), 184
TOBIAS (alferes), 177
TOBIAS (curandeiro), *ver* MELO, Tobias Figueira de
TOLENTINO, Nicolau (1740-1811), 201, 203n, 265
TOMÁS COELHO, *ver* ALMEIDA, Tomás José Coelho de

TOMÁS (*Dom Casmurro*),
TORPILLE, Mme., 197, 199n
TRIGO, Luciano, 60n, 245n
Túnis, 22-23, 151-153
Turim, 186n

Ubatuba, 177
ULISSES (*Odisséia*), 211, 213n
"Um homem célebre" (Machado de Assis), 16
Universal (chapelaria), 82n
Unter den naturvolken zentral-Brasiliens (Karl von den Steinen), 153n
Uruguai,
Uruguaiana (rua), 159-161

Valença, 280n
Valongo (rua), 274
VASCONCELOS, Bernardo Pereira de (1795-1850), 52, 54, 167n, 269, 272n
Vassouras, 53-54, 61n, 278, 279, 280n
VAZ, Augusto (professor), 200n
VELASCO, Luísa Teresa (curandeira), 274
VELOSO, Pedro Leão (1828-1902), 151, 153n
Veneza (República), 279, 280n
Venezuela, 53-54, 277, 279, 279n
"Verba testamentária" (Machado de Assis), 55
VERGUEIRO, Nicolau (1778-1859), 52, 269, 272n
Vesúvio, 183, 185, 185n
VIANA, Antônio Ferreira (1832-1903), 23, 64, 81n-82n, 88n, 114-115, 116n, 125n, 181n
Vida de Licurgo (Plutarco), 191n, 203n
Vida e obra de Machado de Assis (Raimundo Magalhães Júnior), 59n, 60n-61n, 279n
VIEIRA DA SILVA, Luís Antônio (1828-1889), 114, 116n, 271, 272n

VILELA, José Luís Fernandes (banqueiro), 93, 94n
VILLON, François (1431-1489), 172n
Virgem (constelação), 281
VIRGÍLIO (deputado), 128
VIRGÍLIO (Públio Virgílio Marão) (70-19 a.C.), 149n
VISCONDE DE OURO PRETO, *ver* FIGUEIREDO, Afonso Celso de Assis
VISCONDE DE VIEIRA DA SILVA, *ver* VIEIRA DA SILVA, Luís Antônio
VISCONDE DO CRUZEIRO, *ver* TEIXEIRA JÚNIOR, Jerônimo José
Visões da liberdade (Sidney Chalhoub), 33, 60n
VITÓRIA I (Inglaterra) (1819-1901), 130n
VOLTAIRE (François Marie Arouet) (1694-1778), 152
Voto Livre, 98n

YORICK (*Hamlet*), 221

Xingu, 145n, 151
Xique-Xique, 172n

WALLENSTEIN, Bernardo (loja), 283n
WALPOLE, sir Robert (1676-1745), 190n

ZAMA, Aristides Spínola César (1837-1906), 93, 94n, 128, 130n, 160, 179, 181n, 235-236
Zama (batalha), 130n

Título	Bons dias!
Autor	Machado de Assis
Introdução e notas	John Gledson
Coordenador editorial	Ricardo Lima
Secretário gráfico	Ednilson Tristão
Preparação	Juliana Bôa
Revisão	Lúcia Helena Lahoz Morelli
Design de capa	Ana Basaglia
Formato	16 x 23 cm
Papel	Pólen soft 80/m² – miolo
	Cartão supremo 250 g/m² – capa
Tipologia	Garamond Premier Pro
Número de páginas	320

ESTA OBRA FOI IMPRESSA NA GRÁFICA AS
PARA A EDITORA DA UNICAMP EM OUTUBRO DE 2021.